Hernandes Dias Lopes

GÁLATAS

A carta da liberdade cristã

© 2011 por Hernandes Dias Lopes

1ª edição: março de 2011
11ª reimpressão: agosto de 2021

Revisão
Andréa Filatro
João Guimarães

Adaptação gráfica
Sandra Oliveira

Adaptação de capa
Patrícia Caycedo

Editor
Aldo Menezes

Coordenador de produção
Mauro Terrengui

Impressão e acabamento
Imprensa da Fé

As opiniões, as interpretações e os conceitos emitidos nesta obra são de responsabilidade dos autores e não refletem necessariamente o ponto de vista da Hagnos.

Todos os direitos desta edição reservados à
Editora Hagnos Ltda.
Av. Jacinto Júlio, 27
04815-160 — São Paulo, SP
Tel.: (11) 5668-5668

E-mail: hagnos@hagnos.com.br
Home page: www.hagnos.com.br

Editora associada à:

Dados Internacionais de Catalogação na Publicação (CIP)
Câmara Brasileira do Livro, SP, Brasil

Lopes, Hernandes Dias

Gálatas: a carta da liberdade cristã / Hernandes Dias Lopes — São Paulo: Hagnos, 2011. (Comentários Expositivos Hagnos)

ISBN 978-85-7741-080-3

1. Bíblia NT Gálatas - Epístolas de Paulo: comentários. 2. Cristianismo 3. Liberdade (Teologia) I. Título

11-01153 CDD 227.406

Índices para catálogo sistemático:
1. Gálatas: Epístolas de Paulo: comentários 227.406

Dedicatória

Dedico este livro ao vereador Esmael de Almeida, homem de bem, servo do Altíssimo, amigo precioso, cooperador sempre presente nas lides do Reino, bênção de Deus em minha vida, família e ministério.

Sumário

Prefácio

A Epístola de Paulo aos Gálatas é atual, oportuna e absolutamente necessária à igreja contemporânea. É a carta magna da liberdade cristã. As igrejas da Galácia haviam sido invadidas pelos falsos mestres judaizantes logo após a primeira viagem missionária de Paulo e Barnabé. Os arautos do legalismo perverteram o evangelho e perturbaram a igreja. Exigiam que os gentios fossem circuncidados e observassem a lei de Moisés para serem salvos. Afirmavam que Moisés precisava complementar a obra de Cristo. Negavam a suficiência da graça para a salvação. Acrescentaram as obras à fé como condição para alguém ser aceito por Deus.

Para esses embaixadores da escravidão, a fé em Cristo não era suficiente para a salvação. Era imperativo guardar também a lei. Dessa maneira eles interpretaram erroneamente tanto a lei quanto o evangelho. O papel da lei não é salvar, mas revelar o pecado. A função da lei não é levar o homem ao céu, mas conduzi-lo ao Salvador. A lei não está em oposição ao evangelho. Só aqueles que se sentem condenados pela lei, é que buscam as boas-novas do evangelho.

O legalismo é um caldo mortífero. É um veneno extremamente perigoso. Aqueles que se rendem a seus encantos aplaudem a si mesmos e gloriam-se na carne. Aqueles que seguem por esse caminho, equivocadamente, acreditam que precisamos alcançar o favor de Deus pelas obras da lei. Assim, anulam a obra de Cristo, aviltam a graça e fazem troça do sacrifício expiatório de Cristo.

Os falsos mestres oriundos das fileiras do judaísmo farisaico atacaram Paulo e sua mensagem com grande insolência. Infiltraram-se nas igrejas da Galácia e tentaram de todas as formas minar a autoridade do apóstolo. Paulo, porém, calçado pela verdade, enfrentou com galhardia esses paladinos da mentira. Refutou-os com argumentos irresistíveis. Desmascarou-os com coragem invulgar. Pôs a descoberto todas as intenções insinceras desses corações hipócritas.

O legalismo não morreu. Está vivo e causando ainda muitos estragos nas igrejas contemporâneas. Mestres empapuçados de vaidade ainda aplaudem a si mesmos e fazem propaganda de sua pretensa espiritualidade. Indivíduos sedentos de poder e carentes de prestígio ainda buscam glórias para si mesmos, em vez de buscar a glória de Cristo e a edificação da igreja. São pastores que apascentam a si mesmos. Líderes que se servem das pessoas para erguer um monumento à própria vaidade.

O legalismo tem aparência de piedade, mas esconde atrás de suas máscaras uma cara carrancuda e suja. Os falsos mestres travestidos de "ungidos" de Deus, escravizam as consciências fracas, colocam pesados fardos sobre os ombros dos outros, mas eles mesmos se entregam a uma desavergonhada licenciosidade. São hipócritas. São lobos, e não pastores do rebanho.

A Carta aos Gálatas é um tratamento de choque para uma igreja que está com o pé na estrada da apostasia. É um brado de alerta para os que seguem desatentamente os lobos travestidos de ovelhas. É o estandarte da liberdade para uma igreja que está colocando o pescoço outra vez na canga da escravidão. Estudar essa epístola é receber um poderoso antídoto contra esses terríveis males que atacaram a igreja ontem e ainda hoje a perturbam.

Hernandes Dias Lopes

Capítulo 1

Uma introdução à Carta aos Gálatas

(Gl 1.1)

A CARTA DE PAULO AOS GÁLATAS é a sua epístola mais polêmica. Seu tom apologético é vivo, e suas palavras são contundentes. Paulo havia evangelizado os gálatas, que alegremente receberam a palavra do evangelho. Depois que Paulo se foi, vieram mestres judaizantes, dizendo que o cristianismo era apenas um tipo de judaísmo melhorado, e que os cristãos gentios também deviam guardar a lei, se quisessem ser salvos (At 15.1,5). Os gálatas os estavam seguindo e com isso se desviavam da verdade do evangelho.[1] A epístola de Paulo aos Gálatas diz respeito a essa controvérsia judaizante, em função da qual se reuniu o Concílio de Jerusalém (At 15.1-35).

Robert Gundry diz que, tivessem prevalecido os seus pontos de vista, não somente o evangelho teria sido subvertido como uma dádiva gratuita da parte de Deus, mas também o movimento cristão poderia ter-se dividido para formar uma igreja judaica – pequena, laboriosa, mas que finalmente se dissiparia – e uma igreja gentílica, teologicamente desarraigada e tendente ao sincretismo pagão. Ou, mais provavelmente ainda, a missão cristã entre os gentios quase certamente teria cessado, e o cristianismo haveria de experimentar a morte de muitas das seitas judaicas; porquanto a maioria dos gentios se mostrava indisposta a viver como judeus. Deus, entretanto, não permitiria que os seus propósitos fossem distorcidos pelo sectarismo. E a Epístola aos Gálatas é a grande carta patente da liberdade cristã, que nos livra de todas as opressivas teologias de salvação por intermédio dos esforços humanos, e que, entretanto, serve de grandiosa afirmação da unidade e igualdade de todos os crentes, dentro da Igreja de Jesus Cristo.[2]

A carta é ríspida quando aborda a questão judaizante (5.12) ou quando repreende os crentes gálatas (4.20). William Barclay compara Gálatas a uma espada flamejante brandindo nas mãos de um grande guerreiro.[3] Os torpedos dos judaizantes estavam voltados para atacar em duas direções: à legitimidade do apostolado de Paulo e à integridade de sua teologia. A defesa desses dois pontos é o núcleo dessa missiva. O apóstolo Paulo estava determinado a libertar o evangelho das tentativas judaizantes de aliená-lo.[4]

Gálatas foi possivelmente a primeira carta escrita por Paulo e por consequência o primeiro livro canônico do Novo Testamento. Só por isso, já mereceria nossa mais prestimosa atenção. Porém, essa epístola é a carta magna da liberdade cristã. Tem sido chamada a "declaração da independência cristã".[5] Gálatas é o coração do evangelho. Ela proclama tanto a liberdade cristã como a universalidade do evangelho.

A Carta aos Gálatas teve um papel fundamental na história da igreja. Ao lado de Romanos, essa missiva é um dos esteios da gloriosa doutrina da justificação pela fé. Foi pela descoberta de seu bendito conteúdo que Lutero deflagrou a Reforma no século 16. Para Lutero, durante a Reforma, Gálatas foi a fortaleza de onde, entrincheirado, ele combateu a violência e todos os erros da Roma papal. Foi pela leitura do prefácio dessa carta, escrito por Lutero, que João Wesley teve sua genuína experiência de conversão depois de vários anos nas lides da pregação. Wesley ficou tão empolgado com o comentário de Lutero sobre essa epístola que chegou a dizer que era o principal livro da literatura universal.[6] Lutero a considerava o melhor dos livros da Bíblia. Essa carta tem sido chamada "o grito de guerra da Reforma".[7]

O autor da carta (1.1)

Gálatas é o mais genuíno do genuíno que temos de Paulo.[8] A autoria paulina de Gálatas é um consenso praticamente unânime entre todos os estudiosos ao longo dos séculos. Até mesmo os críticos mais radicais subscrevem essa convicção. O próprio herege Marcion colocou Gálatas na proa de sua lista das cartas paulinas.[9] Merrill Tenney afirma com razão que a Epístola aos Gálatas é aceita como paulina tanto pelos críticos conservadores como pelos críticos radicais.[10]

Há abundantes testemunhos internos e externos que apontam a autoria paulina de Gálatas. Vejamos essas duas evidências.

Em primeiro lugar, *as evidências internas*. O nome de Paulo ocorre na saudação (1.1) e também no corpo da carta (5.2). Praticamente todo o capítulo 1 e o 2 são autobiográficos; os debates do capítulo 3 (3.1-6,15) foram postos na primeira pessoa do singular; os apelos do capítulo 4 se referem diretamente às relações existentes entre os destinatários da epístola e o seu autor (4.11,12-20); a intensidade do testemunho de Paulo aparece no capítulo 5 (5.2,3); e a conclusão, no capítulo 6, termina com uma alusão aos sofrimentos do autor por amor a Cristo (6.17). Merrill Tenney tem razão quando diz que a Epístola aos Gálatas não é um ensaio que pudesse ter sido escrito por qualquer pessoa para em seguida ser atribuído a Paulo. É uma obra calorosa e íntima que não pode ser separada do próprio autor.[11]

Em segundo lugar, *as evidências externas.* Há diversas referências dos principais Pais da igreja nos primeiros séculos confirmando a autoria paulina de Gálatas. Essa epístola foi largamente reconhecida e empregada no século 2. Nada menos de 25 versículos são citados por Irineu, que mencionou a epístola pelo nome. Ela também foi abordada nos comentários de Orígenes. Jerônimo e Pelágio, no século 4, e um grupo de escritores latinos no século 9, tornaram-na tema de seus estudos. Do ano 900 a 1500, porém, poucos comentários de qualquer espécie foram escritos a respeito. No século 16, durante a Reforma, reacendeu-se o interesse pelos estudos bíblicos; e, por intermédio do comentário de Lutero, o livro de Gálatas recuperou a sua proeminência na literatura eclesiástica.[12]

Para quem a carta foi escrita

A Carta aos Gálatas é uma missiva circular do apóstolo Paulo. Ela foi dirigida às igrejas da Galácia (1.2). Essa epístola fazia o rodízio nas reuniões cristãs de uma região e era lida em público, prática comum no século 1 (1Ts 5.27; Cl 4.16).

Se a autoria de Paulo da Carta aos Gálatas é matéria líquida e certa, identificar os destinatários não é coisa fácil de fazer. Não existe consenso entre os eruditos acerca desse assunto. Como já afirmamos, Gálatas é a única carta de Paulo escrita a um grupo de igrejas, em vez de a uma única e determinada igreja. O problema é que o termo "gálatas" pode ter um significado geográfico e outro étnico. Teria Paulo escrito a carta aos povos celtas que habitaram no norte da Ásia Menor, ou às igrejas que ele e Barnabé estabeleceram na primeira viagem missionária ao sul da Galácia? Para dar essa resposta, duas teorias foram criadas: a teoria da Galácia do Norte e a teoria da Galácia do Sul. A primeira situa essa carta num período posterior à segunda viagem missionária; e a segunda, no final da primeira viagem missionária.

Durante séculos, os estudiosos debateram se Paulo escreveu Gálatas a uma ou a outra região da Galácia. A Galácia do Sul foi formada pelos romanos, a partir de 64 a.C. Em 25 d.C., recebeu o estado pleno de província romana. Eruditos da envergadura do bispo anglicano J. B. Lightfoot defendem a tese de que Paulo escreveu essa carta aos gálatas étnicos da região norte da Galácia; tal posição foi mais tarde refutada por outro erudito, um catedrático de Cambridge chamado Sir William Ramsey, que, depois de acurados estudos arqueológicos na região, e estribado nos registros do livro de Atos, chegou à conclusão de que essa epístola foi escrita às igrejas do Sul da Galácia fundadas por Paulo e Barnabé quando de sua primeira viagem missionária, ou seja, Antioquia da Pisídia, Icônio, Listra e Derbe (At 13.13–14.25).

Hoje, o peso da erudição recai sobre a Galácia do Sul. Lightfoot quase no fim da vida, aderiu à tese de Ramsay.[13] Donald Guthrie está correto quando diz ser preferível supor que essa epístola foi endereçada àquelas igrejas sobre as quais temos bastante informação do que àquelas das quais nada sabemos, e sobre as quais nem sequer existe certeza quanto à sua existência.[14]

Subscrevemos essa posição por achá-la mais consistente com os fatos e circunstâncias.

Quando a Carta aos Gálatas foi escrita

Se os destinatários da epístola não são matéria de consenso entre os eruditos, também não o é a questão da data. Isso porque a data está estreitamente ligada aos destinatários da epístola. Se a teoria da Galácia do Norte for a verdadeira, então essa missiva foi escrita por volta do ano 55 d.C., provavelmente de Éfeso, após a terceira viagem missionária. Entretanto, se a teoria da Galácia do Sul estiver certa, essa carta deve ter sido escrita por volta do ano 49 d.C., provavelmente logo após o retorno dos missionários pioneiros à igreja de Antioquia da Síria (At 14.26,27).

Subscrevemos a teoria de que Paulo escreveu essa carta às igrejas de Antioquia da Pisídia, Icônio, Listra e Derbe, estabelecidas na primeira viagem missionária. O fato de Paulo não mencionar nessa epístola, sua carta mais apologética contra os judaizantes, as decisões do Concílio de Jerusalém acerca da posição oficial da igreja, desobrigando os crentes gentios de se submeterem à circuncisão e aos demais ritos da lei judaica, parece favorecer a tese de que Paulo a escreveu antes mesmo desse concílio, ou seja, da cidade de Antioquia da Síria.

Esposam essa ideia vários eruditos do passado e do presente, como Calvino e John Stott. O reformador Calvino chega a escrever:

> Quanto a mim, creio que Gálatas foi escrita antes de o concílio ser instalado e de os apóstolos tomarem a decisão final a respeito de observâncias cerimoniais. Enquanto seus oponentes reivindicavam falsamente o nome de apóstolos e se esforçavam para estragar a reputação de Paulo, quão negligente ele teria sido se houvesse negligenciado os decretos que circulavam entre eles e minimizavam a posição deles! Sem dúvida, esta palavra lhes teria fechado a boca: "Vocês trazem contra mim a autoridade dos apóstolos. Mas quem não conhece a decisão deles? Portanto, eu os vejo convencidos de mentira descarada. Em nome dos apóstolos, vocês colocam sobre os gentios a necessidade de guardar a lei; mas apelo aos escritos deles, que colocam em liberdade a consciência humana".[15]

O livro de Atos menciona cinco visitas de Paulo à cidade de Jerusalém depois de sua conversão (At 9.26; 11.30; 15.2; 18.22; 21.17). A primeira delas aconteceu três anos depois de sua conversão (At 9.26; Gl 1.17,18). A segunda visita ocorreu quando ele e Barnabé foram levar ofertas levantadas na igreja de Antioquia da Síria aos crentes pobres de Jerusalém (At 11.30). A terceira visita ocorreu por ocasião do Concílio de Jerusalém, quando os apóstolos e presbíteros decidiram que a causa judaizante laborava em erro (At 15.1-35). A quarta visita de Paulo a Jerusalém foi bem rápida, logo no final da segunda viagem missionária (At 18.22). A quinta e última visita do apóstolo à Jerusalém foi após sua terceira viagem missionária, quando ele levou aos pobres da Judeia a oferta levantada entre as igrejas da Macedônia e Acaia (At 21.17). Foi por ocasião da última visita que Paulo foi preso.

Parece-nos mais razoável, portanto, que Paulo tenha escrito essa carta às igrejas da Galácia depois de sua segunda visita a Jerusalém e antes da terceira. A despeito dessas evidências, entrementes, outros eruditos defendem a tese de que não podemos ter certeza quanto a esse assunto. Enéas Tognini chega a afirmar: "Segundo penso, só Deus sabe quando e onde Paulo escreveu Gálatas".[16]

Os propósitos da Carta aos Gálatas

Se há controvérsia em torno da data e do destino exatos da Epístola aos Gálatas, o propósito da carta, entretanto, não deixa nenhuma dúvida.

Uma retrospectiva dos acontecimentos nos ajudará a entender melhor o contexto. Antioquia da Síria era a terceira maior cidade do mundo, uma cidade verdadeiramente cosmopolita. Ali havia uma comunidade de judeus crentes (At 11.19-26). Essa comunidade cresceu e ali os discípulos foram chamados pela primeira vez de cristãos (At 11.26). A igreja de Antioquia tornou-se uma igreja multirracial (At 13.1). Dela saíram os missionários Barnabé e Saulo, que, passando pela Galácia do Sul, estabeleceram igrejas nas cidades de Antioquia da Pisídia, Icônio, Listra e Derbe.

Nessas cidades, os gentios acolhiam o evangelho com alegria, mas os judeus faziam implacável oposição a Paulo e Barnabé (At 13.50; 14.2,4; 14.19). Ao retornar para Antioquia, relataram quantas coisas fizera Deus e como abrira aos gentios a porta da fé (At 14.27). Certamente a notícia da conversão abundante dos gentios chegou a Jerusalém. De Jerusalém desceram alguns indivíduos, da seita dos fariseus que haviam crido (At 15.1,5), e começaram a perturbar os irmãos em Antioquia. Paulo e Barnabé os confrontam (At 15.2). Por serem eles ligados à igreja de

Jerusalém, Paulo leva a questão aos apóstolos e presbíteros de Jerusalém, e, para sanar essa questão doutrinária, o concílio reúne-se e chega à conclusão de que os judaizantes laboravam em erro (At 15.6-29). A decisão do concílio foi promulgada e divulgada entre as igrejas de Antioquia, Síria e Cilícia (At 15.22-35), bem como às igrejas da Galácia do Sul (At 16.1-4). A atitude dos falsos mestres judaizantes saídos da própria igreja de Jerusalém e de outros oriundos da Ásia Menor continuou, entretanto, a perturbar a igreja gentílica antes e depois do Concílio de Jerusalém. Os decretos eclesiásticos infelizmente não resolvem na base todos os problemas doutrinários da igreja.

Walter Elwell e Robert Yarbrough destacam que Paulo escreve essa missiva para trazer um grupo de igrejas na Galácia (1-6) de volta ao evangelho (1.2), do qual repentinamente se haviam afastado. O novo "evangelho" que elas abraçaram não era evangelho nenhum na verdade (1.7). O verdadeiro evangelho, aquele que Paulo pregou e que elas aceitaram, vinha mediante revelação de Jesus Cristo diretamente a Paulo (1.12). É o mesmo evangelho pregado por outros apóstolos (2.7-9). Isto significa que versões alteradas do evangelho devem ser consideradas necessariamente distorções inaceitáveis. Nem mesmo visões angelicais ou uma mensagem diferente do próprio Paulo deveria atrair os gálatas para trocar sua primeira fé por uma fé revisada (1.8).[17]

A Carta aos Gálatas foi escrita com dois principais propósitos em vista: o primeiro foi a defesa do apostolado de Paulo, e o segundo, a defesa do evangelho anunciado por Paulo. Essas duas vertentes estavam estreitamente interligadas. Era impossível atingir uma sem afetar a outra. Vamos destacar esses dois pontos.

Em primeiro lugar, *a defesa do apostolado de Paulo.* Os judaístas solapavam a autoridade de Paulo como apóstolo de Jesus Cristo. Para tanto, tornavam nebulosa a sua relação com os primeiros apóstolos e os cristãos de Jerusalém. Eles espalhavam que Paulo era ávido por receber agrados dos homens (1.10). Também diziam que Paulo era inferior aos apóstolos de Jerusalém. Donald Guthrie tem razão em dizer que toda a autoridade apostólica de Paulo estava em jogo. Caso permitisse que fosse aceita a ideia de ele ser inferior aos apóstolos de Jerusalém, sem defesa de sua parte, sua missão apostólica correria risco. Paulo faz questão de afirmar que seu apostolado (1.1) e seu evangelho (1.12) não tinham procedência humana, mas divina,[18] e que ele não era inferior aos apóstolos de Jerusalém, os quais haviam reconhecido seu apostolado (2.7-10).

Em segundo lugar, *a defesa do evangelho proclamado por Paulo.* Os judaístas combatiam ardorosamente a liberdade que Paulo anunciava por meio do evangelho. Os fariseus já haviam formado uma confraria que visava santificar pela obediência à lei todo o dia-a-dia de seus membros, do berço ao ataúde. Para isso, não apenas contavam cuidadosamente os 613 mandamentos citados no Antigo Testamento (365 ordens e 248 proibições), mas os ainda rodeavam com um círculo de determinações adicionais. Essas eram as "tradições dos anciãos", mencionadas em Marcos 7.1-13, às quais Jesus contrapôs os verdadeiros mandamentos de Deus. Agora esses pregadores judaístas, como falsos irmãos, queriam introduzir não a lei inteira, mas somente "um pouquinho" dela (5.9; 3.15), enquanto eles mesmos não a guardavam (6.13).

O problema de acrescentar alguns preceitos da lei à fé como condição para a salvação é que esses falsos mestres estavam atacando o coração do próprio cristianismo. Os judaístas pensavam que nenhum gentio poderia ser salvo a menos que se tornasse primeiro judeu. O argumento de Paulo é que acrescentar alguns preceitos da lei à fé não apenas anula a própria lei (6.13) e a fé, mas também rechaça a graça de Cristo (5.2-4). Essa tentativa de combinar o cristianismo com o judaísmo foi chamada por Paulo de "outro evangelho", e o apóstolo o condena sem rodeios, dizendo que deveria ser "anátema" (1.7-9).[19]

Concordo com Everett Harrison quando ele diz que a porção doutrinária da epístola tem como intenção demonstrar que o crente não é justificado pelas obras da lei, mas por meio da fé em Cristo (2.16); que de todos os modos a lei não foi dada para esse propósito, senão preparar o caminho para a obra redentora de Cristo (3.19), e que o Espírito Santo que é dado aos crentes produz um fruto tão agradável que nenhum esforço carnal de guardar a lei pode rivalizar com ele (5.22).[20]

Donald Guthrie está coberto de razão quando destaca que a Carta aos Gálatas contém tanto uma advertência séria contra o legalismo como também combate com veemência a libertinagem. Paulo não confundia liberdade com libertinagem (5.13). Ao invés de afrouxar os padrões, o apóstolo favorece exatamente o inverso. O tipo de cristianismo que ele defendia faz exigências rigorosas ao homem, a despeito do antilegalismo. A exigência principal é o exercício do amor.[21]

Características especiais da Carta aos Gálatas

A Carta aos Gálatas tem algumas características especiais, que vamos destacar aqui.

Em primeiro lugar, *Gálatas é a carta mais apologética de Paulo.* Gálatas é tanto uma defesa do apostolado de

Paulo como de sua teologia. Logo depois que Paulo passou por essa região plantando igrejas, os judaizantes subiram de Jerusalém e começaram a disseminar seus falsos ensinos entre os crentes gentios, dizendo-lhes que precisavam cumprir alguns ritos da lei judaica, como a circuncisão, para serem salvos. Esses pregadores itinerantes, colimando objetivos nefastos, atacavam tanto Paulo como sua pregação. O apóstolo, longe de se intimidar, escreve essa carta fazendo uma robusta defesa do seu apostolado e do evangelho que proclamava.

Quem eram esses pregadores itinerantes? Com certeza tratava-se de judeus; pelo menos eles se arvoravam como tais (2Co 11.22). Esses judaístas pertenciam à ala radical dos judeus-cristãos que voltavam a conferir à lei peso maior que ao evangelho (At 15.1-5).[22] Ensinavam uma mescla de judaísmo e cristianismo. Para eles, o cristianismo deveria operar dentro da esfera da lei mosaica. A fé em Cristo não seria suficiente; precisava ser complementada pela obediência à lei de Moisés. E, dentre os preceitos mosaicos, eles frisavam a guarda das festas religiosas e do sábado (4.9,10), bem como a necessidade da circuncisão (5.2; 6.12). Paulo entendeu que, se a causa judaizante prevalecesse, o cristianismo seria apenas uma seita do judaísmo.[23]

Esses falsos pregadores deturpavam o evangelho (1.7). Eles perturbavam os crentes gentios (1.7), deixando-os inseguros quanto à doutrina evangélica (5.10). Eles impediam o progresso espiritual dos gálatas (5.7), persuadindo (5.8) e constrangendo esses cristãos neófitos por meio da pressão psicológica (6.12). O propósito desses judaizantes era afastar os crentes gentios do apóstolo Paulo (4.17). Na verdade eles incitavam os novos crentes a se rebelarem contra Paulo (5.12) e já haviam conseguido levar alguns deles a se tornarem inimigos de Paulo (4.16).[24] É verdade que havia alguns que permaneceram fiéis ao apóstolo, mas a disputa entre esses dois grupos tornou-se tão acirrada a ponto de eles quase se destruírem uns aos outros (5.15,26).

Adolf Pohl ressalta que a ação maléfica desses falsos mestres foi tão avassaladora, que as igrejas estavam a ponto de se bandearem definitivamente para eles (1.6; 3.3,4; 4.9,11,21). Os mestres instalados por Paulo já ficavam sem sustento (Gl 6.6-10). As igrejas da Galácia, em tão breve tempo, corriam o risco de despedir-se do cristianismo.[25]

Em segundo lugar, *Gálatas deve ser a carta mais antiga escrita por Paulo.* Mui provavelmente Gálatas foi a primeira epístola escrita por Paulo e o primeiro livro canônico do Novo Testamento. Se aceitarmos a tese da Galácia do Sul, então Paulo escreveu essa epístola de Antioquia da Síria, logo depois da primeira viagem missionária ou no mais tardar de Corinto, por ocasião de sua segunda viagem missionária.

Em terceiro lugar, *Gálatas é o segundo livro mais autobiográfico de Paulo.* Mais que em qualquer epístola, Paulo defende seu apostolado contra os ataques de fora; e, no quesito autobiografia, Gálatas só perde para a Segunda Carta aos Coríntios. É consenso entre os eruditos que depois da Segunda Carta aos Coríntios, a carta mais pessoal de Paulo, Gálatas vem em seguida como uma epístola com forte ênfase autobiográfica. Paulo desfilava suas experiências pessoais porque elas exemplificavam as verdades que ele defendia. Everett Harrison diz com razão que Paulo demonstra grande versatilidade em sua apresentação, ao recorrer à Escritura, à experiência, à lógica, à advertências, exortações e outros métodos para lograr o propósito de defender seu apostolado e seu evangelho.[26]

Em quarto lugar, *Gálatas é a carta magna da liberdade cristã.* Concordo com Guillermo Hendriksen, quando diz que a todos os que estão dispostos a crer na Palavra de Deus, Gálatas mostra o caminho para a verdadeira liberdade (5.1). Essa liberdade genuína não é o legalismo nem a libertinagem. É a liberdade de ser "escravo de Cristo".[27] Paulo lida nessa epístola com a própria essência do cristianismo. Se os judaizantes tivessem triunfado, a obra evangélica estaria comprometida e o cristianismo não passaria de uma mera seita judaica.

Gálatas é a resposta de Deus para os numerosos falsos cultos de hoje em dia, os quais propõem uma mistura do judaísmo com o cristianismo. Enéas Tognini tem razão quando diz que no passado, hoje e sempre, Gálatas é arma poderosa para derrotar o sacramentalismo pagão da Roma papal, o legalismo moderno de leis e preceitos de guarda de determinados dias e abstenção de certos alimentos. Todos os ensinos que atentam contra a pessoa e a obra do Senhor Jesus, como as doutrinas fantasiosas de Joseph Smith e Brigham Young, fundadores do mormonismo, e as distorções da seita Testemunhas de Jeová, são veementemente combatidas pela mensagem de Gálatas. Assim, Gálatas ergueu-se no passado, está em pé hoje e assim permanecerá, para sempre, com a bandeira da plena liberdade em Cristo, nas balizas do Santo Espírito de Deus.[28]

Em quinto lugar, *Gálatas é a carta mais rica em figuras de linguagem.* Donald Guthrie diz que Gálatas nos chama a atenção pelo grande número de figuras de linguagem. As mais típicas são: o olhar que fascina (3.1), a exposição de notícias (3.1), a função do aio (3.24), a ilustração do parto (4.19), o jugo (5.1), a competição esportiva (5.7), o fermento (5.9), o escândalo, ou pedra de tropeço (5.11), a ferocidade dos animais selvagens (5.15), a colheita dos frutos (5.22), o processo de semear e ceifar (6.7), a família (6.10) e o processo de ferretear (6.17). Essas metáforas demonstram a larga gama dos interesses do apóstolo e seu senso agudo do valor da linguagem metafórica ao inculcar suas lições.[29]

As principais ênfases da Carta aos Gálatas

A carta de Paulo aos Gálatas é um tesouro inesgotável de gloriosas verdades que ornam a fé cristã. De acordo com Myer Pearlman, Paulo trata aqui sobre o apóstolo da liberdade (capítulos 1,2); a doutrina da liberdade (capítulos 3,4); e a vida de liberdade (capítulos 5,6).[30] Já Guillermo Hendriksen divide a epístola da seguinte maneira: a origem do evangelho (capítulos 1,2); a defesa do evangelho (capítulos 3,4); e a aplicação do evangelho (capítulos 5,6).[31] Na verdade, Paulo faz uma defesa pessoal (capítulos 1,2); uma defesa da teologia (nos capítulos 3,4); e uma defesa da ética cristã (nos capítulos 5,6). Apresentamos, a seguir, uma síntese das principais ênfases dessa epístola.

Em primeiro lugar, *a liberdade cristã.* Merrill C. Tenney diz que a Epístola aos Gálatas incorpora o ensino germinal sobre a liberdade cristã que separou o cristianismo do judaísmo e o lançou em uma carreira de conquista missionária.[32] A liberdade cristã é o tema central da epístola, particularmente no que se relaciona à liberdade da escravidão do legalismo, que é a consequência natural de quem busca adquirir a salvação por meio das obras.[33]

A lei impõe uma maldição aos que não cumprem toda a lei. Nenhum pecador cumpre toda a lei. Mas Cristo tomou sobre si a maldição da lei, livrando assim os que nele confiam (3.10-14). A lei escraviza os homens a noções elementares; Cristo os liberta. É insensatez tornar-se livre em Cristo, para então submeter-se de novo à lei (4.8-11; 5.1; 3.19). A liberdade cristã, porém, não é sinônimo de anarquia ou de licenciosidade. A fé em Cristo atua mediante o amor, e assim cumpre a lei de Cristo (5.6; 5.13; 6.10).[34] Estou de acordo com Merrill Tenney quando ele diz que a liberdade consiste não na capacidade de desobedecer a Deus impunemente, mas, antes, na capacidade de obedecer-lhe espontaneamente, sem nenhum impedimento eficaz.[35]

Em segundo lugar, *a justificação pela fé*. A Carta aos Gálatas foi a pedra fundamental da Reforma Protestante, porque seu ensino sobre a salvação exclusivamente pela graça tornou-se o tema dominante da pregação dos reformadores.[36] Paulo refuta os judaizantes mostrando para eles que Abraão, o pai da fé, não foi justificado por obras, mas pela fé. O propósito da lei não é salvar, mas convencer o homem do seu pecado, tomá-lo pela mão e levá-lo ao Salvador.

Concordo com Enéas Tognini quando ele alega que Abraão não foi aceito por Deus por ter sido circuncidado, mas foi circuncidado por ter sido aceito por Deus, mediante a fé. A promessa divina de Abraão cumpre-se em Cristo, e não na lei, pelo que as bênçãos decorrentes da promessa são estendidas a todos os que creem em Cristo (3.6-9,15-22).[37] O verdadeiro filho de Abraão não é aquele que tem o sangue de Abraão correndo nas veias, mas o que tem a fé de Abraão habitando em seu coração, pois a salvação não se baseia na obra que fazemos para Deus, mas na obra que Deus fez por nós em Cristo. A salvação não é resultado do mérito humano, mas presente da graça divina. A justificação é pela fé, e não pelas obras!

Em terceiro lugar, *a suficiência da obra de Cristo.* Os judaizantes eram sinergistas. Pregavam uma salvação provinda em parte das obras e em parte da fé. Para eles a salvação era o somatório das obras mais a fé, uma espécie de parceria entre o homem e Deus, na qual o homem entraria com o esforço das obras e Deus com a oferta da graça mediante a fé. Pelo ensino dos mestres judaizantes o homem receberia a salvação como um prêmio de seus méritos, e não como uma oferta da graça. Essa pregação, contudo, estava aquém da lei e ultrajava a graça. Não podemos acrescentar coisa alguma à obra de Cristo. A salvação não é um troféu que se ostenta, mas um presente que se recebe. O fundamento da salvação está na todo suficiente obra de Cristo e não nos pretensos méritos humanos (2.21).

Adolf Pohl com razão afirma: "O Crucificado é a realidade que sustenta tudo e sem a qual todo o nosso mundo pereceria. Ela constitui praticamente o mar da verdade que nos rodeia de todos os lados".[38] Se a circuncisão e o ritual judaico fossem a base da aceitação do pecador por parte de Deus, Cristo teria morrido em vão (2.21).

Em quarto lugar, *a obra do Espírito Santo.* A santificação não resulta do esforço da carne, mas da ação do Espírito. O poder para uma nova vida não vem de dentro, mas do alto; não das obras da lei, mas do poder do Espírito Santo. Os crentes devem andar no Espírito (5.16), produzir o fruto do Espírito (5.22,23) e viver no Espírito (5.25).

NOTAS DO CAPÍTULO 1

[1] ORR, Guilherme W. *27 chaves para o Novo Testamento.* São Paulo: Imprensa Batista Regular, 1976, p. 30.
[2] GUNDRY, Robert H. *Panorama do Novo Testamento.* São Paulo: Vida Nova, 1978, p. 290.
[3] BARCLAY, William. *Gálatas y Efesios.* Buenos Aires: La Aurora, 1973, p. 13.
[4] POHL, Adolf. *Carta aos Gálatas.* Curitiba: Editora Evangélica Esperança, 1995, p. 26.
[5] TOGNINI, Enéas; BENTES, João Marques. *Janelas para o Novo Testamento.* São Paulo: Hagnos, 2009, p. 181.
[6] TOGNINI, Enéas; BENTES, João Marques. *Janelas para o Novo Testamento*, p. 182.
[7] HENDRIKSEN, Guillermo. *Gálatas.* Grand Rapids, MI: TELL, 1984, p. 11.
[8] POHL, Adolf. *Carta aos Gálatas*, 1995, p. 16.
[9] HARRISON, Everett. *Introducción al Nuevo Testamento.* Grand Rapids, MI: TELL, 1980, p. 267.
[10] TENNEY, Merrill C. *Gálatas.* São Paulo: Vida Nova, 1980, p. 48.
[11] TENNEY, Merrill C. *Gálatas*, 1980, p. 46,47.
[12] TENNEY, Merrill C. *Gálatas*, 1980, p. 19,20.
[13] TOGNINI, Enéas; BENTES, João Marques. *Janelas para o Novo Testamento*, p. 192.
[14] GUTHRIE, Donald. *Gálatas: introdução e comentário.* São Paulo: Vida Nova, 1984, p. 34.
[15] CALVINO, João. *Gálatas.* São José dos Campos: Fiel, 2007, p. 42.
[16] TOGNINI, Enéas; BENTES, João Marques. *Janelas para o Novo Testamento*, p. 187.
[17] ELWELL, Walter A.; YARBROUGH, Robert W. *Descobrindo o Novo Testamento.* São Paulo: Cultura Cristã, 2002, p. 298.
[18] GUTHRIE, Donald. *Gálatas: introdução e comentário*, p. 21.
[19] ORR, Guilherme W. *27 chaves para o Novo Testamento*, p. 31.
[20] HARRISON, Everett. *Introducción al Nuevo Testamento*, p. 268.
[21] GUTHRIE, Donald. *Gálatas: introdução e comentário*, p. 51.
[22] POHL, Adolf. *Carta aos Gálatas*, 1995, p. 22.
[23] TOGNINI, Enéas; BENTES, João Marques. *Janelas para o Novo Testamento*, p. 182,183.
[24] POHL, Adolf. *Carta aos Gálatas*, 1995, p. 21.
[25] POHL, Adolf. *Carta aos Gálatas*, 1995, p. 21.

[26] HARRISON, Everett. *Introducción al Nuevo Testamento*, p. 276.
[27] HENDRIKSEN, Guillermo. *Gálatas*, p. 11.
[28] TOGNINI, Enéas; BENTES, João Marques. *Janelas para o Novo Testamento*, p. 182.
[29] GUTHRIE, Donald. *Gálatas: introdução e comentário*, p. 17,18.
[30] PEARLMAN, Myer. *Através da Bíblia*. Miami: Vida, 1987, p. 270.
[31] HENDRIKSEN, Guillermo. *Gálatas*, p. 31.
[32] TENNEY, Merrill C. *Gálatas*. São Paulo: Vida Nova, 1978, p. 13.
[33] TENNEY, Merrill C. *Gálatas*, 1980, p. 26.
[34] TOGNINI, Enéas; BENTES, João Marques. *Janelas para o Novo Testamento*, p. 190.
[35] TENNEY, Merrill C. *Gálatas*, 1980, p. 16.
[36] TENNEY, Merrill C. *Gálatas*, 1980, p. 13.
[37] TOGNINI, Enéas; BENTES, João Marques. *Janelas para o Novo Testamento*, p. 190.
[38] POHL, Adolf. *Carta aos Gálatas*, 1995, p. 27.

Capítulo 2

A defesa do apostolado e do evangelho de Paulo

(Gl 1.1-5)

O APÓSTOLO PAULO está sob ataque, assim como o evangelho da graça. A atmosfera espiritual está pesada. As nuvens pardacentas da tempestade já estão formadas. Trovões ribombam por todos os lados, e relâmpagos fuzilam despedindo seus raios mortíferos. Paulo está agitado. O sangue ferve-lhe nas veias. Uma santa indignação toma conta do apóstolo. Sua vida e sua mensagem estão sendo impiedosamente atacadas pelos judaizantes. Essa carta é uma defesa contundente do seu apostolado e do evangelho que ele anuncia. Já no introito dessa epístola, esse paladino da liberdade cristã dá uma resposta à altura aos seus críticos (1.1). Ao longo da carta, brandindo a espada da verdade, Paulo vai desfazendo com vigor irresistível os argumentos falaciosos de seus opositores (1.6-9; 3.1,10; 5.4,12; 6.12,13).

William MacDonald salienta que cada frase desses cinco primeiros versículos é cheia de significado. Paulo já trata, mesmo que de forma embrionária, os dois temas principais que serão desenvolvidos em toda a carta, ou seja, sua própria autoridade como apóstolo e seu evangelho da graça de Deus.[39]

Os judaizantes desencadearam um poderoso ataque contra a autoridade do evangelho de Paulo. Eles contestavam o evangelho da justificação pela fé somente, insistindo na necessidade da circuncisão e na observação de certos preceitos da lei para a salvação (At 15.1,5). Tendo solapado o evangelho de Paulo, continuavam minando também a sua autoridade.

O texto em apreço (1.1-5) pode ser dividido em cinco pontos básicos.

O remetente (1.1)

As cartas antigas começavam com o nome do remetente, seguido do nome do destinatário. Em seguida havia uma saudação e palavras gratulatórias. Paulo não foge à regra, porém aproveita o ensejo para, de saída, já fazer sua defesa diante dos ataques dos adversários. Destacamos aqui quatro pontos importantes.

Em primeiro lugar, *Paulo tem consciência de sua autoridade apostólica.* "Paulo, apóstolo..." (1.1a). A palavra *apóstolo* significa "alguém enviado com uma comissão".[40] A referida palavra já possuía uma conotação exata. Significava um mensageiro especial, com um *status* especial, desfrutando uma autoridade e um comissionamento que procediam de um organismo mais elevado que ele próprio.[41] Porém, no uso neotestamentário, o termo "apóstolo" traz o sentido de alguém que falava com toda a autoridade daquele que o enviou.[42] Sua importância ficava claramente condicionada pela posição de quem o enviou. Donald Guthrie diz que Paulo se apresenta como um embaixador, apresentando suas credenciais. Seu apostolado levava o carimbo da origem divina.[43]

O termo "apóstolo" é aplicado a um círculo único de pessoas na igreja de Cristo de todos os tempos e lugares. Concordo com John Stott quando diz que "apóstolo" não era uma palavra comum, que pudesse ser aplicada a qualquer cristão, como as palavras "crente", "santo", ou "irmão". Era um termo especial reservado aos doze e a um ou dois outros que o Cristo ressuscitado designara pessoalmente. Portanto, não pode haver sucessão apostólica. Os apóstolos foram homens chamados diretamente por Jesus e por ele comissionados. Pela natureza do caso, ninguém poderia sucedê-los. Eles foram únicos.[44]

Os apóstolos não tiveram sucessores. A igreja é apostólica hoje na medida em que segue a doutrina dos apóstolos. Laboram em erro aqueles que atribuem a si mesmos esse ofício ou aceitam da igreja essa posição. Paulo não se autodenominou apóstolo nem foi constituído apóstolo pela igreja. Ele recebeu seu apostolado do próprio Senhor Jesus e tem plena consciência de que sua autoridade não emana dele mesmo, mas daquele que o constituiu como tal. O apostolado certamente não era uma instituição democrática. Sua autoridade independia de nomeação humana.[45]

Em segundo lugar, *Paulo tem consciência de que sua autoridade apostólica não foi delegada por homens nem mesmo pela igreja.* "... não da parte de homens, nem por intermédio de homem algum..." (1.1b). O apostolado de Paulo não era de fonte humana ou por agência humana. Este era o ponto no qual seus inimigos o desafiavam e procuravam minar-lhe a autoridade.[46] Paulo não recebeu seu apostolado da parte de Ananias, quando este impôs as mãos sobre ele, nem foi nomeado como tal pelos apóstolos de Jerusalém (1.15-17). Ele destaca que seu chamado não veio dos homens, mas de Deus; não veio da terra, mas do céu.

John Stott diz que o apostolado de Paulo não é humano em nenhum sentido, mas essencialmente divino.[47] Paulo ainda acrescenta no capítulo 1 de Gálatas quatro novos argumentos acerca da procedência do seu apostolado. Ele é apóstolo não pela aprovação das pessoas (1.10a); não para agradar as pessoas (1.10b); não segundo a maneira humana (1.11); e não recebido nem aprendido de seres humanos (1.12).[48]

Em terceiro lugar, *Paulo tem consciência de que sua autoridade apostólica procede tanto de Jesus Cristo como de Deus Pai.* "... mas por Jesus Cristo e por Deus Pai, que o ressuscitou dentre os mortos" (1.1c). Depois da dupla exclusão do ser humano, seguem-se duas informações positivas. Primeiro, "mas por Jesus Cristo". Paulo está debaixo de um envio emitido diretamente por Cristo. Atrás de sua boca está imediatamente a boca do Senhor, mais precisamente, do Senhor exaltado. Segundo, "e por Deus Pai, que o ressuscitou dentre os mortos".[49] Paulo se converteu e foi chamado por Jesus no caminho de Damasco. Jesus revelou-se a ele na Arábia e deu-lhe a revelação do evangelho (Gl 1.15-17). Paulo não aprendeu sua doutrina aos pés dos apóstolos em Jerusalém, mas a recebeu por revelação direta de Jesus. Paulo é enfático em dizer que foi o Senhor ressuscitado quem o comissionou (1Co 9.1; 15.8,9).

Concordo com Donald Guthrie quando diz que a ressurreição de Cristo baniu todas as dúvidas acerca da autenticidade de suas reivindicações, e, posto que a categoria de Paulo estava inextricavelmente vinculada à de Cristo, a ressurreição passou a ser de importância vital sempre que ele pensava no seu ofício apostólico. Além disso, se a ressurreição de Cristo não fosse um fato, a experiência na estrada de Damasco não teria passado de alucinação.[50] É claro que a ressurreição de Cristo tem um peso especial no apostolado de Paulo. É como se ele dissesse: "Fui comissionado pelo Senhor ressurreto e glorificado: sou um apóstolo de pleno direito, uma testemunha qualificada de sua ressurreição, e um sinal de seu poder".[51]

Nessa mesma linha de pensamento, William MacDonald declara que a ressurreição de Cristo era prova da completa satisfação de Deus com a obra de Cristo para a nossa salvação. Aparentemente os gálatas não estavam completamente satisfeitos com a obra do Salvador, uma vez que acrescentavam a ela os próprios esforços para serem aceitos por Deus.[52]

Vale ressaltar que o empenho de Paulo em defender de forma tão robusta e vigorosa o seu apostolado tem a ver com a preservação da integridade do evangelho. Uma vez que o evangelho por ele anunciado estava em jogo, se Paulo não fosse um apóstolo de Jesus Cristo, então as pessoas poderiam rejeitar esse evangelho – e sem dúvida o fariam. Porém, como o que Paulo transmitia era a mensagem de Cristo, ele não podia suportar tal rejeição. Por isso Paulo defendia sua autoridade apostólica, a fim de defender também a sua mensagem.[53] Concordo com a explicação de William Hendriksen: "Dado que a mensagem de Paulo está respaldada pela autoridade divina, os que rechaçam a ele e ao seu evangelho rechaçam a Cristo e, portanto, ao Pai que o enviou e quem o ressuscitou dentre os mortos".[54]

Não temos liberdade para discordar dos apóstolos. Eles não falavam de si mesmos. Por trás deles estava a autoridade de Cristo, e não a autoridade eclesiástica. Os apóstolos não eram apóstolos da igreja, mas de Cristo. Eles não geraram a mensagem, apenas a transmitiram fielmente. Falaram com autoridade, e isso da parte do próprio Deus. Por esse motivo, não podemos exaltar nossas opiniões acima da deles nem colocar-nos no mesmo nível. Cabe-nos acolher com mansidão o que eles escreveram e pregaram.

Em quarto lugar, *Paulo tem consciência de que há outros parceiros no ministério, mas não com a mesma autoridade.* "E todos os irmãos meus companheiros..." (1.2). Como afirmamos na introdução deste livro, subscrevemos a tese de que Paulo escreveu essa epístola depois de sua primeira viagem missionária, quando possivelmente estava em Antioquia da Síria ou no máximo em Corinto. Esses irmãos, que são chamados de companheiros do apóstolo, não são todos os membros da igreja, mas líderes que cooperavam com Paulo nas lides do ministério. William Hendriksen tem razão quando escreve: "A palavra *todos* dá a entender unanimidade de pensamento, e não imensidade numérica".[55] Paulo compartilhou com eles o conteúdo dessa carta, e eles estavam em sintonia com o apóstolo em suas solenes advertências, mas não eram coautores da epístola, embora fossem corremetentes. Eram irmãos e companheiros, mas não apóstolos como Paulo. Gálatas é integralmente obra pessoal de Paulo.

John Stott tem razão ao dizer que, embora Paulo tenha prazer em associar-se a eles na saudação, desembaraçadamente coloca-se em primeiro lugar, atribuindo a si mesmo um título que é negado aos outros. Eles são todos "irmãos"; ele, único entre os demais, é "um apóstolo".[56] Estou de acordo com Adolf Pohl no sentido de que, por mais cônscio que Paulo fosse de seu apostolado (1.1), de forma alguma essa consciência o levava na direção de um cargo monárquico de bispo. Um apóstolo pede no lugar de Cristo (2Co 5.20), porém não governa no lugar de Cristo.[57]

Concluímos essa argumentação destacando outro ponto digno de nota. O fato de outros irmãos se unirem a Paulo nesse escrito confessional, como numa espécie de comunhão de fé, deveria fazer os gálatas perceber em que isolamento eles estavam prestes a cair pela influência deletéria dos judaizantes.

Os destinatários (1.2)

Se identificar o remetente dessa epístola é um assunto meridianamente claro, apontar os destinatários tem sido matéria de acalorada discussão. Os destinatários são definidos apenas como: "... às igrejas da Galácia" (1.2). Como já afirmamos no capítulo anterior, subscrevemos a teoria de que Paulo escreveu para as igrejas que ele e Barnabé fundaram no sul da província da Galácia, ou seja, as igrejas de Antioquia da Pisídia, Icônio, Listra e Derbe. Essa é a única carta circular do apóstolo Paulo. Ele escreve não a uma igreja, mas a um grupo de igrejas. Essas igrejas estavam enfrentando o mesmo problema e correndo os mesmos riscos. Portanto, a carta deveria ser lida, em forma de rodízio, em todas elas, com a mesma ênfase e senso de urgência.

John Stott defende, com propriedade, que no Novo Testamento fica claro que a chamada "igreja de Deus" (Gl 1.13), a igreja universal, se divide em "igrejas" locais. Não, evidentemente, em denominações, mas em congregações. Portanto, o versículo 2b poderia ser traduzido da seguinte maneira: "às congregações cristãs da Galácia".[58]

Essas igrejas haviam sido assaltadas pela influência nociva dos falsos mestres judaizantes, que atacavam impiedosamente tanto Paulo quanto sua pregação. O apóstolo escreve a essas igrejas para fazer uma robusta defesa tanto de sua autoridade apostólica como da integridade do seu evangelho. Ao mesmo tempo, Paulo censura essas igrejas por sua falta de firmeza na fé e por sua inclinação em seguir esses aventureiros da fé (1.6; 3.1). Paulo omite em Gálatas as elogiosas referências aos crentes, que são comuns nas outras epístolas, como: "amados de Deus" (Rm 1.7), "santificados em Cristo Jesus" (1Co 1.2), "santos e fiéis" (Ef 1.1). A atmosfera ainda estava tensa.[59]

A saudação (1.3)

Depois de fazer a defesa do seu apostolado contra os falsos mestres, Paulo saúda a igreja. Mesmo levantando denúncias tão graves acerca da inconstância dos gálatas, Paulo ainda os considera irmãos (3.26; 5.10) e lhes dirige uma saudação cristã, trazendo à baila as verdades essenciais do evangelho: a graça e a paz. Essas duas palavras são uma síntese do evangelho. A paz fala da natureza da salvação, e a graça diz respeito à sua fonte.

Martinho Lutero diz apropriadamente que a graça liberta do pecado, enquanto a paz acalma a consciência atribulada pelo pecado. Já que o pecado e a consciência são os dois carrascos que nos atormentam, a graça trabalha na remissão de pecados e a paz atua no apaziguamento da consciência atormentada. Obviamente o perdão não pode vir pelo cumprimento da lei, porque nenhum pecador é capaz de cumpri-la. Ao contrário, a lei revela o pecado, acusa, aterroriza a consciência, declara a ira de Deus e leva as pessoas ao desespero. Somente pela graça o pecado pode ser removido, e somente a paz pode acalmar a consciência culpada. Por essa razão é impossível que a consciência seja aplacada a não ser pela paz que vem por intermédio da graça.[60]

Vamos aqui destacar esses dois pontos vitais do evangelho.

Em primeiro lugar, *a graça é a raiz da salvação*. "Graça a vós outros..." (1.3a). A graça é a fonte da salvação. A salvação não é uma conquista das obras, mas um presente da graça. Não é um troféu que ostentamos, mas uma dádiva imerecida que recebemos. A salvação não é fruto da obra que fazemos para Deus, mas resultado da obra que Deus fez por nós em Cristo Jesus. A palavra grega *charis*, "graça", carrega a ideia de inclinar-se. Porém, a "graça da parte de Deus, nosso Pai" extrapola nossa capacidade de imaginação. É como se a ponta da torre de uma catedral se inclinasse profundamente até um capim frágil que vegeta lá embaixo nas frestas do calçamento. Desta forma, e de modo mais incrível, Deus nos alegra com ele próprio: Aqui estou, estou com vocês, sou de vocês, vocês são meus.[61] Isso é graça!

William Hendriksen é esclarecedor, quando define a graça de Deus à luz desse versículo:

> A graça significa o favor espontâneo e imerecido de Deus em ação, a operação de sua benevolência derramada livremente dando a salvação a pecadores que têm um sentido de culpabilidade e correm a ele em busca de refúgio. É a ação do Juiz que não somente perdoa a pena, mas também cancela a culpa do ofensor, e ainda o adota como seu próprio filho.[62]

Em segundo lugar, *a paz é o fruto da salvação*. "... e paz, da parte de Deus, nosso Pai, e do nosso Senhor Jesus Cristo" (1.3b). Se a graça é a raiz, a paz é o fruto. Se a graça é a fonte, a paz é o fluxo que corre dessa fonte. A graça é a causa da salvação, e a paz é o seu resultado. Por causa da graça temos a paz com Deus e a paz de Deus. Somos restaurados. O ser humano torna-se novamente humano. Desmancham-se lembranças que fazem adoecer, mas também bloqueios atuais e, por fim, o fechamento para o futuro. A elevada e forte paz vinda de Deus e Cristo inunda as resistências, por mais firmes que possam ser.[63]

William Hendriksen argumenta que a graça traz paz e a paz é tanto um estado (o da reconciliação com Deus) como uma condição (a convicção interior de que pela reconciliação está tudo bem). A paz é a grande bênção que Cristo outorga à sua igreja por seu sacrifício expiatório (Jo 14.27). Essa é a paz que excede todo o entendimento (Fp 4.7). Não é a projeção de um céu espelhado nas águas de um lago pitoresco, mas a fenda da rocha onde o Senhor esconde os seus filhos na hora da tormenta. Essa paz pode ser comparada às asas de uma galinha que abriga e protege seus filhotes da fúria do vendaval.[64]

Ambas, a graça e a paz, são dádivas tanto do Pai como do Senhor Jesus Cristo. Não geramos a graça nem criamos a paz. Essas bênçãos emanam do trono de Deus para nós, não por causa de quem somos ou fazemos, mas por causa de quem Deus é e do que ele fez por nós em Cristo Jesus.

O evangelho (1.4)

Depois de defender seu apostolado, Paulo passa a defender seu evangelho. Paulo vai da saudação para o grande evento histórico no qual a graça de Deus foi exibida e do qual deriva a sua paz, ou seja, a morte de Jesus Cristo na cruz.[65]

Já na introdução de sua carta, Paulo resume o conteúdo da sua mensagem apostólica, focando na obra de Cristo. Três verdades são aqui destacadas.

Em primeiro lugar, *a natureza do sacrifício de Cristo na cruz.* "O qual se entregou a si mesmo pelos nossos pecados..." (1.4a). Cristo não foi para a cruz por fraqueza. Ele não foi pregado no madeiro como um mártir. Ele não foi morto porque Judas o traiu em troca de dinheiro nem porque Pilatos o sentenciou por covardia. Ele foi crucificado porque se entregou voluntariamente por amor (Jo 10.11,17,18). Ele amou sua igreja e por ela se entregou. John Stott, porém, tem razão quando afirma: "A morte de Jesus Cristo não foi primordialmente uma demonstração de amor, nem um exemplo de heroísmo, mas, sim, um sacrifício pelo pecado".[66] Adolf Pohl chama a atenção para o fato de que nada é afirmado com tanta frequência e unanimidade acerca da morte de nosso Senhor como isto, de que foi uma morte em favor de alguém. Ele não morreu uma morte particular para si próprio, mas uma morte vicária, substitutiva. Como inocente, deixou-se executar como culpado, para que os culpados assumissem o lugar do justo.[67]

Cristo não se entregou por amor às glórias e aos reinos deste mundo. Ele se entregou pelos nossos pecados. Sua morte foi uma oferta pelos pecadores e um sacrifício pelo pecado. Ele morreu pelos nossos pecados segundo as Escrituras (1Co 15.3). Foram os nossos pecados que o levaram à cruz. Ele carregou no seu corpo, no madeiro, os nossos pecados e por eles foi traspassado. Martinho Lutero interpreta brilhantemente esse versículo nos seguintes termos: "Ele deu. O quê? Não ouro, nem prata, nem animais de sacrifício, nem cordeiros pascais, nem anjos, mas a si mesmo. Pelo quê? Não por uma coroa, nem por um reino, nem por nossa santidade ou justiça, mas por nossos pecados".[68]

Em segundo lugar, *o propósito do sacrifício de Cristo na cruz.* "... para nos desarraigar deste mundo perverso" (1.4b). Paulo diz que a morte de Cristo teve um propósito definido. Ele se entregou à morte de cruz para nos arrebatar do poder deste mundo, para nos transportar do reino das trevas para o reino da luz, para nos arrancar da casa do valente e nos arrebatar da potestade de Satanás. O evangelho é uma libertação, uma emancipação de um estado de servidão. O cristianismo é a religião da libertação. Donald Guthrie observa que o verbo *exaireo* é inesperado, porque não ocorre em nenhum outro lugar nas epístolas de Paulo. Sugere a libertação de alguém, sob o poder de outra pessoa. O quadro é de Cristo como um vencedor que levou a efeito uma operação de salvamento bem-sucedida.[69]

William Hendriksen destaca o fato de que a palavra *exaireo,* que significa "resgatar", pressupõe que os que recebem esse benefício estão em grande perigo do qual são totalmente incapazes de livrar-se. Assim José foi resgatado de todas as suas aflições (At 7.10), Israel foi resgatado da casa da servidão no Egito (At 7.34), Pedro foi resgatado das mãos de Herodes (At 12.11), e Paulo foi resgatado das mãos dos judeus e gentios (At 23.27; 26.17). O resgate que aqui se descreve (1.4) é muitíssimo mais glorioso, porque tem a ver com aqueles que por natureza são inimigos do resgatador, e foi efetuado por intermédio da morte voluntária do resgatador.[70]

Paulo diz que Cristo morreu para nos libertar e nos desarraigar deste mundo perverso. A palavra "mundo" aqui não é *kosmos,* mas *aionos.* William Hendriksen revela que a palavra *aionos* denota o mundo em movimento, enquanto *kosmos,* ainda que usada em diversos sentidos, assinala o mundo em repouso. Desse modo, refere-se ao mundo do ponto de vista de tempo e mudança. É o mundo ou era que segue apressado para o seu fim, e no qual, apesar de todos os seus prazeres e tesouros, não há nada de valor permanente.[71] Alvah Hovey argumenta que a presente era está descrita aqui como moralmente má, porque são malvados os homens que lhe dão caráter, como descrito por Paulo em Romanos 1.18-32.[72] Em contraste com este mundo ou era presente, está o mundo vindouro, a era gloriosa, que, embora já foi inaugurada na primeira vinda de Cristo, só será consumada em sua segunda vinda.

Essa palavra traz a ideia de que o mundo aqui é a dispensação do mal. Não existe campo neutro. Quem não está no Reino de Cristo, está sob o domínio desse reino do mal. Portanto, Jesus foi à cruz para nos desarraigar do domínio do maligno, ou seja, nos libertar da presente dispensação do maligno, uma vez que o mundo jaz no maligno.

Precisamos entender que a Bíblia divide a história em duas dispensações: "esta dispensação" e a "dispensação futura". A nova dispensação já foi inaugurada com a vinda de Cristo. Quando alguém se converte, é transportado da dispensação presente para a dispensação futura, ou seja, do domínio de Satanás para o reino da graça. Para os que creem, a "presente era perversa" não é mais a verdadeira realidade. Apesar de ainda viverem cronologicamente nela, e de serem também atribulados por ela, eles foram legalmente expatriados desta era e transportados "...para o reino do Filho do seu amor" (Cl 1.13).[73]

Em terceiro lugar, *a origem do sacrifício de Cristo.* "... segundo a vontade de nosso Deus e Pai" (1.4c). Tanto o resgate dessa dispensação maligna quanto os meios pelos quais ele foi efetuado estão de acordo com a vontade de Deus.[74] Donald Guthrie diz corretamente que a vontade do Pai nos atos redentores de Cristo é um aspecto importante da teologia de Paulo e realmente faz parte integrante de toda a teologia cristã, excluindo qualquer noção de que o que aconteceu a Cristo tenha sido causado pelas circunstâncias. Tudo fazia parte de um plano para derrubar o mal e libertar o homem de seu poder.[75]

Reafirmamos, portanto, que Cristo foi à cruz não por um acidente, nem porque as forças do mal prevaleceram sobre ele. O sacrifício de Cristo na cruz foi voluntário (1.4a) e absolutamente em conformidade com a vontade de Deus Pai (1.4b). Foi o Pai quem o entregou por amor. Adolf Pohl acertadamente escreve: "O amor divino por nós não poupou o Filho, mas tampouco o Pai, de modo que Deus sofreu pessoalmente, Deus se sacrificou pessoalmente e realizou um empenho total: Deus estava em Cristo" (2Co 5.19).[76]

A doxologia (1.5)

Depois que Paulo defende seu apostolado e o conteúdo sacrossanto do seu evangelho, desabotoa sua alma num caudal glorioso de exaltação a Deus Pai por tão surpreendente plano redentor, dizendo: "A quem seja a glória pelos séculos dos séculos. Amém!" (1.5). Paulo avança da contemplação da ação para a veneração de quem a realiza. A pessoa agora compreende que Deus não apenas age assim, mas é também assim. Seu agir brotou de seu ser imutável.[77]

Os judaizantes estavam pervertendo o evangelho ao acrescentar as obras e os méritos humanos à perfeita e cabal obra de Cristo. Com isso, buscavam glória para si mesmos. Mas a obra de Cristo foi completa e perfeita. Nada podemos acrescentar a ela e não podemos buscar para nós mesmos nenhuma glória. Por isso, Paulo combate os falsos mestres que minimizavam a obra da redenção de Deus e assim roubavam sua glória, ao mesmo tempo em que se volta a Deus para exaltá-lo, dizendo que somente a ele pertence a glória pelos séculos dos séculos.

NOTAS DO CAPÍTULO 2

[39] MacDONALD, William. *Believer's Bible commentary.* Nashville, TN: Thomas Nelson Publishers, 1995, p. 1.876.

[40] WIERSBE, Warren W. *Comentário bíblico expositivo.* Vol. 5. Santo André: Geográfica, 2006, p. 892.

[41] STOTT, John. *A mensagem de Gálatas.* São Paulo: ABU, 1989, p. 15.

[42] HENDRIKSEN, Guillermo. *Gálatas*, p. 37.

[43] GUTHRIE, Donald. *Gálatas: introdução e comentário*, p. 66.

[44] STOTT, John. *A mensagem de Gálatas*, p. 15.

[45] GUTHRIE, Donald. *Gálatas: introdução e comentário*, p. 66.

[46] HOWARD, R. E. "A Epístola aos Gálatas." In: *Comentário bíblico Beacon.* Vol. 9. Rio de Janeiro: CPAD, 2005, p. 26.

[47] STOTT, John. *A mensagem de Gálatas*, p. 15.

[48] POHL, Adolf. *Carta aos Gálatas*, 1999, p. 34.

[49] POHL, Adolf. *Carta aos Gálatas*, 1999, p. 34.

[50] GUTHRIE, Donald. *Gálatas: introdução e comentário*, p. 67,68.
[51] RIENECKER, Fritz; ROGERS, Cleon. *Chave linguística do Novo Testamento grego*. São Paulo: Vida Nova, 1985, p. 370.
[52] MacDONALD, William. *Believer's Bible commentary*, p. 1.875.
[53] STOTT, John. *A mensagem de Gálatas*, p. 16.
[54] HENDRIKSEN, Guillermo. *Gálatas*, p. 38.
[55] HENDRIKSEN, Guillermo. *Gálatas*, p. 39.
[56] STOTT, John. *A mensagem de Gálatas*, p. 15.
[57] POHL, Adolf. *Carta aos Gálatas*, 1999, p. 35.
[58] STOTT, John. *A mensagem de Gálatas*. São Paulo: ABU, 1989, p. 13.
[59] HENDRIKSEN, Guillermo. *Gálatas*, p. 40.
[60] LUTHER, Martin. "Galatians." In: *The classic Bible commentary*. Editado e compilado por Owen Collins. Wheaton, IL: Crossway Books, 1999, p. 1.284.
[61] POHL, Adolf. *Carta aos Gálatas*, 1999, p. 36,37.
[62] HENDRIKSEN, William. *Gálatas*. São Paulo: Cultura Cristã, 1999, p. 41.
[63] POHL, Adolf. *Carta aos Gálatas*, 1999, p. 37.
[64] HENDRIKSEN, Guillermo. *Gálatas*, p. 41.
[65] STOTT, John. *A mensagem de Gálatas*, p. 18.
[66] STOTT, John. *A mensagem de Gálatas*, p. 18.
[67] POHL, Adolf. *Carta aos Gálatas*, 1999, p. 37.
[68] LUTHER, Martin. "Galatians", p. 1.284.
[69] GUTHRIE, Donald. *Gálatas: introdução e comentário*, p. 70.
[70] HENDRIKSEN, Guillermo. *Gálatas*, p. 42.
[71] HENDRIKSEN, Guillermo. *Gálatas*, p. 42,43.
[72] HOVEY, Alvah. *Comentario expositivo sobre el Nuevo Testamento: 1Coríntios -2Tesalonicenses*. Buenos Aires: Casa Bautista de Publicaciones, 1973, p. 212.
[73] POHL, Adolf. *Carta aos Gálatas*, 1999, p. 39.
[74] STOTT, John. *A mensagem de Gálatas*, p. 20.
[75] GUTHRIE, Donald. *Gálatas: introdução e comentário*, p. 71.
[76] POHL, Adolf. *Carta aos Gálatas*, 1999, p. 38.
[77] POHL, Adolf. *Carta aos Gálatas*, 1999, p. 39.

Capítulo 3

A defesa do evangelho

(Gl 1.6-12)

As IGREJAS DA GALÁCIA estavam sendo seduzidas pelos falsos mestres, e o evangelho estava sob fogo cruzado. Os judaizantes espalhavam entre as igrejas gentílicas que Paulo não era um apóstolo autorizado e que sua mensagem não era verdadeira. Esses embaixadores do engano perverteram o evangelho, proclamando que a fé em Cristo não era suficiente para a salvação (At 15.1,5). Tornaram a obra de Cristo na cruz insuficiente e acrescentaram as obras da lei como condição indispensável para a salvação. Contra esses falsos mestres, com firmeza e coragem, Paulo empunha a espada do Espírito, para repreender a igreja e anatematizar os hereges.

No capítulo anterior vimos como Paulo defendeu o seu apostolado (1.1) e o seu evangelho (1.4). Agora, ele continuará na mesma toada, fazendo uma vigorosa defesa do evangelho (1.6-12). Alguns pontos devem ser aqui destacados.

O abandono do evangelho (1.6,7)

As igrejas da Galácia estavam abandonando as fileiras do evangelho, dando as costas para Deus e voltando outra vez para a escravidão da lei. Vamos examinar aqui alguns pontos importantes relacionados a essa situação.

Em primeiro lugar, *o espanto do apóstolo Paulo*. "Admira-me que estejais passando tão depressa daquele que vos chamou na graça de Cristo..." (1.6a). Paulo está perplexo com a atitude das igrejas da Galácia. Aqueles irmãos abraçaram o evangelho para logo depois abandoná-lo, trocando-o por uma mensagem diferente, outro evangelho, que de fato, não era evangelho. Paulo está admirado ao ver a rapidez que esses crentes estavam apostatando da fé.

Em vez de dar graças a Deus pela igreja no introito da sua carta, como de costume fazia nas outras epístolas, Paulo revela seu espanto pela inconstância e instabilidade dos gálatas. Na verdade, Gálatas é a única carta em que não há oração, nem louvor, nem ação de graças, nem elogios.[78] Concordo, entretanto, com William Hendriksen, quando ele distingue que, no que tange à igreja, Paulo demonstra consternação e não indignação, assombro e não ressentimento. Ainda que Paulo os reprove, não os rechaça.[79]

Em segundo lugar, *a apostasia dos crentes*. "... que estejais passando tão depressa..." (1.6). As igrejas da Galácia estavam virando a casaca e abandonando, com grande rapidez, a fé evangélica, a ponto de trocar o verdadeiro evangelho por um evangelho falso. Estavam abandonando a graça para colocar-se, de novo, debaixo do jugo da lei. Isso era uma consumada apostasia. O reformador João Calvino denuncia esse mesmo desvio em seus dias, ao escrever: "Os papistas decidiram conservar um Cristo pelas metades e um Cristo mutilado, e nada mais, e estão, portanto, separados de Cristo. Estão saturados de superstições, as quais são frontalmente opostas à natureza de Cristo".[80] O que diríamos nós acerca da apostasia galopante que atinge os redutos chamados evangélicos, em que o sincretismo religioso está substituindo o evangelho? Mais do que nunca, a mensagem de Gálatas é atual e oportuna.

Voltando ao texto, é importante ressaltar que o verbo usado por Paulo está na voz ativa, e não na passiva; está no tempo presente, e não no passado. Assim, o sentido não é "que tenhais sido afastados tão depressa", mas "que estejais passando tão depressa". O uso do tempo presente indica claramente que os gálatas estavam em pleno processo de abandono.[81] Estavam desviando-se de Deus e do seu evangelho. A palavra grega *metatithemi* significa "transferir a fidelidade". É usada em referência a soldados do exército que se rebelam ou desertam, e a pessoas que mudam de partido na política, na filosofia ou na religião. Os gálatas eram vira-casacas religiosos e desertores espirituais. Estavam abandonando o evangelho da graça para abraçar o evangelho das obras.[82]

Em terceiro lugar, *o abandono ao Deus da Palavra e à Palavra de Deus*. "... que estejais passando tão depressa daquele que vos chamou na graça de Cristo para outro evangelho" (1.6). O cristianismo não é apenas a adoção de um credo, mas também a sustentação de um relacionamento.

A apostasia não é apenas o abandono da doutrina ortodoxa, mas também a deserção do próprio Deus. Os crentes da Galácia estavam abandonando não apenas o evangelho pregado por Paulo, mas também o Deus anunciado pelo apóstolo. Quando uma pessoa se afasta do evangelho, ela não está apenas deixando para trás a doutrina ou a igreja, mas está distanciando-se do próprio Deus.

William Hendriksen corretamente defende que os crentes gálatas não estavam se apartando meramente de uma posição teológica, mas estavam transferindo sua lealdade daquele que em sua graça e *misericórdia* os havia chamado.[83] Warren Wiersbe tem razão ao argumentar que os cristãos da Galácia não estavam apenas "mudando de religião" ou "mudando de igreja"; na verdade, estavam abandonando a própria graça de Deus! Pior ainda, estavam deixando o próprio Deus da graça![84] Os gálatas, com seu evangelho diferente, estavam saindo da graça para dentro da qual tinham sido chamados.[85]

John Stott apresenta essa ideia com diáfana clareza:

> Paulo diz que a deserção dos gálatas convertidos estava relacionada com a experiência e também com a teologia. Ele não os acusa de desertarem do evangelho da graça com vistas a outro evangelho, mas de desertarem *daquele* que os chamara na graça. Em outras palavras, teologia e experiência, fé cristã e vida cristã, andam juntas e não podem ser separadas. Afastar-se do evangelho da graça é afastar-se do Deus da graça.[86]

Esse *outro* evangelho a que Paulo se refere é o evangelho das obras anunciado pelos judaizantes. A mensagem deles está sintetizada nos seguintes termos: "Se não vos circuncidardes segundo o costume de Moisés, não podeis ser salvos" (At 15.1). Eles não negavam a necessidade da fé em Jesus para a salvação, mas acrescentavam à fé as obras da lei. Para eles, era necessário que Moisés completasse o que Cristo havia feito, ou seja, era preciso acrescentar nossas obras à obra de Cristo, e assim concluir a obra inacabada de Cristo.[87] Para o apóstolo Paulo, a ideia de acrescentar méritos humanos ao mérito de Cristo era repugnante. A obra de Cristo na cruz foi consumada, e o evangelho de Cristo oferece salvação unicamente pela graça mediante a fé (Ef 2.8,9). O evangelho é o único meio pelo qual os homens podem ser salvos da condenação, pois sem o evangelho nenhuma pessoa pode ser aceita diante de Deus.

Segundo David Stern, esse outro evangelho que os gálatas abraçaram era o *legalismo*. E o legalismo é o falso princípio de que Deus aceita as pessoas, considerando-as justas e dignas de estar em sua presença, com base em sua obediência a um conjunto de regras, e isso à parte de colocarem sua confiança em Deus, sujeitando-se aos cuidados dele, amando-o e aceitando o seu amor por elas.[88]

Precisamos acautelar-nos acerca dos falsos profetas que ainda hoje distorcem o evangelho e perturbam a igreja com suas perniciosas heresias. Jesus nos alertou: "Acautelai-vos dos falsos profetas, que se vos apresentam disfarçados em ovelhas, mas por dentro são lobos roubadores" (Mt 7.15). O autor aos Hebreus ainda nos adverte: "Não vos deixeis envolver por doutrinas várias e estranhas..." (Hb 13.9).

Em quarto lugar, *outro evangelho não é o evangelho verdadeiro*. "... para outro evangelho, o qual não é outro..." (1.6,7). Paulo usa aqui um trocadilho de palavras para desmascarar o outro evangelho anunciado pelos judaizantes. Há duas palavras na língua grega para "outro": *heteros* (outro de outra substância, diferente) e *allos* (outro da mesma substância). Paulo declara ironicamente que eles se voltaram para outro (*heteros*) evangelho, o qual não é outro (*allos*). O que os falsos mestres pregavam é um evangelho *heteros,* "de tipo diferente", e não um evangelho *allos,* "do mesmo tipo".[89] O verdadeiro evangelho é o evangelho da graça, da salvação pela fé em Cristo. O outro evangelho, denunciado por Paulo, é o evangelho das obras, que acrescenta ao sacrifício de Cristo os ritos da lei, por exemplo a circuncisão, como condição para a salvação (At 15.1). Paulo diz que esse *outro* evangelho é um evangelho diferente, de outra natureza, com outro conteúdo, e não pode ser aceito como evangelho. Esse *outro* evangelho não passa de um falso evangelho. Concordo com John Stott quando diz que a mensagem dos falsos mestres não era um evangelho alternativo; era um evangelho pervertido.[90]

William Hendriksen ainda esclarece esse ponto ao destacar que os gálatas estavam volvendo para um evangelho *diferente,* quer dizer, a um evangelho que difere radicalmente do que haviam recebido de Paulo. O evangelho de Paulo consistia em: "...o homem não é justificado por obras da lei, e sim mediante a fé em Cristo Jesus" (2.16; Rm 3.24; Ef 2.8; Tt 3.4-7). Os gálatas estavam abandonando esse evangelho em favor de um diferente, que proclamava a fé mais as obras da lei como o caminho da salvação. Era um evangelho só de nome, mas não o era na realidade.[91] Nessa mesma linha de pensamento, Warren Wiersbe diz que os judaizantes afirmavam pregar "o evangelho", mas não é possível haver dois evangelhos, um com base nas obras e outro com base na graça. "Eles estão pregando outro evangelho", escreve Paulo, "mas uma mensagem *diferente* – tão diferente do verdadeiro evangelho que, afinal, não é evangelho".[92]

A perversão do evangelho (1.7)

O apóstolo Paulo faz uma transição da apostasia dos crentes para a ação perniciosa dos falsos mestres. Esses paladinos do engano são identificados por duas ações: perturbavam a igreja e pervertiam o evangelho. Concordo com John Stott quando diz que falsificar o evangelho resulta sempre na perturbação da igreja. Não se pode mexer no evangelho e deixar a igreja intacta, pois esta é criada pelo evangelho e vive por ele.[93] Vamos detalhar um pouco mais esses dois pontos a seguir.

Em primeiro lugar, *os falsos mestres perturbavam a igreja.* "... há alguns que vos perturbam..." (1.7). Os judaizantes perturbavam a igreja ao induzir os novos crentes a deixarem o cristianismo puro e simples, pregado por Paulo, para voltar às fileiras do judaísmo. Eles alarmavam esses crentes neófitos ao agregarem as obras à fé, exigindo dos crentes gentios a circuncisão como requisito indispensável para a salvação.

O verbo grego *tarasso* significa "sacudir, agitar". As congregações gálatas haviam sido lançadas pelos falsos mestres a um estado de confusão: confusão intelectual de um lado e facções de luta de outro (At 15.24).[94]

Em segundo lugar, *os falsos mestres pervertiam o evangelho.* "... e querem perverter o evangelho de Cristo" (1.7). O evangelho de Cristo é o evangelho da graça, que oferece salvação ao pecador, não com base nas suas obras, mas com base no sacrifício perfeito, completo e cabal de Cristo. A causa meritória da salvação é a obra que Cristo fez por nós, e não a obra que fazemos para ele; e a causa instrumental da salvação é a fé, e não os rituais da lei. Qualquer mensagem que negue e torça essa verdade axial é uma perversão da mensagem cristã.

A palavra grega *metastrepsai* significa "inverter". Os falsos mestres não estavam apenas corrompendo o evangelho, mas realmente o estavam invertendo, virando-o de costas e de cabeça para baixo.[95] Warren Wiersbe explica que esse termo é usado apenas três vezes no Novo Testamento (At 2.20; Gl 1.7; Tg 4.9). Significa "fazer uma reviravolta, passar a seguir em direção contrária, inverter". Em outras palavras, os judaizantes haviam invertido e virado os ensinamentos em direção contrária, levando-os de volta à lei.[96]

A singularidade do evangelho (1.8,9)

Depois de falar da apostasia da igreja e da ação nociva dos falsos mestres, Paulo reafirma a singularidade do evangelho, evocando a maldição divina para todos aqueles que pervertem o evangelho e perturbam a igreja com falsas doutrinas. A razão de Paulo tratar desse assunto de forma tão enérgica é que estava em jogo tanto a glória de Cristo quanto a pureza da igreja. Na linguagem de William Hendriksen, a própria essência do evangelho corria perigo. Por isso, Paulo é tão veemente e intolerante com os falsos mestres, pois se tratava da glória de Deus e da salvação do homem.[97] Destacamos aqui alguns pontos importantes.

Em primeiro lugar, *o evangelho é maior do que os apóstolos*. "Mas, ainda que nós [...] vos pregue evangelho que vá além do que vos temos pregado, seja anátema" (1.8). Paulo estava tão convencido de que não havia outro evangelho, que invocou a maldição de Deus sobre a própria vida, num caso hipotético de vir a pregar um evangelho que fosse além daquele que já havia anunciado aos gálatas. O evangelho é maior do que o apóstolo, e a mensagem maior do que o mensageiro. Não é a pessoa do mensageiro que dá valor à sua mensagem; antes, é a natureza da mensagem que dá valor ao mensageiro. Por isso, nem o próprio Paulo nem um anjo poderia alterar a mensagem. O evangelho não era de Paulo, mas de Cristo. Este fato o tornava imutável.[98] Donald Guthrie é oportuno quando alerta:

> Nos tempos modernos tem havido uma forte tendência no sentido de confundir as personalidades com o conteúdo do evangelho, mas a inclusão do próprio Paulo ou mesmo de um anjo na possibilidade de um anátema torna indisputavelmente clara a superioridade da mensagem sobre o mensageiro.[99]

F. F. Bruce está coberto de razão quando diz que não é o mensageiro o que mais importa e sim a mensagem. O evangelho pregado por Paulo não era o verdadeiro evangelho porque Paulo era quem o pregava; era o verdadeiro evangelho porque foi o Cristo ressurreto quem o entregou a Paulo para ser pregado.[100] Concordo com Warren Wiersbe quando diz que a prova do ministério de uma pessoa não é sua popularidade (Mt 24.11), nem os sinais e prodígios miraculosos que ela realiza (Mt 24.23,24), mas sim sua fidelidade à Palavra de Deus (Is 8.20; 1Tm 4.1-5; 1Jo 4.1-6).[101]

Ainda nessa trilha de pensamento, John Stott faz um solene e oportuno alerta:

> Ao ouvirmos as multifárias opiniões dos homens e mulheres da atualidade, sejam faladas, escritas, irradiadas ou televisionadas, devemos sujeitar cada uma delas a estes dois rigorosos testes: Tal opinião é coerente com a livre graça de Deus e com o claro ensinamento do Novo Testamento? Caso contrário, devemos rejeitá-la, por mais augusto que seja o mestre. Mas, se for aprovada nestes testes, então vamos abraçá-la e apegar-nos a ela. Não devemos comprometê-la como os judaizantes nem desertá-la como os gálatas, mas viver por ela e procurar torná-la conhecida dos outros.[102]

Paulo diz que tanto os falsos mensageiros como a falsa mensagem são anátema. A palavra grega *anathema,* traduzida por "anátema", era usada para indicar banimento divino, a maldição de Deus sobre qualquer coisa ou pessoa entregue por Deus ou em nome de Deus à destruição e ruína. Paulo deseja, assim, que os falsos mestres sejam colocados sob banimento, maldição ou anátema de Deus. Ele expressa desejo de que o juízo de Deus recaia sobre eles.[103] Adolf Pohl é muito oportuno quando afirma que o evangelho transfere o cristão da área da maldição para a área da bênção, mas, por meio da apostasia, o abençoado escolhe novamente seu lugar no âmbito da maldição.[104] Somente o evangelho oferece salvação sem dinheiro e sem preço. Onde quer que a lei tenha uma maldição para aqueles que falham em cumpri-la, o evangelho tem uma maldição para aqueles que procuram mudá-lo.[105]

Em segundo lugar, *o evangelho é maior do que os anjos.* "Mas, ainda que [...] um anjo vindo do céu vos pregue evangelho que vá além do que vos temos pregado, seja anátema" (1.8). Depois de afirmar que o evangelho é maior do que os apóstolos, Paulo afirma que ele é maior do que os próprios anjos. Ainda que um anjo descesse do céu para anunciar outro evangelho, esse ser celestial deveria ser de pronto rejeitado e amaldiçoado. João Calvino é enfático quando escreve:

> Com o fim de fulminar os falsos apóstolos ainda mais violentamente, Paulo invoca os próprios anjos. Também não diz simplesmente que não deveriam ser ouvidos caso anunciassem algo diferente, mas declara que devem ser tidos como seres execráveis.[106]

Jamais o céu enviaria um mensageiro com um segundo evangelho. Tudo entre o céu e a terra depende de que seja preservado o evangelho único. Do contrário, Deus não seria Deus, pois sua última palavra seria degradada a uma palavra penúltima.[107]

Em terceiro lugar, *o evangelho é maior do que os falsos mestres*. "Assim, como já dissemos, e agora repito, se alguém vos prega evangelho que vá além daquele que recebestes, seja anátema" (1.9). Depois de lidar com dois casos hipotéticos no versículo 8, Paulo menciona uma possibilidade real no versículo 9. O apóstolo Paulo, como representante plenamente autorizado de Cristo, pronuncia a maldição sobre os judaizantes, que estavam cometendo o horrendo crime de chamar de *falso* o verdadeiro evangelho e tratando de colocar o falso, ruinoso e perigoso evangelho no lugar daquele que salva.[108]

Qualquer indivíduo que se levantar para perturbar a igreja, perverter o evangelho e pregar outro que vá além do evangelho da graça deve ser rejeitado. Esse "alguém" tem uma abrangência universal. Todo e qualquer indivíduo, sem exceção, em qualquer lugar e, em qualquer tempo, que distorcer o evangelho está debaixo da maldição divina. Com respeito ao evangelho não podemos ficar aquém nem ir além; não podemos retirar nem acrescentar nada. O evangelho é completo em si mesmo. Qualquer subtração ou adição perverte-o.

Em quarto lugar, *o evangelho pregado e recebido traz bênção, mas o evangelho adulterado gera maldição* (1.8,9). O evangelho pregado por Paulo foi o mesmo recebido pelos crentes da Galácia. Esse evangelho deu-lhes liberdade e salvação. Agora, eles estavam rapidamente abandonando esse evangelho para abraçar uma mensagem diferente, cujo resultado era escravidão. Paulo fica estupefato com a insensatez dos crentes gálatas e invoca um anátema aos falsos mestres que mudaram a mensagem, perverteram o evangelho e perturbaram a igreja.

Donald Guthrie diz que a única mudança do versículo 8 para o versículo 9 é a substituição de "que recebestes" por "que vos temos pregado". O enfoque muda, portanto, dos mensageiros para os ouvintes. Os dois juntos refletem o aspecto cooperativo da origem de cada nova comunidade de crentes. Paulo não só pregou pessoalmente o evangelho, mas este foi também plenamente reconhecido por aqueles que o receberam.[109]

A motivação do evangelho (1.10)

Os mestres judaizantes começaram a atacar não apenas o apostolado de Paulo e sua mensagem, mas também suas motivações. Diziam que Paulo diminuía as exigências do evangelho para alcançar o favor dos homens. Afirmavam que o apóstolo desobrigava os crentes gentios da circuncisão para agradar aos homens. Acusaram Paulo de ajustar sua mensagem de forma que fosse atraente aos homens e lhes ganhasse o favor.[110] O apóstolo Paulo, porém, não era um político, mas um embaixador. Seu propósito não era agradar aos homens, mas levar a eles a mensagem da salvação. Por isso, Paulo não se intimidou diante desse ataque. Sua resposta foi imediata. Vejamos aqui dois pontos importantes.

Em primeiro lugar, *Paulo não negociou a verdade para procurar o favor dos homens*. "Porventura, procuro eu, agora, o favor dos homens ou o de Deus?..." (1.10a). Os mestres do judaísmo estavam assacando contra Paulo as mais levianas acusações, não apenas pervertendo sua mensagem, mas duvidando de suas motivações. Paulo não fazia do seu ministério uma plataforma de relações públicas. Ele era um arauto, e não um bajulador. Jamais transigiu com a verdade para agradar a homens e jamais vendeu sua consciência para auferir alguma vantagem pessoal (2Co 2.17). Paulo era um apóstolo, e não um apóstata.

Em segundo lugar, *Paulo estava a serviço de Cristo, e não dos homens.* "... Ou procuro agradar a homens? Se agradasse ainda a homens, não seria servo de Cristo" (1.10b). Paulo tinha plena consciência de a quem estava servindo. Quem é servo de Cristo não busca holofotes. Quem é servo de Cristo não depende de elogios nem se desencoraja com as críticas. Quem é servo de Cristo não está atrás de sucesso nem de glórias humanas. Quem é servo de Cristo não muda a mensagem para atrair os ouvintes. O propósito do ministério de Paulo não era agradar aos homens, mas servir a Cristo.

A origem do evangelho (1.11,12)

O apóstolo Paulo passa da motivação do evangelho para a origem do evangelho. Mais uma vez, ele defende seu evangelho, mostrando de forma eloquente que este não é segundo o homem e não foi aprendido de homem algum. Nem a fonte do seu evangelho nem o método pelo qual Paulo o recebeu eram humanos. O evangelho lhe veio por revelação de Jesus Cristo. Isto não diz respeito a uma revelação geral, disponível a todos que a recebessem, mas a uma revelação especial e pessoal para Paulo.[111] Dois pontos merecem destaque.

Em primeiro lugar, *o verdadeiro evangelho não tem origem humana.* "Faço-vos, porém, saber, irmãos, que o evangelho por mim anunciado não é segundo o homem, porque eu não o recebi, nem o aprendi de homem algum..." (1.11,12a). O evangelho anunciado por Paulo não lhe chegou mediante instrução humana, da mesma forma ele aprendeu as doutrinas do judaísmo aos pés de Gamaliel. Também seu evangelho anunciado não foi recebido nem aprendido de homem algum. Sua natureza não é humana; sua origem é divina. Assim como no preâmbulo da carta (1.1) Paulo afirmou ser divina a origem de sua comissão apostólica, agora ele afirma ser de origem divina o seu evangelho apostólico (1.12). Nem a sua missão nem a sua mensagem derivavam de homem algum; ambas lhe vieram diretamente de Deus e de Jesus Cristo.[112]

Concordo com Donald Guthrie quando diz que o evangelho pregado por Paulo não foi forjado pelo intelecto humano. Não é um sistema filosófico, nem uma fé religiosa criada por algum gênio religioso. Não era nem mesmo um desenvolvimento humano da religião judaica. O evangelho de Paulo não é humano, mas divino; não é natural, mas sobrenatural. Seu molde ou padrão era outro. Outra espécie de mente estava por detrás dele.[113]

Em segundo lugar, *o verdadeiro evangelho é revelação divina*. "... mas mediante revelação de Jesus Cristo" (1.12b). O evangelho é de Cristo, vem de Cristo e glorifica a Cristo. Sua origem não é terrena, mas celestial; não é humana, mas divina; não está focada no homem, mas em Cristo. Jesus Cristo foi tanto o agente por meio do qual veio a revelação quanto o conteúdo da própria revelação. Por isso, os gálatas têm diante de si, no evangelho de Paulo, uma grandeza incondicional, na qual não há nada para revisar, diminuir ou acrescentar.[114]

Notas do capítulo 3

[78] STOTT, John. *A mensagem de Gálatas*, p. 22.
[79] HENDRIKSEN, Guillermo. *Gálatas*, p. 46.
[80] CALVINO, João. *Gálatas.* São Paulo: Paracletos, 1998, p. 29.
[81] HOWARD, R. E. *A Epístola aos Gálatas*, p. 28.
[82] RIENECKER, Fritz; ROGERS, Cleon. *Chave linguística do Novo Testamento grego*, p. 370; STOTT, John. *A mensagem de Gálatas*, p. 22,23.
[83] HENDRIKSEN, Guillermo. *Gálatas*, p. 46.
[84] WIERSBE, Warren W. *Comentário bíblico expositivo*, p. 894.
[85] GUTHRIE, Donald. *Gálatas: introdução e comentário*, p. 73.
[86] STOTT, John. *A mensagem de Gálatas*, p. 23.
[87] STOTT, John. *A mensagem de Gálatas*, p. 23.
[88] STERN, David. *Comentário judaico do Novo Testamento.* São Paulo: Atos, 2009, p. 562.
[89] HOWARD, R. E. *A Epístola aos Gálatas*, p. 28.
[90] STOTT, John. *A mensagem de Gálatas*, p. 27,28.
[91] HENDRIKSEN, Guillermo. *Gálatas*, p. 47.
[92] WIERSBE, Warren W. *Comentário bíblico expositivo*, p. 894.
[93] STOTT, John. *A mensagem de Gálatas*, p. 24.
[94] STOTT, John. *A mensagem de Gálatas*, p. 24.
[95] STOTT, John. *A mensagem de Gálatas*, p. 24.
[96] WIERSBE, Warren W. *Comentário bíblico expositivo*, p. 894.
[97] HENDRIKSEN, Guillermo. *Gálatas*, p. 46.
[98] GUTHRIE, Donald. *Gálatas: introdução e comentário*, p. 74.
[99] GUTHRIE, Donald. *Gálatas: introdução e comentário*, p. 75.
[100] BRUCE. F. F. *The Epistle to the Galatians.* William B. Grand Rapids, MI: Eerdmans, 1982, p. 83.
[101] WIERSBE, Warren W. *Comentário bíblico expositivo*, p. 895.
[102] STOTT, John. *A mensagem de Gálatas*, p. 29.
[103] HENDRIKSEN, Guillermo. *Gálatas*, p. 49; STOTT, John. *A mensagem de Gálatas*, p. 25.
[104] POHL, Adolf. *Carta aos Gálatas*, 1999, p. 44.
[105] MacDONALD, William. *Believer's Bible commentary*, p. 1.876.
[106] CALVINO, João. *Gálatas*, 1998, p. 32.
[107] POHL, Adolf. *Carta aos Gálatas*, 1999, p. 44.
[108] HENDRIKSEN, Guillermo. *Gálatas*, p. 49.
[109] GUTHRIE, Donald. *Gálatas: introdução e comentário*, p. 76.
[110] HOWARD, R. E. *A Epístola aos Gálatas*, p. 29.

[111] HOWARD, R. E. *A Epístola aos Gálatas*, p. 31.
[112] STOTT, John. *A mensagem de Gálatas*, p. 31.
[113] GUTHRIE, Donald. *Gálatas: introdução e comentário*, p. 78.
[114] POHL, Adolf. *Carta aos Gálatas*, 1999, p. 47.

Capítulo 4

A defesa do apostolado de Paulo

(Gl 1.13-24)

GÁLATAS FOI A PRIMEIRA CARTA escrita pelo apóstolo Paulo. Ele a redigiu para defender seu apostolado e seu evangelho. Os judaizantes haviam invadido as igrejas da Galácia, perturbando os crentes e pervertendo o evangelho, acrescendo as obras da lei à fé em Cristo como condição indispensável para a salvação.

Mais uma vez Paulo defende seu apostolado contra os ataques desses falsos mestres. Eles diziam que Paulo não era um apóstolo autêntico e que sua mensagem não era genuína. Afirmavam que o evangelho anunciado por Paulo era de segunda mão, aprendido de homens, e não recebido do próprio Deus. No texto em apreço, Paulo usará três argumentos em sua defesa, fazendo uma retrospectiva da sua vida.

Paulo, o perseguidor (1.13,14)

Paulo começa sua defesa voltando ao passado. Seu comportamento pretérito, quando ele engrossava as fileiras do judaísmo, não era um fato desconhecido de seus críticos. O apóstolo destaca dois aspectos que vamos aqui considerar.

Em primeiro lugar, *Paulo era um religioso fanático*. "Porque ouvistes qual foi o meu proceder no judaísmo [...]. E, na minha nação, quanto ao judaísmo, avantajava-me a muitos da minha idade, sendo extremamente zeloso das tradições de meus pais" (1.13,14). A palavra grega *anastrofen,* "proceder", significa "modo de vida" e envolve mais do que o comportamento no sentido das atividades externas. Refere-se ao estilo de vida como um todo, ético, mental e religioso.[115] Paulo ressalta dois pontos com respeito ao seu proceder no judaísmo:

Primeiro, *seu destaque entre seus pares*. Paulo foi circuncidado ao oitavo dia, da linhagem de Israel, da tribo de Benjamim, hebreu de hebreus, da seita dos fariseus e um zeloso e implacável perseguidor do evangelho (Fp 3.3-6). Ele era um judeu puro-sangue. Tendo nascido em Tarso da Cilícia, ainda jovem foi enviado por seus pais a Jerusalém para aprender a lei aos pés de Gamaliel (At 22.3). Destacou-se como estudante erudito, poliglota, de cultura invejável. Quando esteve em Atenas, a capital intelectual do mundo, a terra de Péricles, Sócrates, Platão e Aristóteles, discutiu com os filósofos epicureus e estoicos (At 17.17,18). Ao escrever sua carta a Tito, citou Epimênides, um filósofo do século 6 antes de Cristo (Tt 1.12). Paulo era um homem de cultura enciclopédica, de personalidade prismática e temperamento forte, um líder do judaísmo, um rabino de qualidades incomparáveis em sua nação.

Segundo, *seu zelo pela tradição dos seus pais.* Paulo foi educado para ser um rabino. Foi criado aos pés do grande mestre Gamaliel, segundo a exatidão da lei de seus antepassados (At 22.3). Viveu como fariseu de acordo com a seita mais severa da sua religião (At 26.5). Percorria com grande desenvoltura os corredores do saber teológico. A tradição dos pais era mais do que a lei escrita; incluía também, e sobretudo, o corpo de ensino oral que era complementar à lei escrita e gozava dentro do judaísmo de igual autoridade.[116] Paulo conhecia com profundidade tanto a lei escrita como a lei oral, ou seja, aquele acervo com milhares de regulamentos que interferiam profundamente no cotidiano do povo judeu devoto.[117]

Donald Guthrie é da opinião que a palavra grega *paradoseis,* quando usada em relação ao judaísmo, refere-se geralmente àquela coleção de ensinamentos orais que eram complementares à lei escrita, e que, de fato, possuíam autoridade equivalente à da lei. Saulo, como fariseu estudioso, teria sido bem treinado nas minúcias dessas tradições orais.[118] William Hendriksen vai além quando diz que o judaísmo de que Paulo fala não era a revelação do Antigo Testamento, cujas linhas – históricas, tipológicas, psicológicas e proféticas – convergiam a Belém, ao Calvário e ao Monte dos Oliveiras. Ao contrário, era aquela religião que sepultava a santa lei de Deus sob o peso das tradições humanas, o corpo inteiro da lei oral que suplementava a lei escrita (Mt 5.21-48; 15.3,6; 23.1-36).[119]

Paulo fazia parte da elite intelectual do judaísmo. Possivelmente era um membro do Sinédrio e o seu braço direito na perseguição à igreja. Adolf Pohl diz que as perseguições desmedidas brotam do zelo desmedido pelas tradições paternas (Fp 3.6). Paulo se revelou como antagonista implacável do evangelho não apesar de ser, mas precisamente porque era, um judeu exemplar, um fariseu de puro-sangue.[120]

Em segundo lugar, *Paulo era um perseguidor implacável.* "Porque ouvistes qual foi o meu proceder outrora no judaísmo, como sobremaneira perseguia eu a igreja de Deus e a devastava" (1.13). Paulo foi um dos maiores perseguidores da igreja. Ele se autodenominou insolente, blasfemo e perseguidor (1Tm 1.13). Disse que era o menor dos apóstolos, que não era nem mesmo digno de ser chamado apóstolo, pois perseguiu a igreja de Deus (1Co 15.9). Ele devastou a igreja (Gl 1.13), assolou a igreja (At 8.3) e exterminou em Jerusalém aqueles que invocavam o nome de Jesus (At 9.21). Paulo foi uma fera selvagem, que respirava ameaças e morte contra os discípulos de Cristo (At 9.1), e perseguiu a religião do Caminho até a morte (At 22.4). Ele não respeitava domicílio doméstico, pois entrava nas casas e arrastava homens e mulheres para lançá-los na prisão (At 8.3). Não poupava nem os lugares sagrados, pois entrava nas sinagogas para castigar os crentes, forçando-os a blasfemar. Depois de lançar muitos dos santos nas prisões, contra eles dava o seu voto, quando os matavam (At 26.9-11). Paulo perseguiu os cristãos (At 26.11), a religião dos cristãos (At 22.4) e o Deus dos cristãos (At 26.9).

Paulo perseguiu a Igreja de Deus com violência e selvageria, de forma intensa, em excesso, sem medidas e continuamente. A expressão *katha hyperbolen* significa literalmente "além das medidas, excessivamente" e chama atenção para o tremendo entusiasmo que ele levou a efeito seu propósito de perseguir a Igreja de Deus.[121] Paulo usou todas as suas forças e toda a sua influência nessa causa ensandecida. Como uma fera selvagem, que salta sobre a presa para devorá-la, esse fariseu fanático se lançou contra a igreja de Deus de forma veemente. Seu propósito era devastar a igreja de Deus, exterminando os discípulos de Jesus. William Hendriksen diz que a perseguição promovida por Paulo era não apenas violenta ao extremo, mas também dirigida ao mais precioso tesouro de Deus, sua Igreja e, com os propósitos mais sinistros, ou seja, devastá-la totalmente.[122]

O termo grego *eporthoun,* "devastar", era usado para soldados que devastavam uma cidade.[123] Essa palavra é extremamente forte e significa "destruir" ou "pilhar" com a nítida conotação de devastação bélica. Assim, Paulo está descrevendo que sua conduta antes da conversão era uma verdadeira guerra pessoal contra a igreja de Cristo.[124] Calvino defende que, durante toda a sua vida, Paulo nutrira tão profunda rejeição pelo evangelho, que se tornara um inimigo mortal e um destruidor do cristianismo.[125] Concluímos, portanto, que, como sistema religioso, o judaísmo era a antítese direta do cristianismo.[126]

Paulo, o convertido (1.15,16)

Depois de falar do seu passado, Paulo passa a tratar do seu presente e contar como foi sua conversão. Ao destacar que a transformação ocorrida em sua vida não havia sido causada pelos judeus nem pela igreja, mas, sim, por um milagre espiritual operado pelo próprio Deus, mais uma vez Paulo defende seu apostolado, pela legitimidade de sua conversão.[127] Destacamos aqui quatro pontos fundamentais.

Em primeiro lugar, *a eleição incondicional.* "Quando, porém, ao que me separou antes de eu nascer..." (1.15a). Não foi Paulo quem escolheu a Deus, mas foi Deus quem o escolheu. Deus não o escolheu porque previu que Paulo iria crer em Cristo, mas Paulo recebeu o dom da fé porque Deus o escolheu. Deus não o escolheu porque Paulo havia praticado boas obras; ele foi escolhido e separado antes mesmo de nascer. A eleição de Deus não se baseia no mérito, pois quando Deus o chamou Paulo era blasfemo, insolente e perseguidor. A eleição divina é incondicional. Como Deus conheceu Jeremias antes que fosse formado no ventre da sua mãe e o consagrou e o constituiu profeta antes de sair da madre (Jr 1.5), assim também Deus escolheu Paulo antes de seu nascimento (1.15). O chamado de Paulo foi feito antes que o apóstolo pudesse pensar por si mesmo, e isto deve comprovar que o seu evangelho não era de sua própria fabricação.[128] Deus separou Paulo não apenas para a salvação, mas também com um propósito especial: que ele fosse o instrumento a levar essa salvação aos gentios (At 9.15; 22.15; 26.16-18). Calvino destaca aqui três passos: 1) a predestinação eterna; 2) a destinação desde o ventre; e 3) a chamada, que é o efeito e o cumprimento dos dois primeiros passos.[129]

Em segundo lugar, *a chamada irresistível.* "... e me chamou pela sua graça..." (1.15b). A eleição é incondicional e a graça é irresistível. Deus chama, e chama eficazmente. O mesmo Deus que escolhe é também o Deus que chama e, quando ele chama, sua voz é irresistível. Há dois chamados: um externo e outro interno, um dirigido aos ouvidos e outro ao coração. O próprio Paulo ensinou em sua Epístola aos Romanos: "Aos que [Deus] predestinou, a esses também chamou..." (Rm 8.30). Jesus diz: "As minhas ovelhas ouvem a minha voz; eu as conheço, e elas me seguem" (Jo 10.27). Diz ainda: "Todo aquele que meu Pai me dá, esse virá a mim; e o que vem a mim, de modo nenhum, o lançarei fora" (Jo 6.37). De acordo com Calvino, Paulo quis mostrar que sua chamada dependia da eleição secreta de Deus e que ele fora ordenado apóstolo não por esforço próprio, porque se preparara para desempenhar esse nobre ofício ou porque Deus o considerara digno de perfazê-lo, e sim porque, antes mesmo de nascer, já havia sido separado pelo desígnio secreto de Deus.[130] John Stott destaca que Paulo não merecia misericórdia, nem a pedira. Mas a misericórdia fora ao seu encontro, e a graça o chamara.[131]

Em terceiro lugar, *a revelação sobrenatural.* "... aprouve revelar seu Filho em mim..." (1.15b,16). Deus revelou Jesus a Paulo e essa revelação não foi apenas no nível intelectual, mas, sobretudo, no nível experimental. A experiência que Paulo teve no caminho de Damasco mudou sua vida. O próprio Cristo ressurreto, a quem Paulo perseguira, apareceu-lhe e transformou sua vida. Sua conversão não foi um sugestionamento psicológico nem uma histeria emocional, mas uma revelação sobrenatural, que transformou radicalmente seu viver.

John Stott tem razão quando escreve: "Paulo perseguia a Cristo porque cria que este era um impostor. Agora os seus olhos estavam abertos para ver Jesus não como um charlatão, mas como o Messias dos judeus, Filho de Deus e o Salvador do mundo".[132] Concordo com Warren Wiersbe quando diz que o mesmo Cristo que ensinou aqui na terra também ensinou, do céu, ao apóstolo Paulo. Assim, Paulo não inventou seus ensinamentos; ele os "recebeu" (Rm 1.5; 1Co 11.23; 15.3). Isso significa que o Cristo dos quatro evangelhos e o Cristo das epístolas é a mesma pessoa; não há conflito algum entre Cristo e Paulo.[133]

Adolf Pohl está certo ao afirmar que essa revelação foi o cerne da experiência de Paulo. Essa revelação não ocorreu apenas diante dos seus olhos físicos, mas se passou de forma avassaladora dentro dele. O termo grego para "revelação", *apokaypsis,* está relacionado com *kálymma,* "invólucro". Um "invólucro", que até então lhe obscurecia a verdade e a realidade do Crucificado, veio ao chão. Em 2Coríntios 3.16 Paulo escreve: "Mas quando alguém se converte ao Senhor, o véu (invólucro) é retirado".[134]

Em quarto lugar, *a missão transcultural.* "... para que eu o pregasse entre os gentios..." (1.16b). O propósito de Deus era revelar seu Filho Jesus a Paulo e por intermédio de Paulo; o apóstolo deveria conhecer o Filho de Deus e torná-lo conhecido não apenas aos judeus (At 9.15; 26.20,23), mas também e, sobretudo, aos gentios (At 13.47; 15.12; 18.6; 22.21; 26.17; 28.28; Rm 11.13; Gl 2.2; Ef 3.1,6,8; 1Tm 2.7; 2Tm 1.11; 4.17).

Os mesmos gentios, considerados indignos do amor de Deus pelos fariseus, grupo religioso a que Paulo pertencia, agora são alvos da graça de Deus. Paulo não apenas recebe a revelação de Jesus Cristo, mas também a comissão de pregá-lo aos gentios (At 22.21; 26.15-28). Revelação e comissão chegam a Paulo ao mesmo tempo. O conteúdo da pregação de Paulo não é apenas uma doutrina, mas uma pessoa. Ele foi chamado para proclamar Cristo.

Concluo este ponto, hipotecando apoio a John Stott quando diz que Saulo de Tarso fora um oponente fanático do evangelho. Mas Deus se agradou fazer dele um pregador do mesmo evangelho ao qual ele antes se opunha tão ferozmente. Sua escolha antes de nascer, sua vocação histórica e a revelação de Cristo nele, tudo isso foi obra de Deus. Portanto, nem a sua missão apostólica nem sua mensagem vinha dos homens.[135]

Paulo, o apóstolo (1.16-24)

Depois de falar do seu passado como perseguidor da igreja, e do seu presente como homem a quem Deus revelou Cristo e comissionou para proclamar Cristo aos gentios, Paulo passa a descrever como foi sua convocação para o apostolado. O propósito de Paulo é defender-se da acusação de não ser um apóstolo legítimo. Seu argumento é que logo depois de sua conversão ele não consultou ninguém acerca das doutrinas do cristianismo nem mesmo subiu a Jerusalém para receber dos apóstolos a autorização para pregar. Seu apostolado e sua comissão lhe foram dados por revelação direta de Jesus.

Paulo faz uma cuidadosa síntese dos primeiros anos do seu ministério, com o propósito de mostrar que era impossível ter recebido o conteúdo do seu evangelho de qualquer homem ou mesmo dos apóstolos que estavam em Jerusalém. Vamos acompanhar essa trajetória.

Em primeiro lugar, *Paulo foi a Arábia para ficar a sós com Deus.* "... sem detença, não consultei carne e sangue, nem subi a Jerusalém para os que já eram apóstolos antes de mim, mas parti para as regiões da Arábia..." (1.16b-17). "Não consultei carne e sangue" é uma expressão comum para denotar os seres humanos em geral, usualmente em contraste com Deus. Ninguém poderia afirmar que o evangelho de Paulo fosse desenvolvido por ele mesmo, mediante consultas a outras pessoas.[136]

Donald Guthrie, de forma brilhante, mostra a defesa do apostolado de Paulo nos seguintes termos:

> Paulo já na sua saudação inicial reivindicou o ofício apostólico, e agora faz uma alusão passageira àquilo que, na realidade, constitui o ponto crucial da sua teologia. Ele reconhece o fato da apostolicidade dos líderes de Jerusalém, mas admite apenas uma distinção temporal entre o seu ofício e o deles. Na questão de tempo estavam à sua frente, mas não na importância do ofício. Sua comissão apostólica era tão boa quanto a deles; e, portanto, não havia necessidade de confirmarem o seu ofício, embora tivessem chegado cronologicamente antes dele. Deve ser lembrado que Paulo não está, de modo algum, demonstrando desprezo pelos apóstolos originais, mas respondendo à altura às zombarias daqueles que supunham que seu apostolado fosse inferior ou secundário.[137]

Paulo havia sido um fariseu que buscava agradar a Deus pela justiça própria. Acreditava ser aceito por Deus por sua religiosidade e suas boas obras. Por causa de seu autoengano, chegou a perseguir furiosamente a Igreja de Deus para devastá-la. Logo que se converteu, porém, quis ficar a sós com Deus. Nesse momento não sentiu necessidade de orientação humana, mas da presença e da ajuda de Deus. Ele precisava de um tempo de quietude e solidão para reorganizar sua mente, seus conceitos, seus valores, sua teologia. Concordo com William Barclay, quando diz que, antes de falar aos homens, Paulo precisou falar com Deus.[138] Só se levantam diante dos homens aqueles que primeiro se prostram diante de Deus.

Paulo passou cerca de três anos na Arábia fazendo um seminário intensivo com Jesus. A Arábia ficava cerca de 320 quilômetros ao sul de Damasco e 160 quilômetros a sudeste de Jerusalém. R. E. Howard lembra que a Arábia era um deserto e não uma metrópole próspera. Ali, Paulo teve comunhão com Deus em vez de comunicação com os homens.[139] Porque Jesus passara três anos treinando seus apóstolos, agora investe três anos em Paulo, como um apóstolo chamado fora do tempo. Nesse período Paulo releu o Antigo Testamento e descobriu que aquele mesmo Jesus que outrora perseguira era de fato o Messias (At 9.22). O ensino detalhado de Paulo em Damasco, provando que Jesus é o Cristo, provavelmente aconteceu depois de sua estada na Arábia.[140]

Em segundo lugar, *Paulo retornou a Damasco para corrigir o erro que havia praticado.* "... e voltei, outra vez, para Damasco" (1.17b). Paulo bufava como fera selvagem quando foi a Damasco. O propósito da sua ida a Damasco era, caso achasse alguns que fossem do Caminho, fossem homens ou mulheres, levá-los presos para Jerusalém (At 9.1,2). A comunidade cristã de Damasco conhecia a fama de Paulo como perseguidor (At 9.13,21). Ele era um touro feroz e indomável que recalcitrava contra os aguilhões. Mas de repente o domador de touros bravos jogou esse valente perseguidor ao chão e bradou-lhe aos ouvidos: "Saulo, Saulo por que me persegues? Dura coisa é recalcitrares contra os aguilhões" (At 26.14). O touro bravo estava caído, vencido, subjugado. O maior perseguidor do cristianismo fora convertido.

Logo após ter sido curado, batizado e revestido com o Espírito Santo, Paulo passou a pregar nas sinagogas de Damasco, afirmando que Jesus é o Filho de Deus (At 9.20). Em seguida, foi para a Arábia, onde passou três anos recebendo revelação de Cristo Jesus (1.15-17). Depois disso, voltou outra vez para Damasco. E, agora, ele não apenas afirmava que Jesus é o Filho de Deus, mas o demonstrava, provando detalhada, exaustiva e meticulosamente que Cristo é o Messias (At 9.22). Paulo voltou a Damasco para dar testemunho de Jesus aos que outrora perseguira.

A tese de Paulo é que, nos primeiros três anos depois de sua conversão, tempo em que recebeu o conteúdo da doutrina que passou a ensinar, ele não tivera contato com nenhum mestre humano nem mesmo com aqueles que já eram apóstolos antes dele. Portanto, a tese dos seus críticos, de que seu evangelho era de segunda mão, não passava de falácia.

Em terceiro lugar, *Paulo foi a Jerusalém para enfrentar o seu passado*. "Decorridos três anos, então, subi a Jerusalém para avistar-me com Cefas e permaneci com ele quinze dias; e não vi outro dos apóstolos, senão Tiago, irmão do Senhor. Ora, acerca do que vos escrevo, eis que diante de Deus testifico que não minto" (1.18-20). Antes de sua conversão, Paulo vivia em Jerusalém. Ali se criou aos pés de Gamaliel (At 22.3). Possivelmente foi um dos membros do Sinédrio, pois procediam desse supremo concílio judaico as ordens para perseguir os cristãos, e Paulo era seu agente maior (At 8.1; 9.1; 22.19,20; 26.9-11). Sua volta a Jerusalém não foi fácil. Ele arriscou sua vida. Seus amigos de antes, os judeus, reclamariam seu sangue, porque para eles Paulo era um renegado e traidor. Já os cristãos poderiam rejeitá-lo por pensar que ele estava sabotando a fé cristã e se infiltrava na igreja para persegui-la (At 9.26).[141]

O propósito da viagem de Paulo a Jerusalém foi pessoal, e não oficial (At 9.26-29).[142] Ele foi avistar Pedro, o líder da igreja de Jerusalém, para mostrar que nunca estivera em desarmonia com os apóstolos e, a essa altura, estava em plena harmonia com todas as opiniões deles.[143] O verbo grego *historesai*, "avistar", era usado no sentido de "fazer turismo" e significa "visitar com o propósito de conhecer uma pessoa". Paulo foi visitar os apóstolos não por ter recebido tal ordem, mas de sua própria vontade; não para aprender alguma coisa com eles, mas apenas para conhecer Pedro.[144]

Paulo não foi a Jerusalém para receber autorização ou para aprender teologia, mas para desfrutar de comunhão. Concordo com William Hendriksen, quando escreve: "É evidente que Paulo não foi a Jerusalém para receber a ordem de pregar o evangelho nem tampouco para descobrir seu significado. Ele já havia recebido sua missão como também seu evangelho, e os recebeu do próprio Senhor Jesus".[145]

Em Jerusalém Paulo passou apenas quinze dias, tempo insuficiente para aprender o conteúdo do evangelho que já proclamava entre os gentios. Vale destacar ainda que grande parte daquelas duas semanas em Jerusalém foi ocupada em pregações (At 9.28,29). Ademais, os outros apóstolos deviam estar fora da cidade nesse período, em atividades missionárias, uma vez que Paulo não os encontrou (1.19). Apenas viu Tiago, irmão do Senhor, pastor e líder da igreja jerosolimitana. Resumindo, a primeira visita de Paulo a Jerusalém deu-se apenas depois de três anos, durou apenas duas semanas, e ele encontrou apenas dois apóstolos. Portanto, é ridículo sugerir que tenha recebido o seu evangelho dos apóstolos em Jerusalém.[146]

Em quarto lugar, *Paulo foi a Síria e Cilícia para enfrentar sua cidade natal.* "Depois, fui para as regiões da Síria e da Cilícia" (1.21). Tarso, na Cilícia, foi a cidade onde Paulo nasceu. Ele estava ali obviamente não porque fosse de sua vontade voltar à sua terra natal, mas porque não podia mais permanecer em Jerusalém (At 9.29,30). Aliás, o próprio Deus o mandou sair de Jerusalém (At 22.17-21). Na verdade, Paulo foi levado a Cesareia e dali enviado a Tarso (At 9.30). Em Tarso precisou encontrar seus amigos de infância e juventude. Muitos deles possivelmente o consideravam um louco por pregar agora o que tentara antes destruir. O ponto é que em todo esse tempo Paulo não aprendeu o evangelho que pregava aos gentios de homem algum, nem mesmo dos apóstolos de Jerusalém. Seus argumentos são absolutos e irrefutáveis.

Em quinto lugar, *Paulo e sua mensagem são motivos de glória ao nome de Deus entre as igrejas da Judeia*. "E não era conhecido de vista das igrejas da Judeia, que estavam em Cristo. Ouviam somente dizer: Aquele que, antes, nos perseguia, agora, prega a fé que, outrora, procurava destruir. E glorificavam a Deus a meu respeito" (1.22-24). Paulo está fechando seu argumento de que não aprendeu nem recebeu sua mensagem de homem algum, nem daqueles que já eram apóstolos antes dele, pois nem mesmo era conhecido pessoalmente das igrejas da Judeia que estavam em Cristo. Essas igrejas glorificavam a Deus a seu respeito tanto pela sua conversão como pela sua pregação e, se o faziam, era porque o evangelho que proclamava era e é o único evangelho verdadeiro, evangelho crido pelos judeus crentes e combatido pelos falsos mestres judaizantes.

F. F. Bruce tem razão quando escreve: "Durante os anos que seguiram a breve visita de Paulo a Jerusalém, bem como o pequeno intervalo que a precedeu, ele estava ativamente engajado na pregação do evangelho, sem requerer ou receber nenhuma autorização para fazê-lo da parte dos líderes da igreja mãe".[147] Ainda Lutero corrobora com essa ideia ao colocar na boca de Paulo as seguintes palavras, em sua defesa:

> As igrejas testemunham, não somente em Damasco, Arábia, Síria, e Cilícia, mas também na Judeia, que eu tenho pregado a mesma fé que primeiramente persegui. E essas igrejas glorificaram a Deus em mim; não porque eu ensinei que a circuncisão e a lei de Moisés deveriam ser

> guardadas, mas pela pregação da fé, e pela edificação das igrejas pelo meu ministério no evangelho.[148]

Concordo com John Stott quando diz: "As igrejas da Judeia não glorificam a Paulo, mas a Deus em Paulo, reconhecendo que este era um troféu extraordinário da graça de Deus".[149] Donald Guthrie tem razão ao defender que, quando Paulo relatou ser ele a causa de as igrejas da Judeia louvarem a Deus, não havia sinal de jactância da sua parte, porque ele nunca cessou de maravilhar-se diante daquilo que a graça de Deus efetuara na sua própria vida, e sentia-se imensamente grato quando outras pessoas também reconheciam o fato.[150]

Concluo esta exposição com a síntese de John Stott:

> O que Paulo diz em Gálatas 1.13-24 pode ser resumido da seguinte forma: o fanatismo de sua carreira antes da conversão, a iniciativa divina na sua conversão e depois, o seu isolamento quase total dos líderes da igreja de Jerusalém, tudo contribuía para provar que sua mensagem não era humana, mas divina. Além disso, essas evidências históricas e circunstanciais não poderiam ser contestadas. O apóstolo pode confirmar e garantir com isso com uma solene afirmação: "Ora, acerca do que vos escrevo, eis que diante de Deus testifico que não minto" (1.20).[151]

NOTAS DO CAPÍTULO 4

[115] GUTHRIE, Donald. *Gálatas: introdução e comentário*, p. 79.
[116] RIENECKER, Fritz; ROGERS, Cleon. *Chave linguística do Novo Testamento grego*, p. 371.
[117] POHL, Adolf. *Carta aos Gálatas*, 1999, p. 52.
[118] GUTHRIE, Donald. *Gálatas: introdução e comentário*, p. 82.
[119] HENDRIKSEN, Guillermo. *Gálatas*, p. 59.
[120] POHL, Adolf. *Carta aos Gálatas*, 1999, p. 52.
[121] GUTHRIE, Donald. *Gálatas: introdução e comentário*, p. 80.
[122] HENDRIKSEN, Guillermo. *Gálatas*, p. 58.
[123] RIENECKER, Fritz; ROGERS, Cleon. *Chave linguística do Novo Testamento grego*, p. 371.
[124] HOWARD, R. E. *A Epístola aos Gálatas*, p. 32.
[125] CALVINO, João. *Gálatas*, 2007, p. 33.
[126] GUTHRIE, Donald. *Gálatas: introdução e comentário*, p. 80.
[127] WIERSBE, Warren W. *Comentário bíblico expositivo*, p. 898.
[128] GUTHRIE, Donald. *Gálatas: introdução e comentário*, p. 82.
[129] CALVINO, João. *Gálatas*, 2007, p. 35.
[130] CALVINO, João. *Gálatas*. 2007, p. 35,36.
[131] STOTT, John. *A mensagem de Gálatas*, p. 33.
[132] STOTT, John. *A mensagem de Gálatas*, p. 33.
[133] WIERSBE, Warren W. *Comentário bíblico expositivo*, p. 901.
[134] POHL, Adolf. *Carta aos Gálatas*, 1999, p. 54,55.
[135] STOTT, John. *A mensagem de Gálatas*, p. 34.
[136] GUTHRIE, Donald. *Gálatas: introdução e comentário*, p. 84.
[137] GUTHRIE, Donald. *Gálatas: introdução e comentário*, p. 84,85.
[138] BARCLAY, William. *Gálatas y Efesios*, p. 24.
[139] HOWARD, R. E. *A Epístola aos Gálatas*, p. 34.
[140] GUTHRIE, Donald. *Gálatas: introdução e comentário*, p. 87.
[141] BARCLAY, William. *Gálatas y Efesios*, p. 25.
[142] MacDONALD, William. *Believer's Bible commentary*, p. 1877.
[143] CALVINO, João. *Gálatas*, 2007, p. 38.
[144] STOTT, John. *A mensagem de Gálatas*, p. 36.
[145] HENDRIKSEN, Guillermo. *Gálatas*, p. 67.
[146] STOTT, John. *A mensagem de Gálatas*, p. 36.
[147] BRUCE. F. F. *The Epistle to the Galatians*, p. 105.
[148] LUTHER, Martin. *Galatians*, p. 1.288.
[149] STOTT, John. *A mensagem de Gálatas*, p. 36.
[150] GUTHRIE, Donald. *Gálatas: introdução e comentário*, p. 91.
[151] STOTT, John. *A mensagem de Gálatas*, p. 37.

Capítulo 5

O evangelho de Paulo é o mesmo dos apóstolos de Jerusalém

(Gl 2.1-10)

O APÓSTOLO PAULO ainda está defendendo seu apostolado e seu evangelho. Os inimigos ainda são os mesmos, os judaizantes. O propósito deles também é o mesmo, ou seja, perverter o evangelho e perturbar a igreja. A acusação desses falsos irmãos é que o evangelho pregado por Paulo era diferente do evangelho pregado pelos apóstolos de Jerusalém, dos quais Paulo não possuía o aval e com os quais não estava em consonância. John Stott diz que eles estavam tentando romper a unidade do círculo apostólico, ao alegar abertamente que os apóstolos se contradiziam.

No capítulo 1 Paulo mostrou que o seu evangelho vinha de Deus e não dos homens. Agora, ele mostra que o seu evangelho não é diferente, mas precisamente o mesmo dos outros apóstolos. A fim de provar que o seu evangelho é independente do evangelho dos outros apóstolos, Paulo destacou que fizera apenas uma breve visita a Jerusalém em quatorze anos. A fim de provar que o seu evangelho era, contudo, idêntico ao evangelho deles, o apóstolo agora diz que, ao fazer a devida visita a Jerusalém, o seu evangelho fora endossado e aprovado pelos demais.[152]

Conforme Warren Wiersbe, Paulo explicou no capítulo 1 sua independência dos outros apóstolos; agora, no capítulo 2, destaca sua interdependência com respeito aos apóstolos.[153] O texto em tela é uma resposta a esses críticos de plantão.

Vamos destacar cinco pontos importantes no texto em apreço.

A viagem de Paulo (2.1,2)

Paulo fez cinco viagens a Jerusalém depois de sua conversão. A primeira delas ocorreu três anos após sua conversão (1.17,18; At 9.26), quando passou quinze dias com o apóstolo Pedro e com Tiago (1.18,19). A segunda visita está relacionada ao socorro financeiro que Barnabé e ele levaram aos pobres da Judeia (At 11.29,30; 12.25). A terceira visita tem a ver com o Concílio de Jerusalém para resolver a questão judaizante (At 15.2-29). A quarta visita foi uma passagem muito rápida ao final da segunda viagem missionária e antes da terceira viagem missionária (At 18.22). A quinta e última visita de Paulo a Jerusalém aconteceu quando ele foi levar uma oferta das igrejas da Macedônia e Acaia aos pobres da Judeia, ocasião em que o apóstolo terminou preso (At 21.17).

Um dos pontos mais difíceis dessa epístola é identificar se essa viagem de Paulo a Jerusalém foi a segunda ou a terceira. Não há consenso entre os estudiosos sobre essa matéria. Calvino, F. F. Bruce, Duncan, Ellis, Emmet, Hoerber, Knox, Stott são da opinião de que essa viagem é a segunda; porém, outros eruditos do mesmo calibre, como Berkhof, Eerdman, Findlay, Greijdanus, Grosheide, Lightfoot, Rendall, Robertson, Warren Wiersbe, defendem a tese de que se trata da terceira viagem. Há pontos fortes e fracos em ambos os lados. No entanto, estou inclinado a crer que essa viagem de Paulo a Jerusalém é uma referência à sua segunda e não à terceira visita.[154] Ou seja, a Carta aos Gálatas foi escrita antes do Concílio de Jerusalém, e não depois dele. Concordo com Calvino quando escreve:

> É ilógico imaginar que Pedro teria usado tal dissimulação (2.11-21), se a controvérsia já houvesse sido resolvida e o decreto apostólico, publicado. Mas, nessa passagem, Paulo escreve que viera a Jerusalém e, somente depois, acrescenta que repreendera a Pedro, por causa de um ato de dissimulação, um ato que, com certeza, Pedro não teria cometido, exceto em questões duvidosas.[155]

Se a Carta aos Gálatas tivesse sido escrita depois do Concílio de Jerusalém, bastaria a Paulo mostrar às igrejas a decisão dos presbíteros e apóstolos de Jerusalém isentando os gentios do rito da circuncisão, e ele já teria tapado a boca dos insolentes judaizantes.

Destacamos aqui três pontos importantes.

Em primeiro lugar, *os companheiros de Paulo*. "Catorze anos depois, subi outra vez a Jerusalém com Barnabé, levando também a Tito" (2.1). Não podemos ter completa garantia de que esses quatorze anos se passaram depois de sua conversão ou depois de sua primeira viagem a

Jerusalém (At 9.26). Isso, porém, não altera em nada o cerne da questão que será tratada nessa viagem. Em qualquer das duas interpretações, a declaração demonstra que um período considerável decorreu sem que houvesse intercâmbio oficial entre o apóstolo e os líderes em Jerusalém.[156]

O que de fato importa são os companheiros que seguem Paulo nessa visita a Jerusalém. Barnabé é judeu, e Tito, gentio. Barnabé é um judeu ligado ao ministério gentílico, e Tito é um convertido gentio à fé cristã, produto daquela mesma missão gentia que estava então em discussão e que os judaizantes punham em dúvida.[157] Ambos são importantes na defesa do evangelho pregado por Paulo.

Barnabé foi o companheiro de Paulo na primeira viagem missionária, e Tito era filho na fé de Paulo (Tt 1.4). Barnabé, sendo judeu, estava de pleno acordo com o evangelho pregado por Paulo, evangelho esse que não foi modificado pelos apóstolos de Jerusalém (2.6-10); e Tito, sendo um gentio, foi aceito sem precisar submeter-se ao rito da circuncisão (2.3-5).

Citado oito vezes em 2Coríntios e uma vez em 2Timóteo, Tito foi o destinatário da carta do Novo Testamento que leva o seu nome (Tt 1.4). Donald Guthrie ressalta que o ponto principal da menção de Tito é dar exemplo de um gentio cristão cujo relacionamento com a circuncisão pode ser considerado típico para todos os gentios.[158] A brecha nas fileiras apostólicas era um mito que só estava na cabeça dos falsos mestres.

Concordo com John Stott quando diz que Paulo levou Tito a Jerusalém não para despertar atritos, mas para estabelecer a verdade do evangelho: que judeus e gentios são aceitos por Deus nos mesmos termos, a saber, a fé em

Jesus Cristo, e, portanto, todos devem ser aceitos pela igreja sem nenhuma discriminação.[159]

Em segundo lugar, *a motivação de Paulo*. "Subi em obediência a uma revelação..." (2.2a). Paulo foi a Jerusalém em obediência a uma revelação divina, e não por uma convocação humana. Ele foi não para buscar aprovação dos homens, mas para obedecer a um mandato de Deus; não para receber autorização dos apóstolos de Jerusalém para pregar, mas para defender o evangelho que pregava. Como diz Calvino, Paulo não foi posto no ofício apostólico por determinação dos outros apóstolos; foi reconhecido por eles como um apóstolo.[160]

Em terceiro lugar, *o propósito de Paulo*. "... e lhes expus o evangelho que prego entre os gentios, mas em particular aos que pareciam de maior influência, para, de algum modo, não correr ou ter corrido em vão" (2.2b). O propósito dessa viagem de Paulo a Jerusalém era expor o evangelho pregado por ele entre os gentios aos cristãos de Jerusalém e aos apóstolos. Paulo estava muito interessado em que os crentes e os apóstolos conhecessem o conteúdo de sua pregação. Donald Guthrie tem razão quando diz que, às vezes, as congregações nas reuniões missionárias revelam uma grande falta de interesse pela natureza do evangelho que está sendo pregado.[161]

Se a acusação dos judaizantes, de que Paulo pregava um evangelho diferente do evangelho pregado pelos demais apóstolos, pudesse ser provada, a causa do evangelho entre os gentios estaria perdida. O propósito de Paulo era provar que não havia uma fenda entre ele e os demais apóstolos. Não havia dois evangelhos, nem conflito entre os apóstolos. Os ministérios eram diferentes, mas o evangelho era o mesmo. Os mensageiros tinham dons e campos de atuação diferentes, mas a mensagem era a mesma.

O evangelho de Paulo (2.2-6)

O propósito da viagem era reafirmar a essência do evangelho pregado por Paulo entre os gentios. Destacamos aqui quatro pontos importantes.

Em primeiro lugar, *o evangelho pregado aos gentios é o mesmo pregado aos judeus.* "... e lhes expus o evangelho que prego entre os gentios..." (2.2). A tese de Paulo é que não havia conflito entre o evangelho da circuncisão e o evangelho da incircuncisão; entre o evangelho pregado entre os judeus e o evangelho pregado entre os gentios; entre o evangelho pregado pelos apóstolos de Jerusalém e o evangelho pregado por ele. A mensagem que Paulo pregou aos crentes da Galácia foi: "Tomai, pois, irmãos, conhecimento de que se vos anuncia remissão de pecados por intermédio deste; e, por meio dele, todo o que crê é justificado de todas as coisas das quais vós não pudestes ser justificados pela lei de Moisés" (At 13.38,39).

Só existe um evangelho. Um evangelho diferente seria outro evangelho, um falso evangelho, um evangelho que deveria ser anátema. Como John Stott reconhece, não existe um evangelho paulino, outro petrino e outro ainda joanino, como se fossem totalmente diferentes um do outro. Isso é um erro. Os apóstolos não se contradizem. Há diferença de estilos, de ênfase e de esfera, mas há um único evangelho. Paulo evidenciou nessa passagem que estava de pleno acordo com os apóstolos de Jerusalém, e estes com ele. O evangelho não mudou com o passar dos séculos. Seja pregado a jovens ou a velhos, no Leste ou no Oeste, a judeus ou a gentios, a pessoas cultas ou a ignorantes, a cientistas ou a leigos, embora a sua apresentação possa variar, a substância continua sendo a mesma. Paulo e Pedro tiveram diferentes comissionamentos, mas uma mensagem comum.[162]

Em segundo lugar, *o evangelho pregado aos gentios é o evangelho da liberdade* (2.3-5). Vejamos o relato do apóstolo:

> Contudo, nem mesmo Tito, que estava comigo, sendo grego, foi constrangido a circuncidar-se. E isto por causa dos falsos irmãos que se entremeteram com o fim de espreitar a nossa liberdade que temos em Cristo Jesus e reduzir-nos à escravidão; aos quais nem ainda por uma hora nos submetemos, para que a verdade do evangelho permanecesse entre vós (2.3-5).

Tito foi levado por Paulo como um exemplo de que é possível um gentio ser salvo sem ser circuncidado. Para os judaizantes a presença de um gentio incircunciso na igreja era uma afronta, enquanto para Paulo era a evidência da eficácia da graça e da liberdade do evangelho. Se cedesse à pressão dos judaizantes para circundar Tito, Paulo estaria comprometendo a essência do evangelho. A própria liberdade cristã estaria danificada. Isso seria voltar à escravidão da lei.

É claro que a liberdade cristã não é sinônimo de licenciosidade (5.13). Adolf Pohl está certo ao conjeturar que o cristão livre não é o ser humano deixado solto, mas aquele que vive com seu libertador e para o seu libertador. Fora do senhorio de Cristo a liberdade é uma ilusão; tão-somente encobriríamos nossas paixões e desejos com uma palavra grandiosa.[163]

John Stott está absolutamente correto, quando escreve:

> Introduzir obras da lei e fazer a nossa aceitação depender de nossa obediência a regras e regulamentos era fazer o homem livre retroceder para a escravidão. Neste princípio Tito era um teste. Era verdade que ele era um gentio incircunciso, mas era também um cristão convertido. Tendo crido em Jesus, fora aceito por Deus em Cristo, e

> isso, dizia Paulo, era suficiente. Nada mais era necessário para a sua salvação, como o confirmou mais tarde o Concílio de Jerusalém (At 15.11).[164]

Quando se tratava da defesa do evangelho, Paulo era absolutamente inflexível. Esses falsos irmãos, como espiões e traidores, como agentes de serviço secreto, introduziram-se furtivamente na igreja para perturbar os crentes e perverter o evangelho. Mas encontraram em Paulo um muro de concreto, uma rocha inabalável e um apóstolo intransigente. Paulo era flexível com os irmãos fracos, mas inflexível com os falsos irmãos. Quando se trata da verdade do evangelho não podemos ceder uma polegada nem transigir com uma vírgula. Negociar a verdade é cair na vala da apostasia. David Stern defende claramente que aqueles que insistem na circuncisão dos gentios (2.3-5) não possuem um evangelho melhor e mais puro, mas uma perversão do evangelho (1.6-9), reprovada pelas próprias pessoas para cuja autoridade eles apelavam (2.8,9; 5.11).[165]

Em terceiro lugar, *o evangelho pregado entre os gentios não depende da aprovação dos homens.* "E, quanto àqueles que pareciam ser de maior influência (quais tenham sido, outrora, não me interessa; Deus não aceita a aparência de homem)..." (2.6a). Paulo não estava depreciando os apóstolos de Jerusalém, mas sim as reivindicações extravagantes e exclusivas estabelecidas para eles pelos judaizantes. John Stott enfatiza que as palavras de Paulo não são uma negação da autoridade apostólica deles, nem uma indicação de desrespeito. Paulo simplesmente está dizendo que, embora aceite o seu posto de apóstolos, não se sente intimidado por suas pessoas, como acontecia com os judaizantes.[166]

Calvino alega que a razão dessa santa jactância de Paulo não era a consideração por sua própria pessoa, e sim a necessidade de proteger sua doutrina. A controvérsia não se referia a indivíduos; portanto, não era um conflito de ambições. Em outras palavras, Paulo não questionava a dignidade dos apóstolos, e sim a vanglória indolente de seus adversários. A fim de apoiar pretensões indignas, eles enalteciam Pedro, Tiago e João, tirando proveito da veneração que a igreja lhes tributava, para satisfazerem seu desejo intenso de prejudicar Paulo. A intenção de Paulo, nessa passagem, não era esclarecer quem eram os apóstolos. O objetivo dele era desmascarar os falsos apóstolos.[167]

Em quarto lugar, *o evangelho pregado entre os gentios não aceita acréscimos.* "... esses, digo, que me pareciam ser alguma coisa nada me acrescentaram" (2.6b). Paulo está declarando que seu evangelho não precisava de revisão, aprovação ou acréscimo. O evangelho de Paulo não era deficiente como insinuavam os falsos mestres. Os apóstolos de Jerusalém não precisaram acrescentar coisa alguma à pregação de Paulo entre os gentios. O evangelho pregado por Paulo não havia sido criado por ele nem mesmo tinha recebido dos apóstolos que vieram antes dele, mas fora recebido do próprio Senhor Jesus. Consequentemente, sua mensagem era a verdade do evangelho (2.5), a mensagem da "...nossa liberdade que temos em Cristo Jesus" (2.4), a mensagem completa e imutável.

O ministério de Paulo (2.7-9a)

Paulo passa da defesa do seu evangelho para o alcance do seu ministério. Deus lhe deu a graça de pregar aos gentios, enquanto deu a Pedro o privilégio de pregar aos judeus. Seu ministério direcionava-se especialmente aos gentios, enquanto o ministério de Pedro se direcionava especialmente aos judeus. Os dois apóstolos não eram rivais, mas parceiros. Tinham ministérios diferentes, dirigidos a públicos diferentes, mas anunciavam o mesmo evangelho da graça. Destacamos aqui dois pontos importantes.

Em primeiro lugar, *o ministério de Paulo aos gentios era vocação divina, e não delegação humana.* "Antes, pelo contrário, quando viram que o evangelho da incircuncisão me fora confiado, como a Pedro o da circuncisão" (2.7). Paulo não pregou aos gentios porque deliberou fazê-lo por conta própria, nem porque Pedro ou os demais apóstolos o comissionaram para esse mister. O mesmo Jesus que o chamou, esse mesmo também lhe designou o campo. Sua vocação e esfera do seu ministério foram determinados por Cristo Jesus. A tese judaizante de que Paulo era um apóstolo inferior aos demais esbarra na verdade de que seu chamado apostólico é divino e o alcance de seu ministério foi apontado pelo próprio Deus.

O fato de o ministério de Paulo estar direcionado aos gentios não significa desatenção para com os judeus. O apóstolo sentia um grande peso em seu coração pelo seu povo (Rm 9.1-3). Sempre que chegava em uma cidade, dirigia-se primeiro à sinagoga, caso houvesse uma, e começava seu trabalho no meio do seu próprio povo. Da mesma forma, Pedro também não estava excluído de ministrar aos gentios (At 8;10). No entanto, cada um concentraria seus esforços no campo que o Espírito Santo havia lhe designado. Tiago, Pedro e João falariam aos judeus; Paulo falaria aos gentios.[168]

Em segundo lugar, *o ministério de Paulo aos gentios era capacitação divina, e não treinamento humano.* "Pois aquele que operou eficazmente em Pedro para o apostolado da circuncisão também operou eficazmente em mim para os gentios" (2.8). O Senhor não apenas conduziu Paulo aos gentios, mas o capacitou eficazmente para esse trabalho, da mesma forma que fez com Pedro em relação aos judeus. O chamado vem de Deus, assim como o poder e a capacitação para exercer o ministério. Paulo não é apóstolo por vontade própria nem exerce o apostolado com poder próprio. Tanto sua vocação quanto seu poder vêm de Deus.

A aprovação de Paulo (2.9)

As colunas da igreja em Jerusalém, Tiago, Cefas e João, não apenas reconheceram o apostolado de Paulo endereçado aos gentios, mas também estenderam a ele e a Barnabé a destra de comunhão, a fim de que fossem uns para os gentios, e outros, para a circuncisão. Destacamos aqui dois pontos.

Em primeiro lugar, *a liderança da igreja está unida em torno do único evangelho*. "E, quando conheceram a graça que me foi dada, Tiago, Cefas e João, que eram reputados colunas, me estenderam, a mim e a Barnabé, a destra de comunhão..." (2.9a). Os colunas de Jerusalém não excluíam Paulo e Barnabé, como os judaizantes almejavam, mas reconheciam os colunas de Antioquia como da mesma altura. Selaram de modo demonstrativo a sua comunhão por meio do aperto de mão com validade legal.[169] A tese dos judaizantes estava derrotada. Os apóstolos de Jerusalém e Paulo não estão em conflito, mas dando as mãos em sinal de total concordância acerca do único evangelho a ser pregado, quer entre os gentios, quer entre os judeus. Se a liderança da igreja estivesse dividida quanto ao conteúdo do evangelho, a igreja não prosperaria, pois uma casa dividida contra si mesma não permanece em pé. A verdade do evangelho é o cimento que nos une. Não há unidade fora da verdade. O ecumenismo que pretende unir todas as crenças debaixo do mesmo teto é um falacioso engano. Não existe unidade onde a verdade é sacrificada. Concordo com Warren Wiersbe quando escreve:

> A grande preocupação de Paulo era com "a verdade do evangelho" (Gl 2.5,14), não com a "paz da igreja". A sabedoria que Deus envia do alto é "primeiramente pura; depois pacífica" (Tg 3.17). A "paz a qualquer custo" não era a filosofia de ministério de Paulo, e também não deve ser a nossa.[170]

Em segundo lugar, *a liderança da igreja reconhece a diferença de ministérios*. "... a fim de que nós fôssemos para os gentios, e eles, para a circuncisão" (2.9b). Os líderes da igreja de Jerusalém selaram a unidade cristã ao darem a Paulo e a Barnabé a destra de comunhão, enquanto rechaçavam as ideias heréticas dos judaizantes. Não havia mais dúvida de que a suposta fenda entre os apóstolos e Paulo não passava de uma fantasia na mente desses falsos irmãos que se intrometeram na igreja para perverter o evangelho. O fato, porém, de existir um só evangelho não significa que o evangelho não tenha endereçamentos distintos. Enquanto Paulo e Barnabé são enviados aos gentios, os apóstolos são enviados aos judeus. O mesmo evangelho deve ser pregado a gentios e judeus. A mensagem é a mesma, mas a forma é diferente. O conteúdo é o mesmo, mas a abordagem é diferente. A teologia é a mesma, mas o método é diferente. Adolf Pohl corretamente sintetiza: "Um novo grupo alvo da proclamação demanda diferente apresentação, ênfase e concentração".[171]

O compromisso de Paulo (2.10)

O apóstolo Paulo passa das considerações teológicas acerca do conteúdo e da defesa do evangelho para os aspectos práticos – o auxílio aos pobres.[172] Doutrina e prática andam juntas. A teologia cristã precisa desembocar na prática do amor cristão. A salvação é só pela fé, independentemente das obras, mas a fé salvadora não vem só, ela produz obras. A fé sem obras é morta. A fé opera pelo amor. A fé é a fonte; as obras, o fluxo que corre dessa fonte. A fé é a raiz; as obras, os frutos. A fé a causa; as obras, a consequência. Não somos salvos *pelas* obras, mas *para* as obras. O mesmo evangelho que liberta do pecado, também assiste os necessitados. Duas verdades são aqui destacadas.

Em primeiro lugar, *não há conflito entre fé e obras.* "Recomendando-nos somente que nos lembrássemos dos pobres..." (2.10). O evangelho da graça é integral. Ele provê salvação para a alma e redenção para o corpo. É transcendental e ao mesmo tempo assistencial. Não existe conflito entre evangelização e ação social. Fé e obras não se excluem; completam-se. Quando o coração está aberto para Deus, está também franqueado para o próximo. A conversão do coração passa também pela generosidade do bolso. Quem ama a Deus também serve ao próximo. Quem adora a Deus também socorre o necessitado.

Em segundo lugar, *não há conflito entre evangelização e ação social.* "... o que também me esforcei por fazer" (2.10b). Não há conflito entre a pregação do evangelho e o cuidado dos pobres. Paulo foi um homem que se afadigou na Palavra. Ele se gastou pelo evangelho. Pregou com senso de urgência e também com lágrimas. Ao mesmo tempo, porém, esforçou-se para socorrer os pobres. Foi a Jerusalém duas vezes com o propósito de levar ofertas aos necessitados (At 11.29,30; 21.17). Compromisso assumido, compromisso cumprido. A pobreza dos crentes da Judeia despertou a simpatia das igrejas gentias (Rm 15.25-27; 1Co

16.1-4; 2Co 8–9). Evangelização sem ação social gera um pietismo alienado; ação social sem evangelização produz um assistencialismo humanista. Ao longo dos séculos o evangelho de Cristo tem sido o vetor inspirador para as maiores obras sociais do mundo, criando hospitais, escolas, asilos e dezenas de instituições que cuidam do ser humano de forma integral.

Concluímos esta exposição com a perspectiva de William Hendriksen. Ele diz que ajudar os pobres é requerido na lei de Deus (Êx 23.10,11; 30.15; Lv 19.10; Dt 15.7-11), na exortação dos profetas (Jr 22.16; Dn 4.27; Am 2.6,7) e no ensino de Jesus (Mt 7.12; Lc 6.36,38; Jo 13.29). É fruto da gratidão do crente pelos benefícios recebidos. Aqueles que recebem misericórdia tornam-se misericordiosos. Paulo diz que aqueles que recebem benefícios espirituais devem retribuir com benefícios materiais (Rm 15.26,27). Jesus é o maior exemplo de generosidade (2Co 8.9). O homem generoso receberá grande recompensa (Mt 25.31-40).[173]

NOTAS DO CAPÍTULO 5

[152] STOTT, John. *A mensagem de Gálatas*, p. 40.
[153] WIERSBE, Warren W. *Comentário bíblico expositivo*, p. 906.
[154] HENDRIKSEN, Guillermo. *Gálatas*, p. 77-84.
[155] CALVINO, João. *Gálatas*, 2007, p. 42.
[156] GUTHRIE, Donald. *Gálatas: introdução e comentário*, p. 92.
[157] STOTT, John. *A mensagem de Gálatas*, p. 40.
[158] GUTHRIE, Donald. *Gálatas: introdução e comentário*, p. 95.
[159] STOTT, John. *A mensagem de Gálatas*, p. 42.
[160] CALVINO, João. *Gálatas*, 2007, p. 43.
[161] GUTHRIE, Donald. *Gálatas: introdução e comentário*, p. 93.
[162] STOTT, John. *A mensagem de Gálatas*, p. 46,47.
[163] POHL, Adolf. *Carta aos Gálatas*, 1999, p. 66.
[164] STOTT, John. *A mensagem de Gálatas*, p. 43.
[165] STERN, David. *Comentário judaico do Novo Testamento*, p. 569.
[166] STOTT, John. *A mensagem de Gálatas*, p. 44.
[167] CALVINO, João. *Gálatas*, 2007, p. 48-50.
[168] WIERSBE, Warren W. *Comentário bíblico expositivo*, p. 905.
[169] POHL, Adolf. *Carta aos Gálatas*, 1999, p. 70.
[170] WIERSBE, Warren W. *Comentário bíblico expositivo*, p. 905.
[171] POHL, Adolf. *Carta aos Gálatas*, 1999, p. 68.
[172] WIERSBE, Warren W. *Comentário bíblico expositivo*, p. 906.
[173] HENDRIKSEN, Guillermo. *Gálatas*, p. 94.

Capítulo 6

O evangelho da graça sob ataque

(Gl 2.11-14)

Essa é uma das passagens mais constrangedoras da Bíblia e uma das mais polêmicas dessa carta. Vemos aqui Pedro e Paulo, os dois maiores líderes da igreja, num profundo conflito. O livro de Atos destaca de forma singular a liderança desses dois homens. A primeira parte de Atos concentra-se na liderança de Pedro, e a segunda parte do livro enfatiza a liderança de Paulo. A Pedro foi confiado o apostolado da circuncisão, e a Paulo o da incircuncisão, ou seja, Pedro direcionou seu ministério aos judeus e Paulo aos gentios.

Não há dúvida alguma de que, tanto Pedro quanto Paulo são homens convertidos e chamados por Jesus para serem apóstolos. Ambos foram investidos de autoridade. Ambos são respeitados nas igrejas por sua liderança. Ambos já haviam sido poderosamente usados por Deus. Aqui, porém, vemos Paulo confrontando Pedro face a face. Concordo com Jonh Stott quando diz: "Não que Pedro negasse o evangelho em sua doutrina, pois Paulo se esmera em demonstrar que ele e os apóstolos de Jerusalém estavam unidos quanto ao evangelho (2.1-10), e ele repete este fato aqui (2.15,16). A ofensa de Pedro contra o evangelho foi na sua conduta".[174]

Paulo segue mantendo a independência essencial tanto de seu evangelho como de sua posição.[175] Em outras palavras, Paulo ainda está defendendo seu apostolado diante dos seus críticos. O que ele vem provando até agora é que tanto o seu apostolado quanto a sua mensagem não foram recebidos de homem algum, nem mesmo dos apóstolos de Jerusalém. Paulo provou ainda que seu evangelho é independente dos apóstolos de Jerusalém, mas não diferente do evangelho pregado por eles. Não temos dois evangelhos, um endereçado aos judeus e outro aos gentios. Temos um único evangelho, com abordagens diferentes, mas com o mesmo conteúdo. Nessa mesma linha de pensamento Donald Guthrie pondera que a razão de Paulo mencionar esse confronto pessoal com Pedro era solidificar seus argumentos anteriores de não ter sido convocado a submeter seus programas de ação às autoridades de Jerusalém. Quando resistiu até mesmo publicamente a Pedro diante da igreja de Antioquia, Paulo não poderia ter dado evidência mais clara da sua posição apostólica.[176] Para David Stern, Paulo está afirmando aqui que a sua autoridade está tão bem fundamentada que ele podia opor-se publicamente ao emissário líder Pedro. Paulo não fez isso para se autopromover, mas porque Pedro, na posição de modelo a ser seguido, estava agindo de forma errada, e os gálatas precisavam ser alertados.[177]

Agora, Paulo evidencia que o evangelho é maior do que o apóstolo, e demonstra que a verdade está acima da personalidade. Obviamente o foco dessa passagem não é destacar uma disputa das vaidades pessoais. Não se trata de um jogo de interesse pessoal. Paulo não está tentando promover-se diante dos seus críticos, ao mesmo tempo em que diminuía Pedro. O que está em jogo nesse texto não é uma luta pessoal por prestígio, mas a defesa da verdade, a integridade e a credibilidade do próprio evangelho da graça.

Vale destacar ainda que o texto em tela coloca o machado da verdade na raiz da pretensa tese romana do primado de Pedro e sua superioridade sobre os demais apóstolos. Aqui Pedro está sendo corrigido por Paulo. Pedro agira de forma inconsistente com o evangelho que ele mesmo pregava, e por isso está sendo repreendido.

Destacamos alguns pontos para a nossa reflexão.

Uma atitude incompatível com o evangelho da graça (2.11-13)

A cena move-se de Jerusalém para Antioquia, do centro do judaísmo para o quartel-general da igreja gentílica. Antioquia é a terceira maior cidade do Império Romano e o lugar onde primeiramente os discípulos de Cristo foram chamados cristãos. Nessa cidade o evangelho prosperou e a partir daí alcançou o mundo. Quatro fatos nos chamam a atenção aqui.

Em primeiro lugar, *Pedro visita o quartel-general da igreja gentílica*. "Quando, porém, Cefas veio a Antioquia, resisti-lhe face a face, porque se tornara repreensível" (2.11). Não sabemos exatamente quando foi essa visita de Pedro a Antioquia. Precisamos deixar claro que essa Antioquia é a capital da Síria, e não a Antioquia da Pisídia. Adolf Pohl diz que, depois de Roma e Alexandria, Antioquia era a cidade mais importante do mundo antigo, e naquele tempo estava no auge de sua existência.[178] Nessa grande metrópole do mundo antigo florescia uma igreja multirracial e multicultural, como uma das provas mais eloquentes da unidade gerada pelo evangelho.

Concordamos com Calvino que essa visita precedeu ao Concílio de Jerusalém, porque não faria sentido Pedro ter agido de forma tão instável depois da decisão tomada pelos apóstolos e presbíteros com respeito à aceitação dos gentios na comunidade cristã sem a necessidade de observar os preceitos judaicos. O certo é que Pedro vai a Antioquia, o quartel-general da igreja gentílica, e nessa visita tropeça em seu testemunho, tornando-se inconsistente.

Em segundo lugar, *Pedro inicialmente acolhe os crentes gentios.* "Com efeito, antes de chegarem alguns da parte de Tiago, comia com os gentios..." (2.12). William Hendriksen é da opinião que Paulo se referia à refeição de comunhão da *festa do ágape* da igreja primitiva, ao final da qual a Ceia do Senhor era celebrada (1Co 11.17-34). Essa refeição era uma demonstração do amor fraternal, especialmente quando os mais abastados repartiam com os crentes pobres, pelo menos uma vez por semana, uma refeição mais substanciosa. William Barclay informa que, para muitos crentes oriundos do escravagismo, essa era a única refeição decente da semana.[179] No entanto, não tardou para que o propósito dessas refeições se desviasse. Em Corinto, por exemplo, houve uma segregação social, quando os irmãos ricos se apartaram dos irmãos pobres

(1Co 11.17-22), enquanto em Antioquia houve uma segregação racial, quando os cristãos judeus se apartaram dos cristãos gentios (2.12).[180]

Pedro tinha plena convicção de que os gentios convertidos faziam parte da igreja de Cristo. Ele aprendeu sobre a universalidade do evangelho com o próprio Jesus (Jo 3.16; 4.42; 10.16; 12.32; 17.19,20). Depois do Pentecostes, ele mesmo abriu a porta do evangelho aos gentios, indo à casa de Cornélio, um gentio piedoso, por orientação do Espírito, para pregar-lhes o evangelho e recebê-los à comunhão da igreja pelo batismo (At 10.9-16,28). O próprio Pedro defendeu sua conduta diante da igreja de Jerusalém, mostrando que a porta do evangelho estava aberta aos gentios tanto quanto aos judeus (At 11.1-18). De forma consistente ao evangelho e de acordo com suas próprias convicções e prática, ao chegar em Antioquia, Pedro uniu-se aos gentios, comendo com eles e, tendo comunhão irrestrita com eles, como irmãos em Cristo. Seus antigos escrúpulos judaicos haviam sido vencidos. Ele compreendia a universalidade do evangelho da graça (2.12).

Em terceiro lugar, *Pedro posteriormente afasta-se dos crentes gentios.* "... quando, porém, chegaram, afastou-se e, por fim, veio a apartar-se, temendo os da circuncisão" (2.12b). A teologia de Pedro continuava intacta, crendo ele que os gentios faziam parte da igreja, mas sua atitude estava em desacordo com sua teologia. Havia uma esquizofrenia entre sua doutrina e sua conduta; entre sua fé e sua prática. Pedro cavou um abismo entre sua convicção e sua ação. Pedro, temendo desagradar um grupo de judeus radicais, conhecidos como "os da circuncisão" (At 15.1,5), a quem Paulo chamou de "falsos irmãos", acabou ferindo a comunhão fraternal e afastando-se dos crentes gentios.

Por causa dos falsos irmãos, Pedro virou as costas para os verdadeiros irmãos.

Donald Guthrie afirma com profunda sensibilidade: "Fica a cargo de nossa imaginação descobrir o que os crentes gentios pensaram quando não apenas Pedro e todos os crentes judeus, mas também Barnabé, se separaram deles".[181] Certamente esses crentes machucados por essa postura procuraram Paulo, e o apóstolo, então, enfrentou a situação com profundidade, clareza e coragem.

Em quarto lugar, *Pedro finalmente torna-se um mau exemplo para os demais crentes judeus.* "E também os demais judeus dissimularam com ele, a ponto de o próprio Barnabé ter-se deixado levar pela dissimulação deles" (2.13). Um líder nunca é neutro. Liderança é sobretudo influência. Um líder influencia sempre, para o bem ou para o mal. Pedro, por ser um líder, acabou por exercer uma péssima influência sobre os demais judeus, inclusive sobre o próprio Barnabé, um dos esteios da obra missionária entre os gentios. Pedro acabou criando uma fissura dentro da igreja de Antioquia. Em vez de trabalhar em prol da unidade e da edificação da igreja, laborou para a sua divisão e enfraquecimento.

A atitude de Pedro e dos demais judeus é chamada por Paulo de dissimulação. O termo grego *sunupekrithesan* significa hipocrisia. Fritz Rienecker e Cleon Rogers explicam que o significado básico da palavra é "responder de baixo", em referência aos atores que falavam por detrás de máscaras. A palavra indica o ocultamento do caráter sob pretensos sentimentos.[182] Um indivíduo hipócrita é aquele que age como um ator, representando um papel diferente da sua vida real. Segundo Donald Guthrie, a palavra grega usada aqui é a mesma para os atores que escondiam suas verdadeiras personalidades por trás dos papéis desempenhados. A implicação é que nem Pedro nem os demais judeus estavam agindo sinceramente quando se apartaram. Agiram, na realidade, contra a própria consciência e deram uma impressão totalmente falsa.[183]

John Stott está correto quando diz que Pedro agiu com falta de sinceridade. Ele se afastou da mesa dos crentes gentios não governado por algum princípio teológico, mas por medo covarde de um pequeno grupo. Na verdade Pedro fez em Antioquia exatamente o que Paulo se recusou a fazer em Jerusalém, isto é, ceder diante da pressão. O mesmo Pedro que negou Jesus diante de uma criada, negou-o agora com medo do partido da circuncisão. Ele continuou crendo no evangelho, mas falhou na sua prática. Ele contradisse o evangelho com sua atitude, porque lhe faltou coragem nas convicções.[184] João Calvino é enfático ao declarar: "É tolice defender o que o Espírito Santo condenou pelos lábios de Paulo. Essa não era uma questão de assuntos humanos; envolvia a pureza do evangelho, que corria o risco de ser contaminado pelo fermento do judaísmo".[185]

Precisamos estar atentos para o fato de que, se a vida do líder é a vida da sua liderança, os pecados do líder são os mestres do pecado. Os pecados do líder são mais graves, mais hipócritas e mais danosos do que o pecado das demais pessoas. São mais graves porque o líder peca com maior conhecimento; são mais hipócritas porque o líder condena o pecado dos outros, mas pratica os mesmos pecados que condena; são mais danosos porque, quando o líder tropeça, mais pessoas são influenciadas por seu fracasso.

Uma atitude perigosa ao evangelho da graça (2.11-13)

O comportamento de Pedro em Antioquia teria um desdobramento devastador na igreja se o apóstolo Paulo não o tivesse repreendido. Em relação a essa ação hipócrita de Pedro e dos demais judeus em Antioquia, três pontos devem ser destacados.

Em primeiro lugar, *o conteúdo* (2.11-13). O que na verdade Pedro fez? Ele se apartou dos crentes gentios mesmo depois de ter-se unido a eles em suas refeições. Pedro rompeu a comunhão com aqueles que outrora considerava irmãos. Ele abandonou aqueles que inicialmente havia acolhido. A unidade espiritual da igreja estava sendo atacada em suas raízes. O muro que já havia sido derrubado pelo sangue de Cristo estava sendo reerguido pelo preconceito judaico.

Em segundo lugar, *a motivação* (2.12). A motivação de Pedro para agir de forma inconsistente foi o medo de um grupo radical de judeus que haviam descido de Jerusalém. Possivelmente esse grupo não representava Tiago nem era comissionado por ele, uma vez que Tiago, líder da igreja de Jerusalém, se posicionara contra essa prática no Concílio de Jerusalém (At 15.24). O fato é que esses embaixadores da circuncisão se apresentaram como delegados apostólicos (At 15.1). Como disse John Stott, eles foram até mais longe do que isso, ensinando que era impróprio que crentes judeus circuncidados participassem da mesma mesa com os crentes gentios incircuncisos, ainda que os últimos cressem em Jesus e tivessem recebido o batismo.[186]

É muito provável que esse grupo fosse o mesmo que estava pervertendo o evangelho e perturbando a igreja, exigindo dos crentes gentios a circuncisão para serem salvos. Pedro estava negando o que outrora havia afirmado. Por medo, estava negociando a essência do evangelho da graça. John Stott tem razão quando diz que, em sua política perniciosa, esses mestres judaizantes ganharam um convertido notável na pessoa do apóstolo Pedro, pois este, que anteriormente comia com esses cristãos gentios, agora se afastou e se separou deles, como uma pessoa tímida se esquiva dos seus observadores.[187] Temendo perder sua reputação diante desses falsos embaixadores de Tiago, Pedro vacila e pouco a pouco começa a apartar-se dos gentios, até que chega a separar-se completamente a ponto de não comer mais com eles.[188]

Em terceiro lugar, *o resultado* (2.13). O resultado da inconsistência de Pedro é que o seu mau exemplo foi seguido pelos demais judeus, inclusive pelo próprio Barnabé, companheiro de Paulo na primeira viagem missionária na província da Galácia e na segunda visita a Jerusalém (2.1,9). O mesmo Barnabé que permanecera firme ao lado de Paulo em Jerusalém agora fraqueja em Antioquia, cedendo à pressão dos judaizantes. Dessa forma, a atitude de Pedro estava contribuindo com a causa judaizante e trazendo transtornos para a comunhão no corpo de Cristo. A dissimulação de Pedro e dos demais judeus foi uma enchente que levou tudo de roldão.[189] Infelizmente, na história da igreja, a inconsistência tem muitas vezes obscurecido o testemunho da verdade.[190]

Warren Wiersbe considera que a hipocrisia de Pedro o levou a negar cinco doutrinas cristãs: 1) a unidade da igreja (2.14); 2) a justificação pela fé (2.15,16); 3) a liberdade da lei (2.17,18); 4) o evangelho (2.19,20); 5) e a graça de Deus (2.21).[191]

Uma atitude necessária em defesa do evangelho da graça (2.11-16)

O fato de o apóstolo Paulo ter repreendido o apóstolo Pedro, e isso de forma pública, mostra que não havia uma superioridade deste sobre aquele. Paulo tapou a boca dos seus adversários ao registrar esse fato. A passagem em apreço nos mostra quatro verdades.

Em primeiro lugar, *o evangelho é maior do que qualquer personalidade* (2.11). O evangelho está acima do homem, e não o homem acima do evangelho. O evangelho é maior do que a personalidade. Pedro era um apóstolo de Jesus Cristo, designado como tal antes de Paulo (1.17). Era também uma das "colunas" da igreja (2.9), a quem Deus confiara o evangelho da circuncisão (2.7). Paulo não negou nem esqueceu esses fatos alvissareiros, mas nem por isso deixou de repreender Pedro ao perceber sua atitude errada. Por ter-se tornado repreensível, Pedro foi advertido por Paulo publicamente. Não há aqui nenhuma indicação do primado de Pedro nem de infalibilidade papal. Se Paulo estivesse numa posição de inferioridade a Pedro, sua atitude seria inadmissível. Como já dissemos, o que está em pauta aqui não é uma disputa de poder nem um festival de vaidades, mas a defesa do evangelho da graça.

Lutero é absolutamente enfático quando diz que Paulo está lidando aqui com o principal ponto de toda a doutrina cristã. Todas as outras coisas tornam-se sem valor sem esse ponto crucial. Quem é Pedro? Quem é Paulo? O que é um anjo do céu? O que são todas as outras criaturas diante da doutrina da justificação? Se nós a conhecemos, estamos na luz. Se a ignoramos, estamos na mais miserável escuridão. Se essa doutrina estiver sendo atacada, não devemos ter medo de repreender ainda que seja Pedro, ou mesmo que seja um anjo do céu.[192]

Em segundo lugar, *a atitude de Paulo em relação à hipocrisia de Pedro* (2.11,12). Paulo resistiu a Pedro publicamente (2.11) e arrazoou com ele acerca de sua atitude inconsistente (2.14-16). Por que Paulo resistiu a Pedro face a face em vez de conversar com ele pessoal e particularmente? Por que Paulo repreendeu Pedro na presença de todos em vez de fazer isso em secreto? Um problema público precisa ter um tratamento público. A repreensão precisa ter o mesmo alcance da ofensa. Pecados privados devem ser tratados de forma particular, mas pecados públicos devem ser tratados de forma pública. João Calvino é claro neste sentido: "Este exemplo nos ensina que os que cometem pecados notórios a todos devem ser repreendidos publicamente, no âmbito da igreja. O propósito é que o pecado de tais pessoas não se torne um exemplo perigoso, ao ser deixado impune".[193]

Paulo não era homem de meias medidas nem de colocar panos quentes, empurrando para debaixo do tapete a solução de um problema que punha em risco o futuro da igreja. Ele agiu de forma rápida, clara e incisiva. É lamentável que a igreja contemporânea esteja perdendo esse compromisso e essa coragem. Colocamos a unidade acima da verdade e com isso sacrificamos a ambas.

Paulo não apenas repreendeu Pedro publicamente, mas, sobretudo, apresentou-lhe os motivos eloquentes e irrefutáveis pelos quais ele estava agindo dessa forma. Repreensão sem argumentação é despotismo. Pedro estava sendo inconsistente, influenciando os crentes judeus a serem hipócritas. A atitude de Pedro estava em desacordo com sua doutrina. Sua prática estava na contramão de sua teologia. John Stott diz com razão que, se Paulo não tivesse protestado naquele dia, toda a igreja teria derivado para uma água parada, estagnando, ou então haveria uma permanente rixa entre o cristianismo gentio e o judeu – um Senhor, mas duas mesas do Senhor. A notável coragem de Paulo naquela ocasião, resistindo a Pedro, preservou tanto a verdade do evangelho como a fraternidade internacional da igreja.[194]

Em terceiro lugar, *a motivação de Paulo em repreender a Pedro*. "Quando, porém, vi que não procediam corretamente segundo a verdade do evangelho, disse a Cefas, na presença de todos: Se, sendo tu judeu, vives como gentio, e não como judeu, por que obrigas os gentios a viverem como judeus?" (2.14). A motivação de Paulo em repreender Pedro não era uma disputa de poder ou de primazia. Também não era uma explosão de mau gênio ou temperamento descontrolado, nem um sentimento de inveja que aflorara em seu peito, em virtude das insinuações dos falsos mestres de que ele não tinha a mesma autoridade de Pedro. Paulo agiu de forma firme em defesa da verdade do evangelho. O que estava em jogo não era uma disputa pessoal de honra ao mérito, mas a integridade do evangelho da graça. Não podemos calar a nossa voz quando o evangelho está sendo minado pela falsa doutrina ou pela falsa conduta. Não podemos pôr os relacionamentos acima da verdade do evangelho. Não podemos manter a paz a qualquer preço. A ferida feita pelo amigo é melhor do que a bajulação. Com sua atitude firme e leal, Paulo não perdeu a amizade de Pedro e ainda salvou a integridade do evangelho.

A verdade do evangelho foi o eixo central da discussão tanto em Jerusalém (2.5) como em Antioquia (2.14). E que verdade era essa tão importante pela qual Paulo lutou? O contexto nos mostra que é a doutrina da justificação pela graça, por intermédio da fé (2.15-17). Distorcer essa verdade do evangelho é colocar-se sob maldição (1.8,9). Em Jerusalém Paulo se recusou a submeter-se mesmo que por um momento aos judaizantes (2.5). Agora, em Antioquia, movido por essa mesma veemente lealdade para com o evangelho, enfrenta Pedro face a face porque o comportamento deste comprometia tal verdade.[195]

John Stott é enfático ao dizer que, se Deus justifica os judeus e os gentios nos mesmos termos, simplesmente pela fé no Cristo crucificado, não vendo diferença entre eles, quem somos nós para negar comunhão aos crentes gentios apenas porque não são circuncidados? Se, para aceitá-los, Deus não exige a tal obra da lei chamada circuncisão, como nos atrevemos a lhes impor uma condição, a qual o próprio Deus não impõe? Se Deus os aceitou, como podemos nós rejeitá-los? Se ele os aceita na sua comunhão, vamos nós negar-lhes a nossa? Ele os reconciliou consigo mesmo; como podemos afastar-nos daqueles a quem Deus reconciliou? O princípio está bem explicado em Romanos 15.7: "Portanto, acolhei-vos uns aos outros, como também Cristo nos acolheu".[196]

João Calvino afirma que, se os judeus, com toda a sua distinção, se viram forçados a recorrer à fé em Cristo, muito mais necessário é que os gentios busquem a salvação pela fé. Portanto, o significado dessas palavras de Paulo é: Nós, que parecemos exceder aos outros e que, pelo benefício da aliança, temos sempre desfrutado do privilégio de estar perto de Deus, não encontramos nenhuma maneira de obter a salvação, exceto por meio da fé em Cristo. Por que, então, devemos estabelecer outra maneira para os gentios? Porque, se a lei fosse necessária ou proveitosa à salvação daqueles que cumpriam seus preceitos, ela o teria sido especialmente para nós, a quem foi outorgada. Porém, se a abandonamos e nos voltamos para Cristo, não devemos, de igual modo, exigir que os gentios a ela se submetam.[197]

Em quarto lugar, *o resultado da repreensão de Paulo a Pedro.* Subscrevemos a tese de que a Carta aos Gálatas foi escrita antes do Concílio de Jerusalém. Foi exatamente essa causa judaizante que induziu Pedro a cometer um deslize, motivando a realização daquele concílio. Esse ponto de vista mostra que o resultado da repreensão feita por Paulo foi positivo, uma vez que abortou a pretensão dos falsos irmãos de exigir dos crentes gentios o cumprimento dos preceitos da lei judaica. Pedro e Barnabé, que haviam caído na armadilha dos judaizantes, agindo de forma hipócrita, acolheram a repreensão e voltaram à sensatez. O testemunho que ambos deram no Concílio de Jerusalém mostra de forma eloquente que eles rejeitaram os postulados judaizantes e reafirmaram a doutrina da justificação pela graça mediante a fé. O testemunho de Pedro no Concílio de Jerusalém é absolutamente claro: "Deus não fez nenhuma distinção entre nós e eles, purificando seus corações pela fé" (At 15.9).

Uma atitude preventiva para manter a pureza do evangelho da graça

O texto em tela nos alerta para algumas atitudes preventivas, que devem estar presentes na vida da igreja.

Em primeiro lugar, *doutrina e prática precisam caminhar de mãos dadas.* Não podemos separar o que Deus uniu. Doutrina sem vida gera racionalismo estéril; vida sem doutrina produz misticismo histérico. Precisamos manter teologia e vida, doutrina e prática, ortodoxia e piedade numa aliança inseparável. Pedro foi repreendido porque, embora tivesse várias vezes afirmado e reafirmado sua fé na salvação pela graça, independentemente das obras, estava agindo agora em desacordo com essa crença, ao apartar-se dos crentes gentios em virtude de escrúpulos judaicos. Sua conduta reprovava sua teologia. R. E. Howard tem razão quando diz que o medo de nossos amigos pode fazer que transijamos nossas convicções.[198]

Concordo com John Stott quando diz:

> Hoje em dia diversos cristãos e pessoas repetem o mesmo erro de Pedro. Recusam-se a ter comunhão com outros crentes cristãos professos a não ser que estes sejam totalmente imersos na água (outra forma de batismo não os satisfaz), ou que tenham sido episcopalmente confirmados (insistem que apenas as mãos de um bispo na sucessão histórica são adequadas), ou que sua pele tenha determinada cor, ou que venham de determinada classe social (geralmente a de cima) e assim por diante. Tudo isso é uma séria afronta ao evangelho. A justificação é só pela fé; não temos o direito de acrescentar uma forma particular de batismo, de confirmação ou alguma condição denominacional, racial ou social. Deus não insiste nessas coisas para nos aceitar em sua comunhão; por isso não devemos insistir nelas também. Que exclusividade eclesiástica é esta que nós praticamos e Deus não? Será que somos mais conservadores do que ele? A única barreira para termos comunhão com Deus, e consequentemente uns com os outros, é a incredulidade, a falta da fé salvadora em Jesus Cristo.[199]

Em segundo lugar, *comunhão e repreensão não são excludentes, mas complementares.* Não podemos sacrificar a verdade em nome da comunhão. Não podemos fechar os olhos aos desvios doutrinários nem aos deslizes de conduta em nome do amor fraternal. Pedro dera a destra de companhia a Paulo em Jerusalém, mas Paulo repreende Pedro em Antioquia. O evangelho não pode ser uma plataforma de relações públicas. Comunhão e repreensão não são coisas que se excluem; antes, se completam. A verdade precisa ser defendida em todo tempo e em qualquer lugar. John Stott diz que devemos dar graças a Deus por

Paulo, que enfrentou Pedro face a face; por Atanásio; que enfrentou o mundo inteiro quando o cristianismo abraçou a heresia ariana; e por Lutero, que se atreveu a desafiar até mesmo o papado. Onde estão os homens desse calibre nos dias de hoje?[200]

Em terceiro lugar, *o confronto honesto é melhor do que a lisonja hipócrita.* É melhor o confronto honesto do que a lisonja hipócrita. É melhor exortar o irmão, olhando em seus olhos, do que calar-se em sua presença e falar mal pelas costas. As feridas feitas com amor trazem cura, mas a bajulação dos hipócritas adoece. Paulo não fez uma campanha na igreja de Antioquia para desmoronar a credibilidade de Pedro. Se isso tivesse acontecido, os laços fraternais teriam sido estremecidos, e a igreja se enfraqueceria. A honestidade de lidar com o problema de forma franca, transparente e verdadeira restabeleceu a verdade e os relacionamentos.

Em quarto lugar, *autoridade e humildade não são coisas incompatíveis.* Pedro era um verdadeiro apóstolo e um verdadeiro líder. Incorreu em erro e foi repreendido. Não se sentiu ofendido nem rompeu seu relacionamento com Paulo por causa da repreensão. Ao contrário, acertou sua conduta e associou-se com Paulo em defesa do evangelho no Concílio de Jerusalém. A humildade de Pedro em acolher a repreensão de Paulo não destruiu sua autoridade nem apagou o brilho do seu ministério.

Notas do capítulo 6

[174] STOTT, John. *A mensagem de Gálatas*, p. 49.
[175] HENDRIKSEN, Guillermo. *Gálatas*, p. 97.
[176] GUTHRIE, Donald. *Gálatas: introdução e comentário*, p. 103.
[177] STERN, David. *Comentário judaico do Novo Testamento*, p. 570.
[178] POHL, Adolf. *Carta aos Gálatas*, 1999, p. 78.
[179] BARCLAY, William. *Gálatas y Efesios*, p. 28.
[180] HENDRIKSEN, Guillermo. *Gálatas*, p. 98.
[181] GUTHRIE, Donald. *Gálatas: introdução e comentário*, p. 104,105.
[182] RIENECKER, Fritz; ROGERS, Cleon. *Chave linguística do Novo Testamento grego*, p. 374.
[183] GUTHRIE, Donald. *Gálatas: introdução e comentário*, p. 105.
[184] STOTT, John. *A mensagem de Gálatas*, p. 50,51.
[185] CALVINO, João. *Gálatas*, 2007, p. 58.
[186] STOTT, John. *A mensagem de Gálatas*, p. 49.
[187] STOTT, John. *A mensagem de Gálatas*, p. 49,50.
[188] HENDRIKSEN, Guillermo. *Gálatas*, p. 101.
[189] STOTT, John. *A mensagem de Gálatas*, p. 51.
[190] GUTHRIE, Donald. *Gálatas: introdução e comentário*, p. 106.
[191] WIERSBE, Warren W. *Comentário bíblico expositivo*, p. 908,909.
[192] LUTHER, Martin. *Galatians*, p. 1.290.
[193] CALVINO, João. *Gálatas*, 2007, p. 58.
[194] STOTT, John. *A mensagem de Gálatas*, p. 51.
[195] STOTT, John. *A mensagem de Gálatas*, p. 53.
[196] STOTT, John. *A mensagem de Gálatas*, p. 53,54.
[197] CALVINO, João. *Gálatas*, 2007, p. 59.
[198] HOWARD, R. E. *A Epístola aos Gálatas*, p. 39.
[199] STOTT, John. *A mensagem de Gálatas*, p. 55.
[200] STOTT, John. *A mensagem de Gálatas*, p. 56.

Capítulo 7

A justificação pela fé
(Gl 2.15-21)

O apóstolo Paulo abandona seus comentários históricos e passa a uma discussão teológica dos princípios implícitos nos incidentes que acabam de ser mencionados, embora ainda se dirija mentalmente a Pedro e seus companheiros cristãos judeus (2.15).[201]

O apóstolo introduz a gloriosa doutrina da justificação pela fé no contexto do conflito que teve com o apóstolo Pedro. Pedro se apartara dos crentes gentios com medo do grupo da circuncisão e já não comia com eles. Essa atitude era um retrocesso, pois além de ferir a comunhão da igreja, atacava também o evangelho da graça. Se a causa judaizante tivesse logrado êxito, a salvação seria uma conquista das obras, e não um presente da graça. Paulo aproveita essa situação para introduzir a doutrina da justificação pela fé.

Warren Wiersbe destaca que esta é a primeira vez que o termo *justificação* aparece na epístola e, provavelmente, nos textos de Paulo, uma vez que Gálatas deve ter sido a primeira carta escrita de Paulo. A grande pergunta é: "Como pode o homem ser justo para com Deus?" (Jó 9.2). A resposta é clara: "O justo viverá pela sua fé" (Hc 2.4). Este conceito é tão vital que três livros do Novo Testamento o explicam para nós: Romanos (1.17), Gálatas (3.11) e Hebreus (10.38). Romanos explica o significado de "o justo"; Gálatas explica "viverá"; e Hebreus explica "pela fé".[202]

A justificação pela fé é a doutrina central do cristianismo. A Reforma Protestante a restabeleceu. Sempre que a igreja caminhou na verdade, essa doutrina foi sustentada. Sempre que entrou em declínio, foi esquecida. Com ela a igreja mantém-se em pé ou cai. John Stott tem razão ao dizer que ela é central na mensagem da epístola, fundamental no evangelho pregado por Paulo e realmente essencial no próprio cristianismo. Ninguém pode jamais entender o cristianismo sem entender a justificação.[203] Martinho Lutero referiu-se à doutrina da justificação como o principal, o mais importante, e o mais especial artigo da doutrina cristã. Ele chegou a dizer que, se o artigo da justificação for alguma vez perdido, toda a verdadeira doutrina ficará perdida.[204]

A doutrina da justificação pela fé distingue o cristianismo das demais religiões. Através dos séculos o homem tem empregado diversos métodos e meios para justificar a si mesmo (Lc 10.29), como um acendrado esforço para guardar a lei, o ascetismo rigoroso, a tortura física, os sacrifícios para aplacar as divindades, a invocação de anjos, o apelo a santos, a compra de indulgências, as missas, o humanitarismo e a adesão a grupos religiosos, políticos ou filosóficos.[205] As religiões tentam abrir caminho da terra para o céu, mas o cristianismo é o novo e vivo caminho aberto por Cristo, por meio do seu sangue, do céu para a terra. O apóstolo diz que tudo provém de Deus, que em Cristo reconciliou consigo o mundo.

Vamos destacar agora alguns pontos importantes para a nossa reflexão.

A justificação é uma doutrina essencial da fé cristã (2.15,16)

A justificação é uma doutrina evangélica revelada por Deus, e não descoberta pelo homem. Tanto judeus como gentios são salvos da mesma maneira: não pelas obras da lei, mas pela graça de Deus. Ambos foram justificados pela fé, e não pelas obras. Se a justificação pelas obras fosse o caminho da salvação, o homem receberia a glória por essa salvação. Mas a justificação por meio da fé posiciona Deus no centro do palco da redenção e destina a ele toda a glória pela nossa salvação.

John Stott diz que a palavra "justificação" é um termo legal que foi tomado emprestado dos tribunais. É exatamente o oposto de "condenação". Condenar é declarar uma pessoa culpada; "justificar" é declará-la sem culpa, inocente ou justa. Na Bíblia, essa palavra significa o ato imerecido do favor de Deus por meio do qual ele coloca diante de si o pecador, não apenas perdoando ou isentando-o da culpa, mas também aceitando-o e tratando-o como justo.[206] Concordo com Warren Wiersbe quando ele diz que a justificação não é apenas "perdão", pois uma pessoa poderia ser perdoada e depois voltar a pecar e tornar-se culpada novamente. Uma vez que fomos "justificados pela fé", nunca mais seremos declarados culpados diante de Deus. A justificação também é diferente de "indulto", pois um criminoso indultado ainda tem uma ficha na qual constam seus crimes. Quando um pecador é justificado pela fé, seus pecados passados não são mais lembrados nem usados contra ele, e Deus não registra mais suas transgressões (Sl 32.1,2; Rm 4.1-8).[207]

Destacamos aqui alguns pontos na elucidação dessa gloriosa doutrina.

Em primeiro lugar, *a justificação é um ato, e não um processo* (2.16). A justificação é um ato exclusivo de Deus, e não uma obra humana. É um ato irrepetível, completo e eficaz, e não um processo. A justificação não possui graus, uma vez que o menor crente está tão justificado quanto o maior santo. Todos aqueles que creem no Senhor Jesus estão justificados de igual modo, ou seja, nenhum cristão é mais justificado do que outro. Se fôssemos justificados pelas obras, isso implicaria um processo gradual.[208]

Em segundo lugar, *a justificação tem na morte de Cristo sua causa meritória* (2.21). Não somos justificados pelas obras da lei nem mesmo por causa da nossa fé. Não somos justificados por aquilo que fazemos para Deus, mas por aquilo que Deus fez por nós. A única obra que Deus aceita como base da nossa justificação é a obra de seu Filho na cruz do Calvário. O sacrifício expiatório de Cristo é a causa meritória da nossa justificação. Somos justificamos em virtude da sua morte em nosso lugar e em nosso favor. Warren Wiersbe ressalta que Deus justifica pecados e não "pessoas boas".[209] Paulo diz que Deus justifica o ímpio (Rm 4.5).

João Calvino esclarece que os falsos apóstolos não rejeitavam a Cristo nem a fé, mas exigiam que as cerimônias fossem juntadas a ambos. Se Paulo tivesse admitido essa junção, eles estariam perfeitamente de acordo, e não haveria necessidade de perturbar a igreja com esse debate desagradável.[210] William Hendriksen é meridianamente claro quando diz que a justificação, como ato judicial de Deus, não descansa nas obras do homem (3.11; 5.4; Rm 3.20,28), nem mesmo na fé como uma obra do homem (Ef 2.8), mas unicamente na graça soberana de Deus em Cristo. Somente a obra mediadora consumada por Cristo provê a base legal em virtude da qual a justificação do homem chega a ser possível e também um fato real. Cristo satisfez completamente as demandas da lei de Deus; não só pagou nossa dívida, mas também rendeu a obediência que nós mesmos devíamos (3.24; Rm 3.24; 2Co 5.21; Ef 1.7).[211]

Em terceiro lugar, *a justificação tem na fé sua causa instrumental* (2.16). Somos salvos não pela fé, mas pela graça mediante a fé. A fé não é a causa meritória, mas a causa instrumental da justificação. Donald Guthrie com razão registra: "A justificação não procede da fé assim como não procede das obras, mas é apropriada pela fé".[212] Apropriamo-nos do que Cristo fez por nós pela fé. A fé é a mão estendida que recebe o presente da vida eterna. Os judaizantes, entretanto, pleiteavam uma justificação fundamentada em Cristo e nas obras. Paulo, porém, nada sabia a respeito dessa semijustificação. Calvino está coberto de razão quando diz que não podemos ser justificados pela justiça de Cristo, a menos que sejamos pobres e destituídos de nossa justiça. Consequentemente, temos de atribuir tudo ou nada à fé ou às obras.[213]

William Hendriksen explica que a justificação pela fé, mesmo sendo essa fé um dom de Deus, não reduz o homem à mera passividade. Não é muito ativa a árvore que recebe da terra a água e os minerais bem como a luz e o calor do sol? O mesmo sucede com a fé. É receptiva, mas não passiva (Jo 3.16; Fp 2.12,13).[214]

Em quarto lugar, *a justificação tem nas obras sua consequência óbvia* (2.19). Não somos salvos *pelas* obras, mas *para* as obras. As obras não são a causa da nossa justificação, mas seu resultado. Somos salvos pela graça somente pela fé, mas a fé salvadora nunca vem só. A fé sem obras é morta. As obras são a evidência da nossa justificação.

Precisamos fazer aqui uma distinção entre justificação e santificação. A justificação é um ato, e a santificação é um processo. A justificação acontece fora de nós, e a santificação ocorre dentro de nós. A justificação acontece no tribunal de Deus, e a santificação se dá em nosso coração. William Hendriksen reconhece que a justificação é uma questão de *imputação* (pôr na conta de): a culpa do pecador é imputada a Cristo, e a justiça de Cristo é imputada ao pecador (2Co 5.21). A santificação é uma questão de *transformação* (2Co 3.17,18). Na justificação o Pai toma a iniciativa (Rm 8.33); na santificação o Espírito Santo é o agente (2Ts 2.13). A justificação é um veredicto judicial dado de uma vez para sempre; a santificação é um processo que continua toda a vida.[215]

É importante ressaltar ainda que justificação e santificação são distintas, mas não separadas. William Hendriksen é assaz oportuno quando escreve:

> Ao justificar o pecador, Deus pode ser considerado como o juiz que preside um tribunal de justiça. O prisioneiro está assentado no banco dos réus. O juiz absolve o prisioneiro, declarando-o justo e livre de culpa. Mas a história não termina aqui. O juiz volta-se para esse homem livre, agora, adota-o como filho, concedendo-lhe seu

> Espírito (4.5,6; Rm 8.15). Aqui é onde justificação e santificação se encontram, porque a pessoa justificada, por pura gratidão e por meio do poder capacitador do Espírito Santo, começa a lutar contra seus pecados e a realizar boas obras para a glória do seu Juiz e Pai. As boas obras jamais justificam a ninguém, mas não é menos certo que nenhuma pessoa justificada quer viver sem elas (Ef 2.8-10).[216]

A justificação é a maior necessidade do homem (2.15,16)

A maior necessidade do homem não é a saúde, o prazer, a riqueza ou o poder, mas a salvação. A maior tragédia do homem não é a pobreza, a doença e a morte, mas estar separado de Deus e sob sua ira. O pecado é a maior tragédia do homem. O pecado é pior do que a fome, do que a pobreza, do que a doença e do que a própria morte. Todos esses males juntos não podem separar o homem de Deus, mas o pecado o separa agora de Deus e depois o afasta para sempre da presença do Altíssimo.

Por que a justificação é a maior necessidade do homem?

Em primeiro lugar, *porque o homem é pecador e não pode salvar a si mesmo* (2.15). Como pode o homem pecador ter comunhão com o Deus santo? Como pode aquele que está arruinado e falido moral e espiritualmente ter sua dívida quitada diante de Deus? Como pode o transgressor ser justificado diante do reto e justo juiz?

Em segundo lugar, *porque o homem é impuro e não pode purificar a si mesmo* (2.15). O pecado é uma mácula que contamina. O homem está sujo e não pode lavar a si mesmo. Todo o seu ser está contaminado e poluído pelo pecado e ele não pode purificar a si mesmo. Sua justiça não passa de trapos de imundícia aos olhos de Deus.

Em terceiro lugar, *porque o homem é filho da ira e não pode alcançar o favor de Deus por si mesmo* (2.15). O pecado é malignissimo aos olhos de Deus. Por isso, o pecador morto em seus delitos e pecados, escravo do mundo, da carne e do diabo, é filho da ira e está debaixo da ira de Deus. Como tal, não pode alcançar por si mesmo o favor de Deus.

Em quarto lugar, *porque o homem é imperfeito e não pode cumprir a perfeita lei de Deus* (2.15). No céu só podem entrar pessoas perfeitas. O pecado não entra no céu. Nada contaminado entra no céu. O homem é transgressor da lei. Ele peca por palavras, obras, omissão e pensamento. A lei exige do homem perfeição, mas ele é imperfeito e por isso não pode ser justificado por suas obras.

A justificação é recebida pela fé e não pelas obras (2.16)

Paulo refuta os judaizantes, mostrando que a justificação não se dá mediante os preceitos da lei, mas por intermédio da fé. Não somos salvos por observar a circuncisão ou abstinência de alimentos ou outros preceitos da lei. Não somos justificados por aquilo que fazemos para Deus. Os judaizantes pensavam que a única maneira de o homem ser justificado é por meio do trabalho duro; é preciso lutar. É preciso fazer tudo o que a lei ordena e evitar tudo o que a lei proíbe. Isso é tentar estabelecer a própria justiça (Rm 10.3). Mas essa interpretação dos falsos mestres não passava de uma ilusão terrível. Nunca ninguém foi justificado pelas obras da lei, uma vez que a lei exige a perfeição, e nenhum homem é perfeito. A lei revela o pecado em vez de tirá-lo. A lei é como uma radiografia: mostra o tumor, mas não é o bisturi que o remove; a lei é como um prumo: mostra a sinuosidade do muro, mas não o levanta; a lei é como uma lanterna: mostra o obstáculo do caminho, mas não o remove. O propósito da lei é servir-nos de aio, que nos toma pela mão e nos leva a Cristo.

O homem é pecador, pois peca por palavras, obras, omissão e pensamentos. Todos comparecerão perante o tribunal de Deus para prestar contas. Grandes e pequenos, religiosos e incrédulos, lá estarão perante o reto Juiz. Naquele dia os livros serão abertos, e os homens serão julgados segundo as suas obras. E pelas obras ninguém poderá ser justificado diante de Deus. Pelas obras todos serão condenados, pois no céu só entrarão pessoas perfeitas. A lei exige perfeição. O homem, porém, não é perfeito e consequentemente não pode ser salvo pelos seus méritos. O que o homem não pôde fazer, entrementes, Deus fez por ele, enviando seu Filho como nosso substituto e representante. Jesus assumiu o nosso lugar, e Deus fez cair sobre ele a iniquidade de todos nós. Jesus levou sobre si os nossos pecados e carregou a nossa culpa. Foi ferido de Deus e traspassado pelas nossas iniquidades. Obedeceu a lei vivendo em total pureza e santidade e morreu pelos nossos pecados, dando um grande brado na cruz: Está consumado!

Acerca da justificação, três verdades são destacadas aqui.

Em primeiro lugar, *a declaração geral.* "Sabendo, contudo, que o homem não é justificado por obras da lei e sim mediante a fé em Cristo Jesus..." (2.16a). John Stott diz que Paulo não tem em mente ninguém em especial; o apóstolo é deliberadamente vago. Apenas "o homem", qualquer homem, qualquer mulher. Depois Paulo diz: "Sabendo". Não apresenta uma opinião experimental, mas uma afirmação dogmática. Pedro e Paulo estavam de acordo acerca da doutrina da justificação pela fé.[217]

Em segundo lugar, *a declaração pessoal.* Não apenas "sabendo", mas "...também temos crido em Cristo Jesus, para que fôssemos justificados pela fé em Cristo" (2.16b). Isto é, nossa certeza acerca do evangelho é mais do que intelectual; nós o testamos pessoalmente em nossa experiência. Paulo está propondo uma doutrina que ele mesmo já pôs à prova.[218]

Em terceiro lugar, *a declaração universal.* "... e não por obras da lei, pois, por obras da lei, ninguém será justificado" (2.16c). O princípio teológico e a experiência pessoal estão agora confirmados pelas Escrituras. O apóstolo cita a declaração categórica do salmo 143.2. A expressão grega é ainda mais forte do que em português. Refere-se à "toda carne", a humanidade sem exceção. Seja qual for a nossa educação religiosa, nossos antecedentes educacionais, nosso *status* social ou nossa origem racial, o caminho da salvação é o mesmo. Ninguém pode ser justificado por obras da lei; toda a carne tem de ser justificada pela fé em Cristo.[219]

A justificação é uma doutrina atacada ontem e hoje (2.17,18)

Paulo está levantando e refutando aqui os argumentos falaciosos dos judaizantes. Ele passa da exposição para a argumentação, apresentando-nos os ataques desferidos pelos falsos mestres e as armas usadas para derrotá-los.

Em primeiro lugar, *os falsos mestres acusavam essa doutrina de promover o pecado.* "Mas se, procurando ser justificados em Cristo, fomos nós mesmos também achados pecadores, dar-se-á o caso de ser Cristo ministro do pecado? Certo que não!" (2.17). Os falsos mestres consideravam perigosa a doutrina da justificação pela fé independentemente das obras, alegando que ela promovia o pecado e induzia à indolência moral. Para esses paladinos da heresia que perturbavam a igreja e torciam a sã doutrina, a pregação de Paulo sobre a justificação pela fé incentivava a quebra da lei e levava os homens a pecarem. Paulo refuta esses falsos mestres, mostrando que, se a tese deles fosse verdadeira, Cristo seria o ministro do pecado, uma vez que somos justificados pela fé em Cristo, e só pensar nessa ideia já seria uma consumada loucura e uma inevitável blasfêmia. Jesus não veio para edificar o reino do pecado, mas para destruí-lo (1Jo 3.8). Ora, se Cristo se manifestou para destruir o pecado, não poderia ao mesmo tempo restaurar a sua força. Com esse argumento irresistível, Paulo repele a calúnia dos falsos mestres.[220]

Em segundo lugar, *os falsos mestres acusavam essa doutrina de perseverar no pecado* (2.17). Os falsos mestres haviam pervertido a verdade do evangelho, pois viam a justificação como salvação no pecado e não do pecado. Paulo argumenta que somos justificados em Cristo, ou seja, ligados a Cristo. Em Cristo morremos e ressuscitamos. Em Cristo temos nova vida. É impossível vivermos no pecado, nós que para ele já morremos. Andamos com a certidão de óbito no bolso. Devemos considerar-nos mortos para o pecado e vivos para Deus. Quando nos unimos a Cristo em sua morte, nossa vida antiga acaba; é ridículo sugerir que podemos retornar a ela.[221]

Em terceiro lugar, *os falsos mestres acusavam essa doutrina de desestimular os melhores esforços humanos.* "Porque, se torno a edificar aquilo que destruí, a mim mesmo me constituo transgressor" (2.18). Aqueles que querem ser justificados diante de Deus pelas obras pensam que podem alcançar o favor de Deus com o melhor de seus esforços. Pensam que podem atingir a perfeição pelas obras. Voltar à lei é tornar a edificar aquilo que havia sido derrubado pela morte de Cristo. Fazer isso, segundo Paulo, é incorrer em transgressão.

A justificação é a fonte de uma nova vida (2.19-21)

Em vez de viver no pecado e para o pecado, uma pessoa justificada vive para Deus. A justificação abre ao homem o caminho da intimidade com Deus. Essa vida para Deus é marcada por quatro realidades.

Em primeiro lugar, *o crente vive para Deus morrendo para lei.* "Porque eu, mediante a própria lei, morri para a lei, a fim de viver para Deus..." (2.19). Os falsos mestres acusavam o evangelho de aniquilar a justiça que temos pela lei. Mas é a lei que nos força a morrer para ela mesma; pois, ao ameaçar a nossa destruição, não nos deixa nada, senão desespero, e assim nos impede de nela confiar. Tão logo a lei começa a viver em nós, ela inflige um golpe fatal, pelo qual morremos. A lei traz em seu próprio âmago a maldição que nos mata.[222]

Como o homem pode morrer para a lei, se a lei é boa, justa e espiritual? Paulo trata desse assunto no capítulo 7 de sua Carta aos Romanos. Paulo compara a lei a um marido perfeccionista. Esse marido é espiritual, santo, justo e bom (Rm 7.12,14). Não podemos divorciar-nos dele. Estamos ligados até que morra. Mas esse marido não morre e não podemos agradá-lo nem nos separar dele. Então, morremos na morte de Cristo e ressuscitamos para uma nova vida. Estamos agora livres do primeiro marido e podemos contrair núpcias com um novo marido, aquele que morreu por nós e ressuscitou para a nossa justificação (Rm 4.25). João Calvino diz que essa morte não é o fim de tudo, e sim a origem de uma vida melhor, porque Deus nos resgata do naufrágio da lei e, mediante sua graça, nos restaura para outra vida.[223]

Em segundo lugar, *o crente vive para Deus sendo crucificado com Cristo.* "Estou crucificado com Cristo" (2.19b). Enxertados na morte de Cristo extraímos dessa morte uma energia secreta, assim como os brotos extraem vigor da raiz.[224] Estar crucificado com Cristo arranca do isolamento toda a nossa existência espiritual com todas as suas circunstâncias, como podemos encontrar repetidamente em Paulo: sofrer com, morrer com, ser crucificado com, ser sepultado com, ser ressuscitado com, tornar-se vivo com, ser glorificado com, ser coerdeiro com e reinar com. Essa crucificação com Deus encontra-se sob a marca da comunhão.[225]

Em terceiro lugar, *o crente vive para Deus quando Cristo vive nele*. "Logo, já não sou eu quem vive, mas Cristo vive em mim; e esse viver que, agora, tenho na carne, vivo pela fé no Filho de Deus, que me amou e a si mesmo se entregou por mim" (2.20). Somos salvos pela fé em Cristo (ele morreu por nós) e vivemos pela fé em Cristo (ele vive em nós).[226] Paulo não vivia mediante a sua própria vida; era animado pelo poder secreto de Cristo. Assim como a alma energiza o corpo, também Cristo trazia vida a seus membros. Os crentes vivem fora de si mesmos; eles vivem em Cristo.[227]

João Calvino diz que Cristo vive em nós de duas maneiras: uma consiste em governar-nos por meio de seu Espírito e dirigir todas as nossas ações; a outra, em tornar-nos participantes de sua justiça, de modo que, embora nada possamos fazer por nós mesmos, somos aceitos aos olhos de Deus. A primeira, se relaciona à regeneração; a segunda, à justificação pela graça.[228]

Essa vida em Cristo consiste em fé, e isso implica que ela é um segredo oculto dos sentidos humanos. A vida, pois, que obtemos pela fé, não é visível aos olhos, mas é percebida interiormente, na consciência, pelo poder do Espírito.[229]

Por amor, diz Paulo: "Cristo se entregou por mim". A expiação tem sua fonte no amor de Cristo. Ele morreu por nós por amor. "Por mim" é muito enfático. Não é suficiente contemplar a Cristo como aquele que morreu pela salvação do mundo, se não experimentarmos as consequências dessa morte e não formos capacitados a reivindicá-la como a sua própria morte.[230]

Em quarto lugar, *o crente vive para Deus confiando na graça*. "Não anulo a graça de Deus; pois, se a justiça é mediante a lei, segue-se que morreu Cristo em vão" (2.21). Desprezar a graça de Deus é uma clamorosa ingratidão. Fazer pouco do sacrifício de Cristo é uma ofensa ao sacrificial amor de Deus. Se a justificação é pelas obras, então não teria havido nenhum valor na morte de Cristo e ele teria morrido sem nenhuma recompensa, pois a recompensa de sua morte consiste no fato de que ele nos reconciliou com o Pai ao fazer expiação pelos nossos pecados.

Nessa mesma linha de pensamento, John Stott diz que os dois alicerces da religião cristã são a graça de Deus e a morte de Cristo. O evangelho cristão é o evangelho da graça de Deus. A fé cristã é a fé do Cristo crucificado. Assim, se alguém insiste que a justificação é pelas obras e que se pode alcançar a salvação por esforço próprio, está solapando os fundamentos da religião cristã. Está anulando a graça de Deus e tornando supérflua a morte de Cristo.[231] A graça diz: "Não há distinção! Todos são pecadores, e todos podem ser salvos pela fé em Cristo". A lei diz: "Há distinção. A graça de Deus não é suficiente; também precisamos da lei". O argumento de Paulo é que a volta à lei anula a cruz. Enquanto a lei diz: "Faça!", a graça diz: "Já foi feito!".[232]

Donald Guthrie diz que a ideia de Cristo ter morrido sem propósito algum era tão inconcebível para o apóstolo, que ele nem sequer considerava a possibilidade de existir alternativa senão rejeitar a justificativa mediante a lei.[233]

Concluo com as palavras de João Calvino:

> Se a morte de Cristo é a nossa redenção, então, éramos cativos; se ela é o pagamento, então, éramos devedores; se é a expiação, então, éramos culpados; se é a purificação, então, éramos imundos. No sentido contrário, aquele que atribui às obras a sua purificação, o seu perdão, a sua expiação, a sua justiça ou o seu livramento, torna inútil a morte de Cristo.[234]

Notas do capítulo 7

201 GUTHRIE, Donald. *Gálatas: introdução e comentário*, p. 107.
202 WIERSBE, Warren W. *Comentário bíblico expositivo*, p. 908.
203 STOTT, John. *A mensagem de Gálatas*, p. 57.
204 STOTT, John. *A mensagem de Gálatas*, p. 57,58.
205 HENDRIKSEN, Guillermo. *Gálatas*, p. 107.
206 STOTT, John. *A mensagem de Gálatas*, p. 58.
207 WIERSBE, Warren W. *Comentário bíblico expositivo*, p. 909.
208 WIERSBE, Warren W. *Comentário bíblico expositivo*, p. 908,909.
209 WIERSBE, Warren W. *Comentário bíblico expositivo*, p. 909.
210 CALVINO, João. *Gálatas*, 2007, p. 62.
211 HENDRIKSEN, Guillermo. *Gálatas*, p. 106,107.
212 GUTHRIE, Donald. *Gálatas: introdução e comentário*, p. 108.
213 CALVINO, João. *Gálatas*, 2007, p. 62,63.
214 HENDRIKSEN, William. *Gálatas*, p. 107.

[215] HENDRIKSEN, Guillermo. *Gálatas*, p. 106.
[216] HENDRIKSEN, Guillermo. *Gálatas*, p. 106.
[217] STOTT, John. *A mensagem de Gálatas*, p. 60,61.
[218] STOTT, John. *A mensagem de Gálatas*, p. 61.
[219] STOTT, John. *A mensagem de Gálatas*, p. 61.
[220] CALVINO, João. *Gálatas*, 2007, p. 65.
[221] STOTT, John. *A mensagem de Gálatas*, p. 63.
[222] CALVINO, João. *Gálatas*, 2007, p. 65.
[223] CALVINO, João. *Gálatas*, 2007, p. 66.
[224] CALVINO, João. *Gálatas*, 2007, p. 66.
[225] POHL, Adolf. *Carta aos Gálatas*, 1999, p. 90.
[226] WIERSBE, Warren W. *Comentário bíblico expositivo*, p. 909.
[227] CALVINO, João. *Gálatas*, 2007, p. 67.
[228] CALVINO, João. *Gálatas*, 2007, p. 67.
[229] CALVINO, João. *Gálatas*, 2007, p. 67.
[230] CALVINO, João. *Gálatas*, 2007, p. 68.
[231] STOTT, John. *A mensagem de Gálatas*, p. 63,64.
[232] WIERSBE, Warren W. *Comentário bíblico expositivo*, p. 910.
[233] GUTHRIE, Donald. *Gálatas: introdução e comentário*, p. 113.
[234] CALVINO, João. *Gálatas*, 2007, p. 69.

Capítulo 8

Evidências da justificação pela fé

(Gl 3.1-14)

NOS PRIMEIROS DOIS CAPÍTULOS dessa epístola, o apóstolo Paulo tratou de sua defesa pessoal. Agora, nos dois capítulos seguintes, ele defenderá, de forma mais objetiva, a doutrina da justificação pela fé.

As igrejas da Galácia estavam sendo invadidas pelos falsos mestres, pregando um falso evangelho, com uma falsa motivação, e assim retrocediam na fé e voltavam ao jugo do judaísmo. Essa falta de firmeza da igreja gera um profundo desgosto no apóstolo, e ele, de forma contundente, exorta a igreja e faz uma robusta defesa da doutrina da justificação pela fé.

John Stott diz que o afastamento dos gálatas do evangelho era não apenas uma espécie de traição espiritual (1.6), mas também um ato de loucura (3.1).[235] Isso porque o conteúdo do evangelho é Cristo, e este crucificado. O evangelho oferece a justificação (3.8) e o dom do Espírito (3.2-5). O evangelho exige não obras, mas fé. Recebemos o Espírito pela fé (3.2-5) e somos justificados pela fé (3.8). Assim é o verdadeiro evangelho do Antigo e do Novo Testamento, o evangelho que o próprio Deus começou a pregar a Abraão (3.8) e que o apóstolo Paulo continuou pregando em seu tempo. É a apresentação de Jesus Cristo crucificado diante dos olhos dos homens,. Nessa base tanto a justificação como o dom do Espírito são oferecidos. E se exige apenas a fé.[236]

Logo no início desse capítulo, Paulo faz duas solenes advertências.

Em primeiro lugar, *abandonar o evangelho da graça é consumada insensatez.* "Ó gálatas insensatos!..." (3.1). As igrejas da Galácia estavam perdendo o juízo, agindo sem discernimento, desprovidas de capacidade de racionar com clareza. A palavra grega *anoetos,* "insensatos", significa tolo, espiritualmente néscio e descreve uma ação sem sabedoria.[237] Donald Guthrie diz que essa palavra sugere não só incapacidade de pensar quanto falha em fazer uso dos poderes mentais.[238] Paulo insinua que o tropeço deles era mais uma questão de demência do que de ingenuidade.[239] Aqueles crentes haviam crido em Cristo e sido salvos pela graça e, agora, estavam retornando e colocando-se novamente debaixo do jugo da lei. Esse retrocesso é uma consumada insensatez. Jesus fez essa mesma acusação repetidas vezes (Mc 7.18; Lc 24.25).

Qual é a diferença entre a lei e o evangelho? Entre as obras e a fé? A lei diz: "Faça isto"; o evangelho diz: "Cristo já fez tudo". A lei exige obras humanas; o evangelho exige fé na realização de Cristo. A lei faz exigências e nos incita a obedecer; o evangelho faz promessas e nos incita a crer. Assim a lei e o evangelho se opõem um ao outro. Na esfera da justificação, o estabelecimento da lei é a abolição do evangelho.[240] É por isso que Paulo considera esse desvio da igreja uma consumada loucura.

Em segundo lugar, *dar ouvidos aos falsos mestres é ser enfeitiçado pela mentira.* "...Quem vos fascinou a vós outros..." (3.1). A palavra grega usada aqui, *abaskanen,* carrega a ideia de um feitiço, ou seja, significa enfeitiçar, lançar um encanto, procurar prejudicar alguém mediante um mau-olhado ou palavras malignas.[241] Adolf Pohl diz que a conversa fiada dos falsos mestres praticamente hipnotizou os crentes da Galácia de tal forma que eles não ofereceram nenhuma resistência a essa falsa doutrina (2.4,14; 2Co 11.19,20).[242]

Os crentes da Galácia estavam fascinados, enfeitiçados, completamente cegos. Depois de desfrutarem do evangelho com tal clareza, foram afetados pelo engano de Satanás. Paulo diz que eles estavam fascinados e com a "mente desordenada" não apenas porque desobedeciam à verdade, mas também porque, após receberem um ensino tão claro, tão completo, tão amável e tão poderoso, apostataram imediatamente.

William Hendriksen observa corretamente que os gálatas não se deram conta que um Cristo *suplementado* é um Cristo *suplantado.*[243] Paulo detecta por trás dos falsos mestres a atividade do próprio diabo, o espírito da mentira, a quem o Senhor Jesus chamou de "...mentiroso e pai da mentira" (Jo 8.44). Grande parte da nossa estupidez cristã para entender e aplicar o evangelho talvez se deva a esse "feitiço".[244]

No texto em tela, Paulo usa dois argumentos para expor as evidências irrefutáveis da justificação pela fé em contraposição ao falso ensino da justificação pelas obras da lei. Vamos examinar esses dois argumentos.

A justificação pela fé é provada pela experiência dos crentes (3.1-5)

Paulo começa sua argumentação apelando para a experiência dos crentes da Galácia. Faz a eles cinco perguntas retóricas para mostrar que, desde o início até o fim da vida cristã, eles haviam sido salvos pela fé, e não pelas obras da lei. Destacamos aqui cinco pontos para a nossa reflexão.

Em primeiro lugar, *os crentes contemplam a morte de Cristo pela fé*. "... ante cujos olhos foi Jesus Cristo exposto como crucificado?" (3.1). O evangelho pregado por Paulo aos gálatas tinha como centro a mensagem da cruz. Essa mensagem era tão viva, eloquente e poderosa que o Cristo crucificado foi mostrado a eles como que num grande *outdoor*. Mesmo assim, desviaram dele os olhos. Matthew Henry diz que os gálatas tiveram a mensagem da cruz pregada a eles e a Ceia do Senhor ministrada entre eles e, em ambas, Cristo crucificado foi manifestado a eles.[245]

A palavra grega *proegraphe* era usada para descrever todas as notícias ou proclamações públicas, e indica um anúncio público no qual a validade de um fato específico é anunciada.[246] Era usada em referência a editais, leis e notícias expostos em algum lugar público para que fossem lidos e também com relação a quadros e retratos.[247] Adolf Pohl ainda é bastante enfático ao escrever:

> Quando na Antiguidade se desenrolava na praça comercial diante da multidão estupefata um cartaz com um edito imperial, esse ato inaugurava uma nova situação legal. Desse momento em diante

> esse decreto estava em vigor. Transgredi-lo trazia consequências. Sua publicação era um acontecimento que interferia de maneira transformadora na vida. Desse modo, cerca de cinco anos antes, a pregação de Paulo ocupou irresistivelmente o espaço na vida dos leitores da carta, confirmada por manifestações espirituais e pelos frutos (3.4,5).[248]

Nessa mesma trilha de pensamento, Warren Wiersbe afirma que Paulo apresentou Cristo abertamente aos gálatas, com grande ênfase em sua morte na cruz pelos pecadores. Eles ouviram essa verdade, creram nela e obedeceram; como resultado, nasceram de novo e passaram a fazer parte da família de Deus.[249] A justificação pelas obras da lei é uma negação da cruz. O argumento irresistível do apóstolo Paulo é que a tentativa da salvação pelas obras anula a graça e esvazia a cruz (2.21).

John Stott tem razão quando diz que o evangelho não é uma instrução generalizada acerca do Jesus da história, mas uma proclamação específica do Cristo crucificado. A palavra grega *estauromenos*, "crucificado", destaca que a obra de Cristo foi completada na cruz e que os benefícios de sua crucificação serão sempre atuais, válidos e disponíveis. Os pecadores podem ser justificados não por causa de suas obras, mas devido à obra expiatória de Cristo; não em virtude de algo que eles fizeram, mas por causa do que Cristo fez. O evangelho não é um bom conselho aos homens, mas as boas-novas acerca de Cristo; não é um convite para se fazer alguma coisa, mas uma declaração do que Deus já fez; não é uma exigência, mas uma oferta.[250]

Em segundo lugar, *os crentes começam a vida cristã pela fé*. "Quero apenas saber isto de vós: recebestes o Espírito pelas obras da lei ou pela pregação da fé?" (3.2). Lutero diz que a própria experiência dos gálatas estava contra eles, a saber, eles receberam o Espírito Santo, não por meio da observância da lei, mas pela fé no evangelho.[251] Nenhuma pessoa pode tornar-se cristã sem o Espírito Santo, pois se alguém não tem o Espírito de Cristo, esse tal não é dele (Rm 8.9). No entanto, o Espírito nos é dado não pelas obras da lei, mas pela pregação da fé. Nossa entrada na família de Deus, quando recebemos o Espírito Santo, é pela porta da fé, e não pelo corredor das obras. Pedro usa esse mesmo argumento em sua defesa perante os irmãos por haver batizado pessoas incircuncisas (At 10.47; 11.13-18). Paulo e Barnabé fizeram o mesmo no debate que travaram em Jerusalém sobre esse assunto (At 15.2,12). A vida do crente começa no Espírito e prossegue no Espírito. O crente é nascido do Espírito (Jo 3.5), regenerado pelo Espírito (Tt 3.5), selado pelo Espírito (Ef 1.13,14), habitado pelo Espírito (1Co 3.17) e batizado no corpo de Cristo pelo Espírito (1Co 12.13). Deve andar no Espírito (5.16) e ser cheio do Espírito (Ef 5.18).

Em terceiro lugar, *os crentes crescem na vida cristã pela fé*. "Sois assim insensatos que, tendo começado no Espírito, estejais, agora, vos aperfeiçoando na carne?" (3.3). A nossa transformação contínua à imagem de Cristo é obra do Espírito (2Co 3.18). A vida cristã é vivida no poder do Espírito e pela fé de ponta a ponta. Todos os seus estágios são desenvolvidos pela fé, na força do Espírito, e não pelas obras. Os crentes da Galácia haviam começado no Espírito e, agora, estavam voltando ao jugo da lei. Isso não era progresso, mas retrocesso.

Uma vez que fomos salvos por meio do Espírito, não pela carne, e pela fé, não pela lei, nada mais justo do que continuar no Espírito.[252] Para Donald Guthrie, o que Paulo quer dizer é que abandonar o Espírito exclui a possibilidade de completar a obra.[253] Para William Hendriksen, a presença ativa do Espírito assinala a presença interna de Cristo. Consequentemente, os gálatas estavam começando a renunciar a Cristo como seu único e todo suficiente Salvador. Estavam agindo como o filho pródigo, que deixou a casa do pai, com toda a segurança, paz, amor e comunhão, para andar errante por lugares estranhos e adversos, onde sofreria fome e necessidade.[254]

Em quarto lugar, *os crentes suportam o sofrimento pela fé.* "Terá sido em vão que tantas coisas sofrestes? Se, na verdade, foram em vão" (3.4). Os crentes da Galácia sofreram no começo da vida cristã nas mãos dos pagãos e também nas mãos dos judeus radicais (At 13.45,50; 14.2-6,19,22). Sofrer por causa da justiça é bem-aventurança. Porém, se eles estavam afastando-se do evangelho que no começo abraçaram, esse sofrimento havia sido em vão. Quando somos pelo evangelho, devemos alegrar-nos. Isso porque a nossa leve e momentânea tribulação produzirá para nós eterno peso de glória (2Co 4.14-16). Os sofrimentos do tempo presente não se comparam às glórias a serem reveladas em nós (Rm 8.18).

Em quinto lugar, *os crentes recebem as intervenções milagrosas de Deus pela fé.* "Aquele, pois, que vos concede o Espírito e que opera milagres entre vós, porventura, o faz pelas obras da lei ou pela pregação da fé?" (3.5). O evangelho chegou aos crentes da Galácia com manifestação de poder e prodígios (At 14.3). Mesmo diante das provas mais amargas, os discípulos transbordavam de alegria e do Espírito Santo (At 13.52). Tanto a dádiva do Espírito como a operação de milagres chegaram à igreja da Galácia pela pregação da fé, e não pelas obras da lei. O Pai continua a suprir o Espírito em poder e em bênção, e isso é feito pela fé, não pelas obras da lei. Esses milagres incluem transformações extraordinárias na vida dos crentes, bem como maravilhas no meio da igreja.[255]

A justificação pela fé é confirmada nas Escrituras (3.6-14)

O apóstolo Paulo faz uma transição da experiência dos crentes da Galácia para as Escrituras. Ele tira os olhos do presente e volta-os para o passado. Equilibra a experiência subjetiva dos cristãos da Galácia com o ensinamento objetivo da Palavra inalterável de Deus.[256] Vale ressaltar que não julgamos as Escrituras pela nossa experiência, mas testamos nossas experiências pelas Escrituras. Paulo passa a citar várias passagens do Antigo Testamento para provar que a salvação é pela fé em Cristo, não pelas obras da lei.

Uma vez que os judaizantes desejavam levar os crentes de volta à lei, Paulo cita a própria lei! Uma vez que eles engrandeciam a figura de Abraão em sua religião, Paulo usa Abraão como uma das testemunhas.[257] Nessa mesma linha de pensamento, William Hendriksen diz que provavelmente Paulo dedicou tanta atenção a Abraão porque seus oponentes alardeavam que eram seus descendentes, como se essa circunstância biológica lhes proporcionasse uma posição mais alta diante de Deus, e como se a justiça que Deus colocara na conta de Abraão fosse uma dívida que Deus lhe devia por suas obras. Por isso, Paulo se refere a Gênesis 15.6 mostrando que ensina o contrário e colocando a ênfase na fé, e não nas obras.[258]

Destacamos aqui quatro pontos importantes para a nossa reflexão.

Em primeiro lugar, *Abraão, o pai dos crentes foi justificado pela fé*. "É o caso de Abraão, que creu em Deus, e isso lhe foi imputado para justiça. Sabei, pois, que os da fé é que são filhos de Abraão" (3.6,7). Deus fez uma promessa a Abraão, Abraão creu em Deus, e a fé de Abraão foi creditada como justiça (Gn 15.6). Abraão é o pai da nação judaica e também o pai dos crentes. Ele foi justificado muito antes de a lei ser dada. Ele foi justificado pela fé, e não pelas obras da lei. Se o pai dos crentes foi justificado pela fé, por que seus filhos seriam justificados pelas obras da lei?

Adolf Pohl pergunta: Quem era esse *Abraão* mencionado em Gálatas 3.6? É bom notar que sua circuncisão aconteceu, conforme Gênesis 17.10-14,23-27, somente uma década depois de sua justificação. Gênesis 15.6 testemunha que foi declarado justo o Abraão incircunciso (Rm 4.11,12), justificado por fé, não pela lei. Ainda não era um israelita, mas um "arameu errante" (Dt 26.5b), pertencendo à comunidade cultual da divindade lunar, que tinha seus centros religiosos em Ur e Harã. Segundo Romanos 4.5 era um "ímpio". Foi a ele que Deus chamou para junto de si, começando por meio dele a história da bênção para os povos do mundo (Gn 12.1-3).[259]

Warren Wiersbe argumenta que Paulo começa citando Moisés para mostrar que a justiça de Deus foi "depositada na conta" de Abraão somente por sua crença na promessa de Deus (Gn 15.6). O termo "imputado", em Gálatas 3.6 e Gênesis 15.6, tem o mesmo significado de Romanos 4.11,22-24. A palavra grega significa "creditar na conta de alguém". Quando um pecador crê em Cristo, a justiça de Deus é creditada em sua conta. Mais do que isso, os pecados dessa pessoa deixam de ser registrados nessa conta (Rm 4.1-8; 2Co 5.21). Assim, diante de Deus o histórico está sempre limpo e, portanto, o que creu não pode jamais ser julgado por seus pecados.[260]

Em segundo lugar, *os gentios são justificados pela fé*. "Ora, tendo a Escritura previsto que Deus justificaria pela fé os gentios, preanunciou o evangelho a Abraão: Em ti, serão abençoados todos os povos. De modo que os da fé são abençoados com o crente Abraão" (3.8,9). Aqui Paulo está citando Gênesis 12.3; Gn 22.17,18; At 3.25). Convém examinarmos que bênção era essa e como todas as nações viriam a herdá-la. A bênção é a justificação, a maior de todas as bênçãos, pois os verbos "justificar" e "abençoar" são usados como equivalentes no versículo 8. E o meio pelo qual a bênção seria herdada é a fé. Sendo assim, os gálatas já eram filhos de Abraão, não pela circuncisão, mas pela fé.[261]

A salvação do começo ao fim se manteve sempre do mesmo jeito. Sempre foi pela fé e jamais pelas obras. Tanto os judeus como os gentios são salvos da mesma maneira. Ambos são salvos pela fé. Por isso, Deus preanunciou o evangelho a Abraão e nele abençoou todos os povos, de tal modo que os da fé são abençoados com o crente Abraão. Os filhos de Abraão não são aqueles que têm o sangue judeu correndo em suas veias, mas os que têm a fé de Abraão habitando em seu coração.

William Hendriksen é assaz oportuno quando expõe o texto em apreço:

> Esta passagem ensina a importante verdade, que muitos rechaçam deploravelmente, de que a igreja das duas dispensações, a antiga e a nova, é uma só igreja. Todos os crentes habitam na mesma tenda (Is 54.1-3). Quando terminou a antiga dispensação não foi necessário que se levantasse outra tenda; simplesmente se ampliou a antiga. Todos os filhos de Deus estão representados pela mesma oliveira. Não foi necessário desarraigar a antiga oliveira, só se enxertaram novos ramos entre os antigos (Rm 11.17). Os nomes de todos os filhos de Deus estão escritos no mesmo livro da vida. Todos são predestinados,

> chamados, justificados e glorificados. Todos participam e participarão das glórias da dourada Jerusalém, a cidade em cujas portas estão escritos os nomes das doze tribos dos filhos de Israel, e em cujos fundamentos estão gravados os nomes dos doze apóstolos do Cordeiro.[262]

Voltando ao ponto central da justificação pela fé, Warren Wiersbe evidencia a lógica de Paulo: se Deus prometeu salvar os gentios pela fé, os judaizantes estavam errados em querer levar os cristãos gentios de volta para a lei. Os verdadeiros "filhos de Abraão" não são os judeus por descendência física, mas os judeus e os gentios que creem em Jesus Cristo.[263]

Calvino diz que a expressão do versículo 9, "De modo que os da fé são abençoados com o crente Abraão", é bastante enfática. Eles são abençoados não com o Abraão circuncidado, não com pessoas que têm o direito de se gloriar nas obras da lei, não com os hebreus, não com pessoas que confiam em sua própria dignidade, mas com o Abraão, que, pela fé somente, obteve a bênção. Nenhuma qualidade pessoal é levada em conta aqui; somente a fé. A palavra "abençoados" é usada de forma variada nas Escrituras; aqui, porém, ela significa *adoção à herança da vida eterna.*[264]

Em terceiro lugar, *a justificação é pela fé, e não pelas obras da lei.* "Todos quantos, pois, são das obras da lei estão debaixo de maldição; porque está escrito: Maldito todo aquele que não permanece em todas as coisas escritas no livro da lei, para praticá-las. E é evidente que, pela lei, ninguém é justificado diante de Deus, porque o justo viverá pela fé. Ora, a lei não procede de fé, mas: Aquele que observar os seus preceitos por eles viverá" (3.10-12). A lógica de Paulo é irresistível: Quem transgride o menor dos mandamentos da lei é maldito. Todos são culpados dessa transgressão. Logo, todos são malditos.[265] Calvino é claro em afirmar que a lei justifica aquele que cumpre todos os seus mandamentos, enquanto a fé justifica aqueles que são destituídos do mérito das obras e confiam exclusivamente em Cristo. Ser justificado pelos próprios méritos e ser justificado pela graça de outrem são sistemas irreconciliáveis: um é anulado pelo outro.[266]

Destacamos aqui alguns pontos importantes na análise do texto em tela.

A lei exige perfeição (3.12). A lei é santa, e o mandamento é santo, justo e bom (Rm 7.12). Aquele que observar os preceitos da lei, por eles viverá (3.12). O problema é que somos pecadores e não conseguimos cumprir as demandas da lei. Warren Wiersbe diz que a lei não é um "bufê religioso" do qual as pessoas escolhem o que lhes agrada.[267] Tiago escreveu: "Pois qualquer que guarda toda a lei, mas tropeça em um só ponto, se torna culpado de todos" (Tg 2.10). Paulo, citando Deuteronômio 27.26, diz que maldito é todo aquele que não permanece em todas as coisas escritas no livro da lei, para praticá-las (3.10). Paulo declara que pela lei vem o pleno conhecimento do pecado (Rm 3.20). O papel da lei não é salvar o pecador, mas mostrar o seu pecado, tomá-lo pela mão e levá-lo ao Salvador (3.24).

A lei impõe maldição (3.10). Aqueles que buscam a justificação pelas obras da lei estão debaixo de maldição, pois é essa a sentença que a lei impõe para aqueles que não permanecem em perfeita obediência aos seus preceitos. Paulo diz que só há dois caminhos pelos quais o homem pode ser salvo: o caminho da lei e o caminho da fé. O caminho da lei está baseado nas obras do homem e exige perfeição; como o homem não é perfeito, a lei o coloca debaixo de maldição. O caminho da fé descansa nas obras de Cristo e, porque ele é perfeito e realizou obras perfeitas, podemos ser salvos pela fé.

A lei produz frustração (3.11). A lógica de Paulo é irrefutável: "É evidente que, pela lei, ninguém é justificado diante de Deus, porque o justo viverá pela fé". Aqueles que buscam a salvação pelas obras da lei não têm esperança. Já entram nessa corrida derrotados. Ninguém, jamais, conseguiu alcançar o padrão exigido pela lei. Por isso, ninguém é justificado diante de Deus pela lei. Ela só pode gerar frustração. Concordo com William Barclay, quando ele diz que o caminho da lei e o da fé são totalmente antitéticos; não se pode dirigir a vida por ambos ao mesmo tempo; uma escolha é imperativa e necessária. A única escolha lógica e sensata é abandonar a vida do legalismo e entrar pelo caminho da fé.[268]

A fé é o único meio da justificação. "O justo viverá pela fé" (3.11b). Esta é uma citação de Habacuque 2.4, repetida por Paulo em Romanos 1.17. Somos justificados não pelas nossas obras, mas pela obra de Cristo. Apropriamo-nos da justificação não pelas obras da lei, mas pela fé. Deus justifica não o justo, mas o injusto pela justiça do Justo a ele imputada. Deus é justo e justificador daquele que tem fé. William Hendriksen explica que depender da lei significa depender de si mesmo. Exercer a fé significa depender de Cristo.[269]

Nessa mesma linha de raciocínio, John Stott diz que fé é tomar posse de Jesus Cristo pessoalmente. O valor da fé não é intrínseco, mas está totalmente no seu objeto, Jesus Cristo. Cristo é o Pão da vida; a fé alimenta-se dele. Cristo foi levantado na cruz; a fé olha para ele.[270] Donald Guthrie sintetiza essa verdade essencial do cristianismo: "A *fé* fica sendo a fé em Cristo; *justo* significa ser contado como justo aos olhos de Deus, *viver* refere-se ao plano superior da vida, abrangendo a vida eterna.[271]

Em quarto lugar, *a justificação é por intermédio de Cristo.* "Cristo nos resgatou da maldição da lei, fazendo-se ele próprio maldição em nosso lugar, porque está escrito: Maldito todo aquele que for pendurado em madeiro; para que a bênção de Abraão chegasse aos gentios, em Jesus Cristo, a fim de que recebêssemos, pela fé, o Espírito prometido" (3.13,14). Tendo afirmado que a justificação é pela fé, Paulo agora diz que é por intermédio de Cristo. Paulo passa da causa instrumental para a causa meritória da justificação. Somos justificados por causa do sacrifício de Cristo e recebemos essa justificação pela fé.

Warren Wiersbe aponta que esses dois versículos são um excelente resumo de tudo o que Paulo vem dizendo ao longo dessa seção. A lei coloca os pecadores sob maldição? Cristo nos redime dessa maldição! Desejamos a bênção de Abraão? Ela é recebida por meio de Cristo! Desejamos o dom do Espírito, mas somos gentios? Por meio de Cristo, esse dom é concedido aos gentios! Tudo aquilo de que precisamos encontra-se em Cristo! Não há motivo algum para voltar a Moisés.[272]

Destacamos aqui alguns pontos para melhor compreendermos o texto em tela.

A justificação tem como causa meritória o sacrifício expiatório de Cristo (3.13). Depois de mostrar a total impossibilidade de o homem ser justificado pelas obras da lei, Paulo apresenta o remédio, mostrando que Cristo nos resgatou e nos abriu o caminho da salvação. Cristo foi nosso representante, fiador e substituto. Ele assumiu o nosso lugar e levou sobre si os nossos pecados. Foi traspassado pelas nossas transgressões. Bebeu sozinho o cálice amargo da ira de Deus que deveríamos beber e sofreu o golpe da lei que deveríamos sofrer. Fez-se pecado e maldição por nós. Morreu em nosso lugar e em nosso favor. O sacrifício de Cristo é a causa meritória da nossa salvação, enquanto a fé é a sua causa instrumental.

John Stott tem razão quando diz que a maldição foi transferida de nós para Cristo. Ele a colocou voluntariamente sobre si mesmo, a fim de nos libertar dela. É essa transferência da maldição que explica o horrível grito de abandono e solidão que ele enunciou na cruz.[273] Estou de pleno acordo com a declaração de Adolf Pohl de que Cristo não se fez maldição porque transgrediu a lei. Ao contrário, foi obediente até a morte e morte de cruz. Ele "...se ofereceu sem mácula a Deus" (Hb 9.14), "...sem defeito e sem mácula" (1Pe 1.19). Porém, se não suportou a maldição por si, ele a suportou por nós, "...o justo pelos injustos" (1Pe 3.18).[274]

A justificação implica a plena satisfação das demandas da lei (3.13). A justificação é um ato, e não um processo. É um ato jurídico, legal e forense, e não uma experiência subjetiva. Acontece fora de nós, e não em nós, no tribunal de Deus, e não em nosso coração. Porque Cristo se fez maldição por nós e morreu em nosso lugar, pagando a nossa dívida, estamos quites com a lei de Deus e com a justiça de Deus. Não há mais nenhuma condenação para aqueles que estão em Cristo Jesus.

A justificação redunda em resgate da maldição da lei (3.13). A obra de Cristo na cruz foi a maior missão resgate do mundo. No mês de outubro de 2010 a imprensa mundial aplaudiu, com emoção, o resgate de 33 mineiros soterrados, 70 dias, a 700 metros, nas entranhas da terra, numa mina de cobre, no deserto do Atacama, no norte do Chile. O Filho de Deus desceu às profundezas do abismo, quando foi pendurado na cruz, pois ali se fez maldição. Ali sorveu cada gota do cálice amargo da ira de Deus. Ali foi ferido e traspassado pelos nossos pecados. Ali desbaratou os principados e potestades e anulou o escrito de dívida que era contra nós. Foi no Calvário que Cristo nos resgatou da maldição da lei, do império das trevas e da potestade de Satanás. A palavra grega *exegorasen,* usada no versículo 10, contém a ideia de comprar no mercado, redimir, pagar o preço pela libertação de um escravo.[275]

A justificação pela fé é a bênção de Abraão destinada a todos os que creem (3.14). Deus não tem duas formas de salvar o pecador. Abraão foi justificado pela fé, e assim todos os gentios recebem essa bênção de Abraão, a justificação, pela fé. A justificação é em Cristo, e não à parte de Cristo. O Espírito prometido, que nos convence do pecado, da justiça e do juízo, nos é dado pela fé, e não pelas obras da lei.

Concluo esta exposição com as oportunas palavras de William Hendriksen:

> Entre todas as pedras preciosas que resplandecem na coroa da bênção de Abraão (a bênção que recebeu), com toda segurança, esta era uma das mais preciosas, a saber, que por ele – mais precisamente, por meio de sua semente, o Messias – uma quantidade inumerável de pessoas seria abençoada. Por meio de Cristo e seu Espírito, o Espírito da promessa (At 1.4,5; Ef 1.13), o rio da graça (Ez 47.3-5) continuaria seu curso sem fim, abençoando primeiramente aos judeus, mas depois também aos homens de toda raça, tanto gentios como judeus. Sim, o rio da graça flui pleno, abundante, refrescante, frutificante para todos. E, para receber a bênção, a saber, a realização da promessa: "Eu serei o teu Deus", a única coisa da qual se necessita é a fé, a confiança no Cristo crucificado, porque foi no Calvário que as chamas da ira de Deus descarregaram toda sua fúria, e os crentes de todas as nações, tribos e línguas são salvos para sempre![276]

NOTAS DO CAPÍTULO 8

[235] STOTT, John. *A mensagem de Gálatas*, p. 65.
[236] STOTT, John. *A mensagem de Gálatas*, p. 70,71.
[237] RIENECKER, Fritz; ROGERS, Cleon. *Chave linguística do Novo Testamento grego*, p. 375.
[238] GUTHRIE, Donald. *Gálatas: introdução e comentário*, p. 114.
[239] CALVINO, João. *Gálatas*, 2007, p. 71.
[240] STOTT, John. *A mensagem de Gálatas*, p. 67.
[241] RIENECKER, Fritz; ROGERS, Cleon. *Chave linguística do Novo Testamento grego*, p. 375.
[242] POHL, Adolf. *Carta aos Gálatas*, 1999, p. 98.
[243] HENDRIKSEN, Guillermo. *Gálatas*, p. 120.
[244] STOTT, John. *A mensagem de Gálatas*, p. 65.
[245] HENRY, Matthew. *Matthew Henry's commentary.* Grand Rapids, MI: Marshall, Morgan & Scott, 1960, p. 1.840.
[246] RIENECKER, Fritz; ROGERS, Cleon. *Chave linguística do Novo Testamento grego*, p. 375.
[247] STOTT, John. *A mensagem de Gálatas*, p. 69.
[248] POHL, Adolf. *Carta aos Gálatas*, 1999, p. 99.
[249] WIERSBE, Warren W. *Comentário bíblico expositivo*, p. 913.
[250] STOTT, John. *A mensagem de Gálatas*, p. 66.
[251] LUTHER, Martin. *Galatians*, p. 1.292.
[252] WIERSBE, Warren W. *Comentário bíblico expositivo*, p. 913.
[253] GUTHRIE, Donald. *Gálatas: introdução e comentário*, p. 115.
[254] HENDRIKSEN, Guillermo. *Gálatas*, p. 122.
[255] WIERSBE, Warren W. *Comentário bíblico expositivo*, p. 914.
[256] WIERSBE, Warren W. *Comentário bíblico expositivo*, p. 912.
[257] WIERSBE, Warren W. *Comentário bíblico expositivo*, p. 914.
[258] HENDRIKSEN, Guillermo. *Gálatas*, p. 128.
[259] POHL, Adolf. *Carta aos Gálatas*, 1999, p. 105.
[260] WIERSBE, Warren W. *Comentário bíblico expositivo*, p. 914.
[261] STOTT, John. *A mensagem de Gálatas*, p. 69.
[262] HENDRIKSEN, Guillermo. *Gálatas*, p. 133.
[263] WIERSBE, Warren W. *Comentário bíblico expositivo*, p. 914.
[264] CALVINO, João. *Gálatas*, 2007, p. 80.
[265] CALVINO, João. *Gálatas*, 2007, p. 81.
[266] CALVINO, João. *Gálatas*, 2007, p. 82.
[267] WIERSBE, Warren W. *Comentário bíblico expositivo*, p. 915.
[268] BARCLAY, William. *Gálatas y Efesios*, p. 36.

[269] HENDRIKSEN, Guillermo. *Gálatas*, p. 137.
[270] STOTT, John. *A mensagem de Gálatas*, p. 77.
[271] GUTHRIE, Donald. *Gálatas: introdução e comentário*, p. 121.
[272] WIERSBE, Warren W. *Comentário bíblico expositivo*, p. 915.
[273] STOTT, John. *A mensagem de Gálatas*, p. 75.
[274] POHL, Adolf. *Carta aos Gálatas*, 1999, p. 115.
[275] RIENECKER, Fritz; ROGERS, Cleon. *Chave linguística do Novo Testamento grego*, p. 376.
[276] HENDRIKSEN, Guillermo. *Gálatas*, p. 139.

Capítulo 9

A relação da lei com a promessa

(Gl 3.15-29)

O APÓSTOLO PAULO ainda está combatendo os judaizantes que perturbavam a igreja e tentavam perverter o evangelho. Esses falsos mestres não aceitavam o princípio de *sola fides* (justificação somente pela fé). Insistiam em que o homem precisava contribuir com sua salvação. Consequentemente, acrescentavam à fé as obras da lei como outro fundamento essencial para o indivíduo ser aceito por Deus.[277]

Os falsos mestres tentavam ancorar seus argumentos sofismáticos no Antigo Testamento, especialmente evocando a figura do patriarca Abraão e do legislador Moisés. Paulo, inspirado pelo Espírito de Deus, com lógica irretocável e sabedoria brilhante, responde a esses intrusos entrando no próprio campo que eles lavravam para desconstruir seus argumentos ardilosos.

John Stott, com grande perspicácia espiritual, diz que o mesmo Deus que deu a promessa a Abraão também deu a lei a Moisés. Deus é um (3.20), isto é, o Deus de Abraão e o Deus de Moisés são uma e a mesma pessoa. Não podemos colocar Abraão e Moisés um contra o outro, nem a promessa e a lei, uma contra a outra, como se tivéssemos de rejeitar uma para aceitar a outra. Se Deus é o autor de ambas, deve ter tido algum propósito para elas. Qual é, então, a relação entre a promessa e a lei? Nos versículos 15 a 18 Paulo diz que a lei não anulou a promessa e nos versículos 19 a 22 diz que a lei iluminou a promessa.[278] Nos versículos 23 e 24 Paulo descreve o que éramos sob a lei, e nos versículos 25 a 29, o que somos em Cristo.[279] A lei não nos salva, mas nos toma pela mão e nos leva a Cristo, o Salvador.

Warren Wiersbe, ilustre expositor bíblico, destaca quatro verdades essenciais no texto em tela, as quais vamos aqui, considerar.[280]

A lei não pode revogar a promessa (3.15-18)

Abraão foi justificado diante de Deus não pelas obras da lei, mas pela fé na promessa. Essa promessa lhe foi dada antes da lei e antes mesmo de sua circuncisão. A lei não apenas veio depois da promessa, mas não podia revogar a promessa. Destacamos aqui quatro pontos importantes.

Em primeiro lugar, *Deus espera que todo pacto seja honrado*. "Irmãos, falo como homem. Ainda que uma aliança seja meramente humana, uma vez ratificada, ninguém a revoga ou lhe acrescenta alguma coisa" (3.15). Um pacto é um acordo feito entre duas pessoas que, uma vez firmado e selado, pela lei, as obriga a guardar suas palavras e suas promessas. Se mesmo entre os homens uma aliança firmada precisa ser honrada e um pacto ratificado não pode ser alterado, uma vez que ninguém pode revogá-lo ou acrescentar-lhe coisa alguma, quanto mais Deus é fiel para manter sua promessa. Calvino diz: "Se os contratos humanos são tidos como obrigatórios, quanto mais obrigatória é a aliança que Deus estabeleceu".[281]

Quando duas partes concluem um acordo, este não pode ser mudado por terceiros, mesmo vários anos depois. As únicas pessoas que podem alterar o acordo original são aquelas que o firmaram. Acrescentar ou remover qualquer coisa do "contrato" seria ilegal. Se essa regra vale para acordos feitos entre pecadores, então se aplica ainda mais ao Deus santo.[282]

John Stott chama a atenção para a palavra grega *diatheke*, traduzida por "aliança". No grego clássico e nos papiros, o termo era comumente usado para definir "testamento", significado reafirmado por Fritz Rienecker e Cleon Rogers.[283] Paulo está destacando que os desejos e as promessas expressos em um testamento são inalteráveis. Ora, se o testamento de um homem não pode ser alterado nem modificado, muito menos as promessas de Deus, que são imutáveis.[284]

Em segundo lugar, *Deus fez um pacto com Abraão e seu descendente*. "Ora, as promessas foram feitas a Abraão e ao seu descendente. Não diz: E aos descendentes, como se falando de muitos, porém como de um só: E ao teu descendente, que é Cristo" (3.16). Como podemos saber que uma pessoa é justificada pela fé, e não pelas obras? É que as promessas de Deus foram feitas a Abraão (Gn 17.7,8) e a Cristo, o seu descendente (3.16). Ora, se Abraão foi justificado pela fé (Gn 15.6), igualmente o será a sua descendência: "Não foi por intermédio da lei que a Abraão ou a sua descendência coube a promessa de ser herdeiro do mundo, e sim mediante a justiça da fé. Pois, se os da lei é que são os herdeiros, anula-se a fé e cancela-se a promessa" (Rm 4.13,14). Convém observar que não foi Abraão quem fez uma aliança com Deus; antes, foi Deus quem fez uma aliança com Abraão, uma aliança de graça.[285] Calvino também destaca que a aliança repousa exclusivamente em Cristo. Se Cristo é o fundamento da aliança, segue-se que esta é gratuita. A lei tomava em consideração os homens e as suas obras; enquanto a promessa leva em conta a graça de Deus e a fé.[286]

O propósito de Deus não era apenas de dar a terra de Canaã aos judeus, mas, sobretudo, salvar os crentes, que estão em Cristo. Essa promessa de Deus é livre e incondicional. Não havia obras a realizar, nem leis a obedecer, nem méritos a estabelecer, nem condições a preencher. E, como um testamento humano, essa promessa divina é inalterável. Continua em vigor nos dias de hoje, pois nunca foi rescindida. Deus não faz promessas a fim de quebrá-las. Ele nunca anula nem modifica sua vontade.[287]

Em terceiro lugar, *Deus deu o seu pacto de fé antes de dar a lei*. "E digo isto: uma aliança já anteriormente confirmada por Deus, a lei, que veio quatrocentos e trinta anos depois, não a pode ab-rogar, de forma que venha a desfazer a promessa" (3.17). Como podemos saber que uma pessoa é justificada pela fé somente? Porque Deus deu sua promessa de fé a Abraão antes de dar a lei a Moisés. A promessa de fé precede o pacto da lei. Abraão foi justificado pela fé mais de quatro séculos antes de a lei ser dada. A aliança da fé tem suas raízes na eternidade, uma vez que antes de ela ter sido dada a Abraão no tempo, foi dada a Cristo na eternidade.

Porque a promessa da justificação pela fé veio antes da lei, ela não pode ser ab-rogada pela lei. Warren Wiersbe ressalta que, em virtude de Deus ter feito sua promessa pactual com Abraão por meio de Cristo, nem mesmo Moisés pode mudar essa aliança. Não se pode acrescentar coisa alguma a ela nem tirar coisa alguma dela.[288]

Em quarto lugar, *Deus deu a herança pela promessa e não pela lei.* "Porque, se a herança provém de lei, já não decorre de promessa; mas foi pela promessa que Deus a concedeu gratuitamente a Abraão" (3.18). A herança concedida a Abraão foi a justificação, e ele não foi justificado pela lei, mas pela fé, e isso, gratuitamente. Abraão não mereceu nem conquistou essa herança; ele a recebeu gratuitamente pela fé. William Hendriksen está absolutamente correto quando diz que a salvação é um dom gratuito de Deus, e não uma conquista do homem.[289]

A lei não é maior do que a promessa (3.19,20)

O apóstolo Paulo enfatiza agora a superioridade da promessa em relação à lei, destacando três pontos importantes.

Em primeiro lugar, *a lei foi dada para revelar o pecado, não para removê-lo.* "Qual, pois, a razão de ser da lei? Foi adicionada por causa das transgressões..." (3.19a). Como podemos saber que a lei não justifica o pecador nem o faz aceitável diante de Deus? Porque o propósito da lei é revelar o pecado em vez de removê-lo. William Barclay diz que vemos aqui, ao mesmo tempo, a força e a debilidade da lei. Sua força está em que ela define o pecado; sua debilidade em que ela nada pode fazer para remediá-lo.[290] Donald Guthrie chama a atenção para a palavra grega *parabaseis,* "transgressões", que Paulo usa tendo em mente faltas intencionais, ou seja, o desvio do caminho certo. A lei havia definido o caminho certo e tornara os homens conscientes dele. A lei, porém, não tinha poder para refrear as transgressões; somente o evangelho poderia realizar tal coisa.[291]

A lei é como um *espelho* que mostra a sujeira do nosso rosto, mas não a remove. A lei é como um *prumo* que mostra a sinuosidade da nossa vida, mas não a endireita. A lei é como uma *luz* que mostra o obstáculo do caminho, mas não o remove. A lei é como uma *tomografia computadorizada* que mostra os tumores escondidos em nossas entranhas, mas não é o bisturi que os cirurgia.

A lei torna o homem consciente do seu pecado e de sua condenação. Paulo disse: "Até ao regime da lei havia pecado no mundo, mas o pecado não é levado em conta quando não há lei" (Rm 5.13). "Pela lei vem o pleno conhecimento do pecado" (Rm 3.20); "...onde não há lei, também não há transgressão" (Rm 4.15); "...eu não teria conhecido o pecado, senão por intermédio da lei" (Rm 7.7) e "A fim de que, pelo mandamento, o pecado se mostrasse sobremaneira maligno" (Rm 7.13). Como diz John Stott, a função da lei não é conceder a salvação, mas convencer os homens de sua necessidade.[292]

Em segundo lugar, *a lei foi temporária, e não permanente*. "Foi adicionada por causa das transgressões, até que viesse o descendente a quem se fez a promessa..." (3.19b). Por que sabemos que a lei não pode justificar o pecador nem torná-lo aceitável diante de Deus? Porque a lei foi temporária. Ela foi dada para cumprir uma missão e, após tê-la concluído, retira-se de cena. A lei vigorou até Cristo. Quando Cristo chegou, ela encerrou seu trabalho. O apóstolo Paulo diz: "Porque o fim da lei é Cristo, para justiça de todo aquele que crê" (Rm 10.4).

Jesus Cristo cumpriu a lei que o pecador não podia cumprir e com sua morte deu-nos a salvação que a lei não podia dar (Rm 8.3). Concordo com Warren Wiersbe quando escreve: "É evidente que uma lei temporária não pode ser maior do que uma aliança permanente. Com a morte e ressurreição de Cristo, a lei foi revogada e seus requesitos justos são cumpridos em nós por meio do Espírito (Rm 7.4; 8.1-4)".[293]

Em terceiro lugar, *a lei foi dada por meio de um mediador, e não diretamente por Deus.* "... e foi promulgada por meio de anjos, pela mão de um mediador. Ora, o mediador não é de um, mas Deus é um" (3.19c,20). Como podemos saber que a lei não pode justificar o pecador nem torná-lo aceitável diante de Deus? Porque a lei não foi dada diretamente por Deus, mas por meio de um mediador; portanto, ela é inferior à promessa. Dois pontos saltam aos olhos aqui.

Primeiro, *a lei não foi dada diretamente por Deus.* A lei veio de Deus, mas foi dada por anjos a Moisés e então aos homens (3.19; Dt 33.2; Sl 68.17; At 7.53; Hb 2.2). Moisés se colocou como um mediador entre Deus e o homem na dádiva da lei; portanto, a lei veio ao homem de terceira mão, ou seja, de Deus para os anjos, destes para Moisés e, por fim, de Moisés para o povo. Mas não foi assim com a promessa feita a Abraão. Quando firmou sua aliança com Abraão, Deus o fez pessoalmente, sem nenhum mediador. Deus mesmo deu sua promessa de graça e justiça. Abraão recebeu a promessa diretamente de Deus. Consequentemente, a promessa é superior à lei.

Segundo, *a promessa de justiça foi dada somente por Deus.* No pacto da lei, tanto o homem como Deus tem responsabilidades. O homem precisa guardar a lei e, se a guardar totalmente, por ela viverá. Se não a guardar, estará sob sua maldição. No pacto da lei Deus justifica o justo, mas na promessa Deus justifica o ímpio. A promessa da justiça foi dada por Deus sem necessidade de mediador. A justificação não decorre da obediência à lei, mas da fé na promessa, ou seja, o próprio Deus é quem justifica o pecador. William Barclay sustenta que a debilidade da lei residia em sua dependência de duas pessoas; não somente do legislador, mas também do transgressor. A graça, porém, depende inteiramente de Deus; nada que o homem faça pode anulá-la.[294]

Warren Wiersbe conclui: "A lei foi temporária e exigiu um mediador. A aliança era permanente e não exigiu nenhum mediador. A conclusão só poderia ser uma: a aliança era maior que a lei".[295]

A lei não é contrária à promessa (3.21-25)

O argumento de Paulo é que a lei não contradiz a promessa; antes coopera com ela, a fim de cumprir o propósito de Deus. Apesar de a lei e a graça serem opostas, elas se complementam.[296] A lei cumpre seu papel no propósito de preparar o homem a receber pela fé a promessa. A lei toma o pecador pela mão e o leva a Cristo. Destacamos quatro pontos importantes aqui.

Em primeiro lugar, *a lei não tem poder de oferecer vida, mas prepara o homem para recebê-la*. "É, porventura, a lei contrária às promessas de Deus? De modo nenhum! Porque, se fosse promulgada uma lei que pudesse dar vida, a justiça, na verdade, seria procedente de lei" (3.21). A lei não pode justificar o pecador porque não pode dar vida; ao contrário, ela produz morte, uma vez que revela o pecado e o salário do pecado é a morte. "A alma que pecar, essa morrerá" (Ez 18.20) e "maldito todo aquele que não permanece em todas as coisas escritas no Livro da lei" (3.10; Dt 27.26), para praticá-las. A lei é mandamento gravado numa tábua de pedra. Está fora do homem e não tem nenhum poder para capacitá-lo. A lei exige obediência, mas não oferece nenhuma ajuda ao homem. Citando Lutero, John Stott diz que o ponto principal da lei é tornar os homens piores, não melhores; isto é, a lei mostra o pecado dos homens, para que por meio desse conhecimento eles se tornem humildes, assustados, desanimados e quebrantados, e desse modo sejam levados a buscar a graça, ou seja, a Semente bendita, que é Cristo.[297]

A lei não tem poder para dar vida. Não que a lei seja imperfeita; é que ela lida com o homem, que é imperfeito. Consequentemente, a justiça não decorre da lei, mas da promessa. Warren Wiersbe tem razão em dizer que, se fosse possível obter vida e justiça pela lei, não teria sido necessário Jesus Cristo morrer na cruz. Mas Jesus morreu, comprovando que a lei jamais poderia dar vida e justificar o pecador.[298] Tanto a lei quanto a promessa, porém, tinham suas respectivas esferas, que não se sobrepunham, nem entravam em choque entre si, pois Deus podia perdoar aqueles que sua própria lei condenava, mas este era um ato de graça, assim como a promessa também constituía um ato de graça.[299]

Em segundo lugar, *a lei não tem poder de libertar do pecado, mas prepara o homem para encontrar o libertador*. "Mas a Escritura encerrou tudo sob o pecado, para que, mediante a fé em Jesus Cristo, fosse a promessa concedida aos que creem" (3.22). O papel da lei não é justificar, mas condenar. Não é remover o pecado, mas revelá-lo. Não é declarar o homem justo, mas torná-lo consciente de sua culpa. A Escritura ou a lei de Deus revela de forma irrefutável que o homem é um transgressor da lei. Todos os homens estão sob o pecado, presos na masmorra escura do pecado e acorrentados por suas algemas, uma vez que "...todos pecaram e carecem da glória de Deus" (Rm 3.23).

A lei não nos torna pecadores; ela revela que somos pecadores. O propósito da lei é convencer o homem de que ele é pecador e precisa do Salvador. Quando o homem olha para a lei e vê que é pecador, tem consciência de que está perdido e condenado e de que necessita desesperadamente do Salvador. A lei prepara o caminho da fé. A lei pavimenta a estrada para Cristo. John Stott é categórico: "A verdadeira função da lei é confirmar a promessa e torná-la indispensável. Em outras palavras, a promessa de Deus a Abraão foi confirmada por Moisés e cumprida em Cristo".[300]

Antes de o evangelho ser apresentado ao homem, este precisa ser confrontado pela lei. É a lei que desmascara o pecado e condena o homem. Somente um homem consciente de sua culpa busca o Salvador. O evangelismo que ignora a lei enfraquece a graça. Sem a lei o homem não consegue ver o brilho da graça. É na escuridão da noite que vemos o brilho das estrelas. Da mesma forma, é no contexto da escuridão densa do pecado e do juízo que o evangelho resplandece. John Stott apresenta esse conceito de forma esplêndida:

> Só depois que a lei nos fere e esmaga é que admitimos a nossa necessidade do evangelho para atar nossas feridas. Só depois que a lei nos aprisiona é que anelamos que Cristo nos liberte. Só depois que a lei nos tiver condenado e matado é que vamos clamar a Cristo por justificação e vida. Só depois que a lei nos tiver levado ao desespero é que vamos crer em Jesus. Só depois que a lei nos tiver humilhado até o inferno é que vamos buscar o evangelho para nos elevar até o céu.[301]

Em terceiro lugar, *a lei mantém o homem na prisão até mostrar-lhe a porta de escape de fé.* "Mas, antes que viesse a fé, estávamos sob a tutela da lei e nela encerrados, para essa fé que, de futuro, haveria de revelar-se" (3.23). Os falsos mestres estavam induzindo os crentes da Galácia a se voltarem da fé para as obras da lei. Isso era um retrocesso, marcha a ré, uma vez que o propósito da lei era manter o homem sob tutela, na prisão, para a liberdade da fé em Cristo Jesus.

Paulo diz que a lei era uma prisão para o homem. Adolf Pohl explica que Deus prendeu seu povo rebelde, de maneira que ele não tinha condições de escapar de sua culpa. A lei como prisão contradiz integralmente a doutrina judaica. Lá ela é considerada um muro protetor para fora, contra intrusos não autorizados do mundo gentílico. Aqui, porém, ela é um muro para dentro, de modo que os internos não podem escapar nem romper a esfera sagrada de Deus, e o pecado permanece sendo pecado que exclui da casa paterna.[302]

Antes de a fé vir, ou seja, antes de Cristo morrer pelos nossos pecados, os homens eram prisioneiros sob a lei. O termo grego *phroureo,* "sob tutela", significa sob custódia, guardado em prisão. Essa palavra significa proteger com guardas militares. Quando aplicada a uma cidade, era usada tanto no sentido de manter o inimigo fora como de guardar os habitantes dentro, para não fugirem ou desertarem.[303] A lei nos mantinha na prisão, confinados e prisioneiros. A lei mostra o homem exatamente onde ele caiu. Acusa-o e condena-o. A lei não tem nenhum poder para tirar esse homem da prisão nem para lhe dar vida. A única esperança do pecador é surgir alguém para libertá-lo da prisão. Foi isso que Cristo fez!

Sintetizando o texto examinado até agora, John Stott diz que em Gálatas 3.15-22 o apóstolo Paulo recapitulou dois mil anos de história do Antigo Testamento, desde Abraão, passando por Moisés, até Cristo. Mostrou também como esses grandes nomes bíblicos estão relacionados entre si no desenrolar do propósito de Deus, como Deus deu uma promessa a Abraão e uma lei a Moisés, e como por meio de Cristo ele cumpriu a promessa que a lei revelara ser indispensável, pois esta condenava o pecador à morte, enquanto a promessa lhe oferecia justificação e vida eterna.[304]

Em quarto lugar, *a lei é o guardião do homem até conduzi-lo a Cristo*. "De maneira que a lei nos serviu de aio para nos conduzir a Cristo, a fim de que fôssemos justificados por fé. Mas, tendo vindo a fé, já não permanecemos subordinados ao aio" (3.24,25). A palavra grega *paidagogos* significa literalmente "tutor, guia, guardião de crianças".[305] David Stern diz que, embora a palavra portuguesa "pedagogia" seja derivada dela, o *paidagogos* não possuía nenhuma função de ensino. O *paidagogos* era um disciplinador severo, contratado para realizar um serviço, com o menino tendo de lhe obedecer.[306] A lei é o aio, o pedagogo ou o guardião que prepara o homem para ver sua necessidade de Cristo e o conduz a Cristo.

Warren Wiersbe acrescenta que, em várias famílias romanas e gregas, os escravos mais bem-educados levavam e buscavam as crianças na escola e cuidavam delas durante o dia. Alguns também participavam da educação das crianças, protegendo, proibindo e, por vezes, disciplinando. Esse é o aio ao qual Paulo se refere.[307] John Stott sustenta, porém, que o *paidagogos* não era o professor da criança, e, sim, aquele que a disciplinava.[308] J. B. Phillips pensa que o equivalente moderno é "governanta severa". William Barclay esclarece que o *paidagogos* também tinha a obrigação de cuidar para que o menino não caísse nas tentações ou nos perigos da vida e adquirisse as qualidades essenciais de um homem.[309] O *paidagogos* era encarregado dos meninos entre os 6 e 16 anos, cuidando do seu comportamento e acompanhando-o sempre que saísse de casa.[310]

Vale ressaltar que o aio não era o pai da criança. Seu trabalho era preparar essa criança para a maturidade. Quando a criança a atingisse, a função do aio deixaria de ser necessária. Da mesma forma, a lei foi uma preparação para a chegada de Cristo. O papel da lei é levar o homem a Cristo, o verdadeiro Mestre, o único que pode libertar, perdoar e salvar. O papel da lei é levar os homens a Cristo, a fim de que sejam justificados por fé; mas, tendo vindo a fé, já não permanecem mais subordinados ao aio. Calvino diz que sob o Reino de Cristo não há mais infância que necessite ficar sob a tutela de um *paidagogos* e, em consequência, a lei resigna de seu ofício.[311] Em outras palavras, a lei era uma preparação para Cristo, e a lei era temporária.

Vimos até aqui que a lei não pode mudar a promessa, e a lei não é maior do que a promessa. Também vimos que a lei não é contrária à promessa: as duas trabalham juntas para levar os pecadores ao Salvador.

A lei não pode fazer o que a promessa faz (3.26-29)

O apóstolo conclui seu argumento da superioridade da promessa sobre a lei mostrando três coisas que a promessa nos dá e que a lei não nos pode dar.

Em primeiro lugar, *a fé em Cristo nos faz filhos de Deus.* "Pois todos vós sois filhos de Deus mediante a fé em Cristo Jesus; porque todos quantos fostes batizados em Cristo de Cristo vos revestistes" (3.26,27). Pela lei temos consciência de que somos pecadores culpados; pela promessa somos justificados pela fé e pela fé somos feitos filhos de Deus. Não somos justificados pelos nossos méritos, mas pelos méritos de Cristo. Não somos salvos pelas nossas obras, mas pela obra de Cristo. Não somos aceitos na família de Deus por nós mesmos, mas somos filhos de Deus mediante a fé em Cristo Jesus. Quando cremos em Cristo, recebemos o poder de sermos feitos filhos de Deus (Jo 1.12). John Stott apresenta essa verdade de forma sublime:

> Deus não é mais nosso juiz, que por meio da lei nos condenou e nos aprisionou. Nem é mais nosso tutor, que pela lei nos restringe e castiga. Já não o tememos pensando no castigo que merecemos; nós o amamos com devoção filial profunda. Não somos prisioneiros à espera da execução final de nossa sentença, nem filhos menores sob a disciplina de um tutor, mas filhos de Deus e herdeiros de seu glorioso reino, desfrutando o *status* e os privilégios de filhos adultos.[312]

Quando somos batizados em Cristo, somos revestidos de Cristo (Rm 13.14; Ef 4.20-32; 6.11-17; Cl 3.8-17). Esse batismo do Espírito identifica o cristão com Cristo e o torna parte do corpo de Cristo (1Co 12.13). O batismo com água é um símbolo exterior dessa obra interior do Espírito Santo (At 10.44-48).[313] Não é o batismo com água que nos liga a Cristo, assim como não é a circuncisão que nos justifica. A fé interior garante a união com Cristo, e o batismo exterior é a representação visível dessa união.

Em segundo lugar, *a fé em Cristo elimina todas as distinções e preconceitos*. "Dessarte, não pode haver judeu nem grego; nem escravo nem liberto; nem homem nem mulher; porque todos vós sois um em Cristo Jesus" (3.28). Os judeus radicais agradeciam a Deus diariamente por não serem gentios, mulheres e escravos. Mas a fé em Cristo une judeus e gentios, homens e mulheres, escravos e livres. Não há barreiras nem preconceitos de raça, gênero ou condição social. Todos aqueles que creem em Cristo pertencem à mesma família e são igualmente aceitos por Deus. Pertencemos a Deus e uns aos outros. Os muros que nos separavam foram derrubados. Somos todos iguais na necessidade de salvação e na incapacidade de ganhá-la ou merecê-la, como somos iguais porque ela nos é por Deus oferecida livremente em Cristo. No Reino de Deus não existe preconceito racial, estratificação social nem desvalorização do gênero.

Donald Guthrie tem razão em escrever: "Em Cristo não há nem europeus nem asiáticos, nem africanos nem chineses, nem outros grupos raciais propriamente ditos. Em Cristo há um novo vínculo que transcende as barreiras da cor, cultura e costumes".[314]

Em terceiro lugar, *a fé em Cristo nos faz herdeiros da promessa*. "E, se sois de Cristo, também sois descendentes de Abraão e herdeiros segundo a promessa" (3.29). Vimos que em Cristo pertencemos a Deus e uns aos outros. Em Cristo também pertencemos a Abraão. Somos a descendência espiritual de Abraão, pois em Cristo nos tornamos herdeiros da promessa que Deus lhe fez. Jesus Cristo é o descendente de Abraão e aqueles que pertencem a Cristo são os verdadeiros descendentes de Abraão e herdeiros da promessa feita a ele. Essa promessa fala da herança da justificação, da salvação e da bem-aventurança eterna (Rm 8.15-17).

Concluo esta exposição citando mais uma vez Warren Wiersbe: "No Antigo Testamento, encontramos a *preparação* para Cristo; nos Evangelhos, a *apresentação* de Cristo; e, de Atos a Apocalipse, a *apropriação* de Cristo".[315]

NOTAS DO CAPÍTULO 9

[277] STOTT, John. *A mensagem de Gálatas*, p. 79.
[278] STOTT, John. *A mensagem de Gálatas*, p. 81.
[279] STOTT, John. *A mensagem de Gálatas*, p. 89.
[280] WIERSBE, Warren W. *Comentário bíblico expositivo*, p. 917-921.
[281] CALVINO, João. *Gálatas*, 2007, p. 85.
[282] WIERSBE, Warren W. *Comentário bíblico expositivo*, p. 917.
[283] RIENECKER, Fritz; ROGERS, Cleon. *Chave linguística do Novo Testamento grego*, p. 376.
[284] STOTT, John. *A mensagem de Gálatas*, p. 81,82.
[285] WIERSBE, Warren W. *Comentário bíblico expositivo*, p. 917.
[286] CALVINO, João. *Gálatas*, 2007, p. 87.
[287] STOTT, John. *A mensagem de Gálatas*, p. 82.
[288] WIERSBE, Warren W. *Comentário bíblico expositivo*, p. 917,918.
[289] HENDRIKSEN, Guillermo. *Gálatas*, p. 147.
[290] BARCLAY, William. *Gálatas y Efesios*, p. 39.
[291] GUTHRIE, Donald. *Gálatas: introdução e comentário*, p. 130.
[292] STOTT, John. *A mensagem de Gálatas*, p. 83.
[293] WIERSBE, Warren W. *Comentário bíblico expositivo*, p. 918.
[294] BARCLAY, William. *Gálatas y Efesios*, p. 40.
[295] WIERSBE, Warren W. *Comentário bíblico expositivo*, p. 918,919.
[296] WIERSBE, Warren W. *Comentário bíblico expositivo*, p. 919.
[297] STOTT, John. *A mensagem de Gálatas*, p. 85.
[298] WIERSBE, Warren W. *Comentário bíblico expositivo*, p. 919.
[299] GUTHRIE, Donald. *Gálatas: introdução e comentário*, p. 134.
[300] STOTT, John. *A mensagem de Gálatas*, p. 85.
[301] STOTT, John. *A mensagem de Gálatas*, p. 86,87.
[302] POHL, Adolf. *Carta aos Gálatas*, 1999, p. 128,129.
[303] STOTT, John. *A mensagem de Gálatas*, p. 89.
[304] STOTT, John. *A mensagem de Gálatas*, p. 88.
[305] STOTT, John. *A mensagem de Gálatas*, p. 90.
[306] STERN, David. *Comentário judaico do Novo Testamento*, p. 597.
[307] WIERSBE, Warren W. *Comentário bíblico expositivo*, p. 919.
[308] STOTT, John. *A mensagem de Gálatas*, p. 90.
[309] BARCLAY, William. *Gálatas y Efesios*, p. 41.
[310] RIENECKER, Fritz; ROGERS, Cleon. *Chave linguística do Novo Testamento grego*, p. 377.
[311] CALVINO, João. *Gálatas*, 2007, p. 100.
[312] STOTT, John. *A mensagem de Gálatas*, p. 91.

[313] WIERSBE, Warren W. *Comentário bíblico expositivo*, p. 920.
[314] GUTHRIE, Donald. *Gálatas: introdução e comentário*, p. 139.
[315] WIERSBE, Warren W. *Comentário bíblico expositivo*, p. 921.

Capítulo 10

Servidão da lei ou liberdade de Cristo?

(Gl 4.1-11)

O APÓSTOLO PAULO não introduz assunto novo no capítulo 4. Ele continua com o mesmo tema, usando apenas uma ilustração diferente. Em Gálatas 3.24,25 disse que a lei nos serviu de *paidagogos,* ou seja, de "aio" que nos conduz a Cristo; mas, tendo cumprido sua missão, não devemos mais viver subordinados à lei. Agora, em Gálatas 4.1,2 ele afirma a lei é como um "tutor" e um "curador" para um filho menor. Quando esse filho chega à idade adulta, não precisa mais ficar sujeito a tutores e curadores, ou seja, quando Cristo vem, e recebemos a graça, tomamos posse da promessa.

Paulo faz um contraste entre a condição do homem sob a lei (4.1-3) e a sua condição em Cristo (4.4-7), fundamentando nesse contraste um veemente apelo quanto à vida cristã (4.8-11).[316]

Paulo está perplexo com os crentes da Galácia, porque eles não apenas estavam trocando o evangelho verdadeiro por outro evangelho (1.6), mas também estavam trocando sua liberdade em Cristo pela escravidão da lei (4.9).

No texto em apreço, Paulo fala sobre três assuntos, que analisamos a seguir.

A servidão sob o domínio da lei (4.1-3)

Figuras falam mais do que discursos, e exemplos são mais eloquentes do que palavras. Paulo acabara de falar sobre o "aio", e agora, passa a falar sobre o "tutor" e o "curador". O aio era o servo contratado pelo pai da criança até que ela chegasse à idade própria para ir por si mesma ao mestre. Já o tutor e o curador cuidavam dessa criança herdeira até que ela chegasse à idade adulta para usufruir seus plenos direitos. Paulo usa como ilustração a lei romana para lançar luz sobre a relação do crente com a lei mosaica. Já no tempo do Antigo Testamento, antes de Cristo vir e quando estávamos debaixo da lei, éramos herdeiros, herdeiros da promessa que Deus fez a Abraão. Mas ainda não havíamos herdado a promessa. Éramos como crianças durante os anos da minoridade; nossa infância foi uma espécie de escravidão.[317]

Para melhor compreendermos o assunto em tela, destacamos alguns pontos.

Em primeiro lugar, *a servidão sob a lei romana* (4.1,2). Quando um pai morria, deixando um filho herdeiro ainda criança, registrava em testamento a nomeação de tutores e curadores para cuidar desse filho menor até a idade adulta, quando, então, o herdeiro tomava posse dos seus plenos direitos.

Donald Guthrie diz que estas duas palavras (tutor e curador) talvez se refiram às pessoas a quem o menor devia prestar contas de seus atos segundo a lei romana, ao primeiro até a idade de 14 anos, e ao segundo até a idade de 25 anos.[318] De acordo com F. F. Bruce, na lei romana, até atingir a idade dos 14 anos, o herdeiro ficava sob o controle do tutor, nomeado pelo pai; então, até atingir a idade dos 25 anos, ficava sob o controle do curador, nomeado pelo *praetor urbanus* (pretor da cidade).[319] Paulo usa seu conhecimento da lei romana para mostrar nossa relação com a lei mosaica. Três coisas nos chamam a atenção aqui.

Herdeiro, porém não livre. "Digo, pois, que, durante o tempo em que o herdeiro é menor, em nada difere de escravo..." (4.1a). A palavra grega *nepios* significa criança ou alguém sem entendimento. Aqui descreve um "menor", em qualquer estágio de sua minoridade.[320] O filho menor é o herdeiro e o dono de tudo, mas é tratado como escravo. Ele ainda não pode assumir o controle da herança nem dela dispor. Até chegar à idade adulta, está sob o cuidado e o controle de tutores e curadores.

Herdeiro, porém não dono de fato. "... em nada difere de escravo, posto que é ele senhor de tudo" (4.1b). Mesmo sendo o dono e o senhor de tudo legalmente, o herdeiro ainda não pode assumir o controle da herança. O filho menor é o herdeiro e o dono de direito, mas não de fato.

Herdeiro, porém não ainda. "Mas está sob tutores e curadores até ao tempo predeterminado pelo pai" (4.2). O pai deixa escrito no testamento o tempo exato em que o filho deve tomar posse da herança. Até esse tempo chegar, o herdeiro está sob o controle de tutores e curadores.

Em segundo lugar, *a servidão sob a lei judaica.* "Assim, também nós, quando éramos menores, estávamos servilmente sujeitos aos rudimentos do mundo" (4.3). Paulo diz que nós, judeus e gentios, antes da vinda de Cristo éramos como filhos menores e vivíamos servilmente, de igual modo, sujeitos aos rudimentos do mundo, ou seja, aos preceitos da lei. Mesmo na antiga dispensação éramos herdeiros da promessa, mas não estávamos de posse dela. A lei é comparada aqui com os "...rudimentos do mundo" (4.3) e "rudimentos fracos e pobres" (4.9), dos quais precisamos ser resgatados (4.5). William Hendriksen diz que, assim como um menino desprovido de maturidade deve ser governado por regras e prescrições, também nós, antes que chegasse a luz do evangelho, estávamos escravizados aos rudimentos do mundo.[321]

A palavra grega *stoicheia,* "rudimentos", pode ser traduzida por "coisas elementares", "as letras do alfabeto", "o abecê que aprendemos na escola" ou "os poderes espirituais que dominam o mundo".[322] Warren Wiersbe diz que Israel passou cerca de quinze séculos no jardim da infância e na escola primária, aprendendo os fundamentos da vida espiritual, a fim de estar preparado para a vinda de Cristo. Quando isso acontecesse, o povo receberia a revelação plena, pois Jesus Cristo é o "Alfa e o Ômega". Ele é a última Palavra de Deus (Hb 1.1-3). Por isso, o legalismo não é um passo rumo à maturidade; é um passo de volta à infância. A lei não era a revelação final de Deus; era apenas a preparação para essa revelação definitiva em Cristo. É importante conhecermos os rudimentos do alfabeto, pois ele é o fundamento para a compreensão de toda a língua. Porém, se uma pessoa passar os dias em uma biblioteca recitando o alfabeto em vez de ler toda a literatura maravilhosa a seu redor, mostra-se imatura e ignorante. Debaixo da lei, os judeus eram como crianças vivendo sob a condição de servos, não como filhos adultos desfrutando a liberdade.[323]

Donald Guthrie destaca ainda que, se *stoicheia* fala dos poderes espirituais que dominavam o mundo, o mundo pagão achava-se escravizado a tais espíritos.[324] Agora, como a servidão da lei pode ser chamada de servidão a maus espíritos, se ela foi dada por Deus, e não por Satanás, por meio de anjos (3.19), bons espíritos, e não maus? John Stott responde:

> O que Paulo quer dizer é que o diabo tomou essa coisa boa (a lei) e a distorceu para os seus próprios propósitos malignos, a fim de escravizar homens e mulheres. Exatamente como o guardião da criança pode maltratá-la durante sua minoridade, e até mesmo tiranizá-la de uma forma que seus pais jamais pretendiam, o diabo explorou a boa lei de Deus a fim de tiranizar pessoas da maneira que Deus jamais intentou. Deus pretendia que a lei revelasse o pecado e levasse os homens a Cristo; Satanás usou-a para revelar o pecado e levar os homens ao desespero. Deus pretendia que a lei fosse um passo intermediário na nossa justificação; Satanás usa-a como passo final para a nossa condenação. Deus pretendia que a lei fosse um degrau para a liberdade; Satanás usa-a como um beco sem saída, enganando os simplórios e levando-os a crer que não há escape da sua terrível escravidão.[325]

A liberdade sob o domínio de Cristo (4.4-7)

Atingimos a idade adulta quando Cristo veio, quando a lei nos deixou aos pés de Cristo, quando tomamos posse da herança sem a necessidade de tutores e curadores. O papel da lei nunca foi salvar-nos, mas sim conduzir-nos a Cristo. Buscar salvação pela lei é anular a graça e escarnecer da cruz. Alguns pontos devem ser aqui destacados.

Em primeiro lugar, *quando veio o Filho de Deus?* "Vindo, porém, a plenitude do tempo, Deus enviou seu Filho..." (4.4a). A vinda de Cristo ao mundo não foi casual. Ele veio na plenitude do tempo, o tempo predeterminado pelo Pai (4.2). Fritz Rienecker e Cleon Rogers enfatizam com razão: "Deus preparou o mundo para a vinda de seu Filho naquela data específica da história. Isso indica que Deus é o Senhor da História e que age neste mundo para levar a cabo seus propósitos".[326]

Concordo com Adolf Pohl quando disse: "Não foi o tempo que colocou Deus em movimento, porque os povos estivessem maduros ou uma lei numérica se manifestasse, mas foi Deus quem fez o tempo andar".[327] Tudo foi planejado desde a eternidade. A vinda de Cristo ao mundo fazia parte da agenda celeste, de um calendário estabelecido pelo próprio Deus Pai, "que marcava a conclusão da antiga era e a aurora da nova".[328]

O que seria essa plenitude do tempo? Deus preparou o mundo para a chegada do seu Filho. Os judeus ofereceram ao mundo as Escrituras; os gregos, a língua universal; e os romanos, as leis e as estradas que facilitaram o trânsito célere dos mensageiros e da mensagem. John Stott sintetiza essa plenitude dos tempos da seguinte forma:

> Foi o período em que Roma conquistou e subjugou o mundo conhecido, quando as estradas romanas foram abertas a fim de facilitar as viagens e quando as legiões romanas as guardavam. Também foi o período em que a língua grega e sua cultura deram certa coesão à sociedade. Ao mesmo tempo, os antigos deuses mitológicos da Grécia e de Roma começaram a perder a influência sobre o povo comum, de modo que nos corações e mentes em toda parte brotou a fome de uma religião que fosse real e que satisfizesse. Além disso, foi o período em que a lei de Moisés acabou a sua obra de preparar as pessoas para a vinda de Cristo, mantendo-as sob tutela e na prisão, de modo que elas ansiavam ardentemente pela liberdade com a qual Cristo as libertaria.[329]

Em segundo lugar, *quem é o Filho de Deus?* "Deus enviou seu Filho, nascido de mulher..." (4.4b). O Filho de Deus é preexistente. Antes de vir ao mundo, ele já existia em glória eterna com o Pai. Ele não passou a existir; ele é o Pai da eternidade. Não foi criado; é o criador. Não teve começo; é a origem de todas as coisas. Com isso, queremos dizer que o Filho de Deus é divino. Ele é Deus coigual, coeterno e consubstancial com o Pai. Deus de Deus, Luz de Luz, autoexistente, imenso, infinito, eterno, imutável, onipotente, onisciente e onipresente.

Mas este, que nem os céus dos céus pode conter, nasceu de mulher, ou seja, entrou no nosso meio pela porta do nascimento, fez-se carne, vestiu a nossa pele, calçou as nossas sandálias e tornou-se em tudo semelhante a nós, exceto no pecado (Hb 2.17; 4.15). Ele é perfeitamente Deus[330] e perfeitamente Homem.[331] É divino e humano. Como Deus, Jesus não teve mãe. Como homem, não teve pai. Para ser nosso redentor, Jesus precisava ser Deus e homem. Precisava ser Deus para oferecer um sacrifício perfeito e de valor infinito, e também precisava ser homem, para nos representar. Nessa linha de pensamento, William Hendriksen esclarece que, para nos salvar, Jesus Cristo precisava ter em uma só Pessoa tanto a natureza divina como a humana; a divina para poder dar a seu sacrifício um valor infinito; e a humana, porque, já que foi um homem, Adão, que pecou, um homem devia pagar pelo pecado e entregar sua vida a Deus em perfeita obediência.[332]

Adolf Pohl escreve sobre a singularidade do envio do Filho de Deus ao mundo:

> Todo ano Deus enviava sol e chuva, frio e calor e toda variedade de bênçãos naturais. Enviou julgamento de purificação aos povos, mas também proteção e livramentos. Enviou também sempre de novo

> pessoas especiais: modelos éticos, governantes capazes, intelectuais sábios, inventores agraciados, artistas geniais e profetas poderosos (Hb 1.1). Sem esse suprimento permanente o mundo há muito tempo teria caído na podridão. Agora, contudo, deu-se o envio do Filho e esse envio está fora e além de qualquer padrão.[333]

Em terceiro lugar, *como veio o Filho de Deus?* "... nascido sob a lei" (4.4c). O Filho de Deus, como segundo Adão, nasceu para cumprir a lei que o primeiro Adão quebrou. Ele não veio para anular a lei, mas para cumpri-la. Ele a obedeceu plenamente. Ele a cumpriu totalmente. Ele satisfez plenamente todas as exigências da lei. Essa foi sua obediência ativa à lei de Deus. Mas ele também a obedeceu passivamente, ou seja, como nosso representante e substituto, Jesus, para nos resgatar da maldição da lei, fez-se maldição em nosso lugar. Não tendo culpa pessoal, assumiu a nossa culpa. Não tendo pecado pessoal, fez-se pecado por nós. E assim carregou no madeiro, em seu corpo, os nossos pecados, e sofreu o golpe da lei que deveríamos sofrer, morrendo a nossa morte para nos dar a sua vida. O reformador Calvino traduz essa mesma verdade nas seguintes palavras:

> O Filho de Deus, que por direito era isento de toda sujeição, tornou-se sujeito à lei. Por quê? Ele fez isso em nosso lugar, a fim de obter a liberdade para nós. Um homem livre, ao constituir-se fiador, redime o escravo; ao pôr em si mesmo as algemas, ele as tira do outro. De modo semelhante, Cristo decidiu tornar-se obrigado a cumprir a lei, a fim de obter isenção para nós.[334]

Em quarto lugar, *por que veio o Filho de Deus?* "Para resgatar os que estavam sob a lei...." (4.5a). O nosso resgate foi o propósito da vinda de Cristo ao mundo (1.4; 3.13; 4.5). A vinda de Cristo ao mundo foi uma missão resgate, o qual se deu por meio de sua morte. O propósito de Deus de enviar seu Filho ao mundo foi não apenas nos libertar do maior mal, mas também abençoar-nos com o maior bem.[335] A palavra "resgatar" significa libertar mediante um preço.[336] Estávamos encerrados sob o pecado. Éramos prisioneiros e não podíamos livrar-nos da maldição que a lei nos havia imposto. O Filho de Deus, então, como nosso fiador, representante e substituto, assumiu o nosso lugar, pagou o nosso resgate com o seu sangue e nos livrou do cativeiro da lei e de sua maldição. A redenção tem um aspecto duplo: a libertação *da* escravidão à lei e a libertação *para* alguma coisa melhor – neste caso, para a filiação.[337]

Em quinto lugar, *que resultados produziu a vinda do Filho de Deus?* (4.5b-7). A vinda do Filho de Deus produziu três gloriosos resultados. Porque Jesus veio ao mundo, três coisas acontecem.

Os crentes são adotados como filhos de Deus. "... a fim de que recebêssemos a adoção de filhos" (4.5b). Um filho adotivo era anteriormente um não filho. Alcançou a condição de filho pelo caminho da graça.[338] Com a vinda do Filho de Deus, somos recebidos como filhos adultos de Deus, ou seja, não precisamos mais de tutores nem de curadores. Podemos tomar posse imediatamente da liberdade de filhos. O que a lei não podia fazer por nós, Cristo fez. A lei só podia revelar nosso pecado, tomar-nos pela mão e conduzir-nos a Cristo, mas não podia conceder-nos a posse da herança. O pensamento de Paulo parece que Deus enviou seu Filho para obter outros filhos. Trata-se de uma transformação notável de categoria: da escravidão para a filiação.[339]

Warren Wiersbe destaca que a palavra grega *huiothesia,* "adoção", significa colocar na posição de filho adulto. Está relacionada à nossa posição dentro da família de Deus; não somos crianças pequenas, mas filhos adultos com todos os privilégios correspondentes a essa posição. Por isso, quando um pecador crê em Cristo e é salvo, no que se refere a sua *condição*, é um "recém-nascido espiritual" que precisa crescer (1Pe 2.2,3), mas, no que se refere a sua *posição*, é um filho adulto que pode lançar mão da riqueza do Pai e desfrutar todos os privilégios maravilhosos de sua filiação. Entramos na família de Deus pela regeneração, mas desfrutamos a família de Deus pela adoção.[340]

Os crentes recebem o Espírito Santo de Deus. "E, porque vós sois filhos, enviou Deus ao nosso coração o Espírito de seu Filho..." (4.6a). Paulo não perde a esperança em relação aos crentes da Galácia, apesar de estar perplexo acerca da conduta deles (4.11). Eles são filhos de Deus, pois Deus lhes enviou o Filho e também o Espírito de seu Filho. Deus enviou Jesus para nos redimir na cruz e o Espírito Santo para aplicar em nós a redenção. John Stott diz: "O Pai enviou o seu Filho para que tivéssemos o *status* da filiação, e enviou o seu Espírito para que tivéssemos uma *experiência* dela".[341] O Espírito é o penhor e a garantia de nossa adoção e nos dá a inabalável confiança de que Deus cuida de nós com amor paternal (2Co 1.22; 5.5; Ef 1.13,14).

Deus enviou o Espírito não como enviou a lei, gravada em tábuas de pedra, fora de nós; mas enviou-o ao nosso coração, para termos uma experiência profunda e real de transformação espiritual. Na mesma linha, Adolf Pohl considera que de nada adiantaria que o Espírito fosse derramado genericamente no mundo, no ar, na literatura, na opinião pública, em vez de ser derramado em nosso coração. Em todos esses casos, seria gerada somente uma autoridade exterior, como na lei de Moisés, que surge diante dos olhos somente anotada em tábuas de pedra. As exigências da lei não têm força para mudar alguma coisa, apenas esmagam. Uma lei completamente diferente precisa surgir: a lei do Espírito que vivifica (Rm 8.2; 2Co 3.6).[342]

Os crentes têm intimidade com Deus. "... que clama: Aba, Pai" (4.6b). Deus enviou seu Filho para habitar *entre* nós e o seu Espírito para habitar *em* nós. É o próprio Espírito do Filho que ora em nós, por nós, ao Deus que está acima de nós. Adolf Pohl diz que o Espírito é o iniciador da oração que atrai a noiva para a sua oração (Ap 22.17).[343] É o Espírito de súplicas que nos conduz à intimidade com o Pai, chamando-o de *Aba, Pai. Aba* é um diminutivo aramaico de "Pai". É a palavra que o próprio Jesus usou no Getsêmani, numa íntima oração a Deus. Expressa uma íntima comunhão e confiança filial.[344]

Os crentes se tornam herdeiros de Deus. "De sorte que já não és escravo, porém filho; e, sendo filho, também herdeiro por Deus" (4.7). A santa Trindade está em ação em nossa salvação. O Pai envia o Filho para nos resgatar da maldição da lei e nos envia o Espírito de seu Filho para habitar em nós e nos levar à sala do trono. Deixamos de ser escravos e filhos menores para sermos filhos adultos, com pleno direito de tomar posse da herança. Diante dessa gloriosa verdade, a atitude dos crentes da Galácia de voltarem aos rudimentos da lei era um retrocesso deplorável. Como o filho pródigo, porém, os gálatas desejavam que seu Pai os aceitasse como servos, quando, na verdade, eles eram filhos (Lc 15.18,19). Não é difícil, porém, ver o contraste entre filho e servo: o filho tem a mesma natureza do pai, o servo não; o filho tem um pai, o servo tem um senhor; o filho obedece por amor, o servo obedece por temor; o filho é rico, o servo é pobre; o filho tem futuro, o servo não tem nenhuma perspectiva.[345]

A escravidão sob o domínio do legalismo (4.8-11)

O apóstolo Paulo faz uma aplicação aos crentes da Galácia, mostrando-lhes quem eles eram antes de Cristo, no que se tornaram em Cristo e o que estavam voltando a ser depois de Cristo. John Stott sintetiza esse apelo de Paulo aos gálatas: "Se vocês eram escravos e agora são filhos, se não conheciam a Deus mas agora vieram a conhecê-lo e são conhecidos dele, como podem retornar à antiga escravidão? Como podem deixar-se escravizar pelos espíritos muito elementares dos quais Jesus Cristo os resgatou?".[346]

Warren Wiersbe diz que os gálatas largaram a escola da graça para se matricular no jardim da infância da lei. Abriram mão da liberdade em troca da servidão. Desistiram do poder do evangelho em troca da fraqueza da lei; abdicaram da riqueza do evangelho em troca da pobreza da lei.[347]

Destacamos aqui quatro pontos.

Em primeiro lugar, *uma escravidão aos deuses pagãos*. "Outrora, porém, não conhecendo a Deus, servíeis a deuses que, por natureza, não o são" (4.8). Antes de o evangelho chegar à Galácia por intermédio de Paulo e Barnabé, os galeses eram pagãos e adoravam muitos deuses. O paganismo tinha seus deuses, embora esses não fossem verdadeiros.[348] Os galeses não conheciam o Deus verdadeiro, por isso serviam a esses deuses estranhos. Eles eram escravos dos demônios, em vez de serem servos do Deus Altíssimo. Vinham de um berço de trevas e eram cegos espiritualmente. Mas essa densa cegueira espiritual não é apenas uma questão de atraso cultural. O homem pós-moderno, bafejado pela mais requintada cultura, ainda hoje endeusa objetos, fenômenos da natureza, contingências naturais, conceitos de ponta ou realizações recordes, prestando-lhes veneração.

Em segundo lugar, *uma conversão ao Deus verdadeiro*. "Mas agora que conheceis a Deus ou, antes, sendo conhecidos por Deus..." (4.9a). A conversão dos crentes da Galácia não foi uma iniciativa deles, mas de Deus. Não foram eles que conheceram a Deus, mas foi Deus quem os conheceu, os amou e os escolheu (Rm 8.29,30). Deus os visitou em sua misericórdia, pôs seu amor sobre eles e os escolheu para a vida eterna. Assim como Jesus conhece suas ovelhas (Jo 10.14), o Senhor conhece os que lhe pertencem (2Tm 2.19).[349]

A salvação deles não foi uma questão de méritos ou obras; eles foram salvos pela graça. Preciso concordar com Adolf Pohl quando ele diz que, na linguagem bíblica, conhecer uma pessoa não se limita a um ato racional. No conhecer dá-se também o reconhecimento. Confirma-se a comunhão com essa contraparte. Quando Pedro diz acerca de Jesus: "Não o conheço" (Mc 14.68), não declara que lhe faltam informações sobre a pessoa de Cristo, mas nega que tenha comunhão com ele. Quando Jesus declara, no último julgamento, a certas pessoas: "Nunca vos conheci" (Mt 7.23), isso não significa: "Há uma lacuna na minha memória a respeito dessas pessoas", mas sim: "Vocês não faziam parte de fato do meu círculo de discípulos".[350]

Em terceiro lugar, *uma volta ingrata à escravidão do legalismo*. "... como estais voltando, outra vez, aos rudimentos fracos e pobres, aos quais, de novo, quereis ainda escravizar-vos? Guardais dias, e meses, e tempos, e anos" (4.9b,10). João Calvino afirma que apartar-se de Deus depois de havê-lo conhecido é a mais perversa ingratidão. É como abandonar "o manancial de águas vivas" e cavar "...cisternas rotas, que não retêm as águas" (Jr 2.13). Quanto mais intensa é a manifestação da graça de Deus para conosco, maior é a nossa culpa em desprezá-la.[351]

Antes da conversão, os crentes da Galácia eram escravos do paganismo. Depois da conversão, estavam tornando-se escravos do legalismo. Estavam saindo de uma escravidão e entrando em outra. Paulo diz que o legalismo judaico, ou seja, a busca da salvação ou da santificação pela observância de preceitos da lei, não passa de rudimentos fracos e pobres que conduzem à escravidão. A lei é um rudimento débil porque é impotente. Pode definir o pecado, mas não removê-lo. A debilidade básica e inata da lei está no fato de que ela pode diagnosticar a enfermidade, mas não curá-la.[352]

Precisamos deixar claro que o problema dos crentes da Galácia não era guardar dias, meses, tempos e anos, mas fazê-lo com a intenção de alcançar o favor de Deus, como se esses preceitos fossem a causa meritória da salvação. Isso é anular a graça e tornar a morte de Cristo uma coisa vã (2.21). Ao chamar as cerimônias de "rudimentos fracos e pobres", Paulo os vê fora de Cristo e, o que é pior, em oposição a ele. Os falsos apóstolos negligenciavam as promessas e se esforçavam para colocar esses rudimentos em oposição a Cristo, como se Cristo sozinho não fosse suficiente.[353]

Na mesma linha de pensamento, Warren Wiersbe adverte: "Todos devemos ter cuidado com o espírito legalista que alimenta a carne, conduz ao orgulho e transforma um acontecimento exterior em substituto para uma experiência interior".[354] Merrill Tenney diz que esses ritos jamais poderiam ser, em si mesmos, a realidade das coisas espirituais. Podiam tão-somente prefigurar ou tipificar determinadas realidades. Os dias, meses, tempos e anos eram comemorativos de certas experiências históricas ou eram emblemas da aproximação de Deus; mas a celebração dessas ocasiões em realidade não levava os celebrantes para mais perto de Deus.[355]

John Stott tem razão quando afirma que a religião deles degenerou em um formalismo exterior. Já não era mais livre e alegre comunhão de filhos com o Pai; tornou-se uma enfadonha rotina de regras e regulamentos.[356] Adolf Pohl é preciso em sua observação: "Quando Cristo se desvanece no centro, ressaltam as margens. O periférico torna-se o essencial, coisas secundárias se impõem como absolutas. Pessoas não libertas socorrem-se nos ritos. Assim procedem escravos, não filhos".[357]

Em quarto lugar, *uma frustração legítima do apóstolo.* "Receio de vós tenha eu trabalhado em vão para convosco" (4.11). O abandono do verdadeiro evangelho por outro evangelho (1.6) e o abandono da liberdade da graça para a escravidão do legalismo (4.9) eram processos em andamento na igreja da Galácia. Paulo estava vendo seu trabalho missionário ser esvaziado pela influência nociva dos falsos mestres judaizantes; em vez de crescerem na liberdade com a qual Cristo os libertara, os crentes deslizavam de volta à antiga escravidão, embora a vida cristã seja a vida de filhos, e não de escravos; de liberdade, e não de escravidão.

Concluímos esta exposição, citando mais uma vez Calvino:

> Os falsos apóstolos não apenas pretendiam colocar sobre a igreja o jugo da servidão judaica, mas também enchiam a mente daqueles crentes com superstições perversas! Trazer o cristianismo de volta ao judaísmo era, em si mesmo, um grande mal. Contudo, um erro ainda mais grave ocorria quando, em oposição à graça de Cristo, eles estabeleciam os rituais meritórios e pretendiam que esse tipo de adoração granjeasse o favor de Deus. Quando essas doutrinas eram

aceitas, a adoração a Deus era corrompida, a graça de Cristo anulada, e a liberdade de consciência oprimida.[358]

NOTAS DO CAPÍTULO 10

[316] STOTT, John. *A mensagem de Gálatas*, p. 96.
[317] STOTT, John. *A mensagem de Gálatas*, p. 97.
[318] GUTHRIE, Donald. *Gálatas: introdução e comentário*, p. 141.
[319] BRUCE. F. F. *The Epistle to the Galatians*, p. 192.
[320] RIENECKER, Fritz; ROGERS, Cleon. *Chave linguística do Novo Testamento grego*, p. 378.
[321] HENDRIKSEN, Guillermo. *Gálatas*, p. 164.
[322] BARCLAY, William. *Gálatas y Efesios*, p. 45.
[323] WIERSBE, Warren W. *Comentário bíblico expositivo*, p. 923.
[324] GUTHRIE, Donald. *Gálatas: introdução e comentário*, p. 142.
[325] STOTT, John. *A mensagem de Gálatas*, p. 98.
[326] RIENECKER, Fritz; ROGERS, Cleon. *Chave linguística do Novo Testamento grego*, p. 378.
[327] POHL, Adolf. *Carta aos Gálatas*, 1999, p. 143.
[328] GUTHRIE, Donald. *Gálatas: introdução e comentário*, p. 143.
[329] STOTT, John. *A mensagem de Gálatas*, p. 98.
[330] Jo 1.1; 8.58; 17.5; Rm 8.3; 2Co 8.9; Fp 2.6; Cl 1.15; Hb 1.3.
[331] Jo 1.14.
[332] HENDRIKSEN, Guillermo. *Gálatas*, p. 167.
[333] POHL, Adolf. *Carta aos Gálatas*, 1999, p. 144.

[334] CALVINO, João. *Gálatas*, 2007, p. 110.
[335] HENDRIKSEN, Guillermo. *Gálatas*, p. 168.
[336] WIERSBE, Warren W. *Comentário bíblico expositivo*, p. 923.
[337] GUTHRIE, Donald. *Gálatas: introdução e comentário*, p. 144.
[338] POHL, Adolf. *Carta aos Gálatas*, 1999, p. 145.
[339] GUTHRIE, Donald. *Gálatas: introdução e comentário*, p. 145.
[340] WIERSBE, Warren W. *Comentário bíblico expositivo*, p. 922.
[341] STOTT, John. *A mensagem de Gálatas*, p. 100.
[342] POHL, Adolf. *Carta aos Gálatas*, 1999, p. 147.
[343] POHL, Adolf. *Carta aos Gálatas*, 1999, p. 147.
[344] HENDRIKSEN, Guillermo. *Gálatas*, p. 170.
[345] WIERSBE, Warren W. *Comentário bíblico expositivo*, p. 924.
[346] STOTT, John. *A mensagem de Gálatas*, p. 100.
[347] WIERSBE, Warren W. *Comentário bíblico expositivo*, p. 924.
[348] GUTHRIE, Donald. *Gálatas: introdução e comentário*, p. 147.
[349] HENDRIKSEN, Guillermo. *Gálatas*, p. 172.
[350] POHL, Adolf. *Carta aos Gálatas*, 1999, p. 150.
[351] CALVINO, João. *Gálatas*, 2007, p. 114.
[352] BARCLAY, William. *Gálatas y Efesios*, p. 46,47.
[353] CALVINO, João. *Gálatas*, 2007, p. 115.
[354] WIERSBE, Warren W. *Comentário bíblico expositivo*, p. 925.
[355] TENNEY, Merrill C. *Gálatas*, 1978, p. 159.
[356] STOTT, John. *A mensagem de Gálatas*, p. 101.
[357] POHL, Adolf. *Carta aos Gálatas*, 1999, p. 151.
[358] CALVINO, João. *Gálatas*, 2007, p. 116.

Capítulo 11

Paulo, o pastor de coração quebrantado

(Gl 4.12-20)

O TEXTO EM TELA NOS MOSTRA de forma vívida e eloquente o verdadeiro coração pastoral de Paulo.[359] O teólogo doutrinador é agora o pastor cheio de ternura e compaixão. O mesmo apóstolo que empunhara o cetro da doutrina é agora o pastor que suplica humildemente às suas ovelhas. O mesmo embaixador de Cristo que tem autoridade para ensinar e exortar agora se apresenta como uma mãe em dores de parto. William Hendriksen considera essa uma das passagens mais emocionantes de todas as epístolas de Paulo. O apóstolo implora e agoniza, porque não pode suportar a ideia de que os destinatários continuem vagando cada vez mais longe do lar, mesmo sendo aqueles irmãos que o trataram de forma tão afetuosa e receberam o evangelho com tanta avidez.[360]

John Stott diz que em Gálatas 1–3 vemos Paulo, o apóstolo, o teólogo, o defensor da fé; agora vemos Paulo, o homem, o pastor, o apaixonado das almas.[361] Warren Wiersbe realça que Paulo equilibra aqui repreensão e amor, passando das "palmadas" para os "abraços".[362] Para William Barclay, Paulo usa aqui o argumento do coração em vez de usar o argumento do intelecto.[363] Já para Howard, Paulo não estava mais argumentando; estava implorando.[364]

A passagem nos mostra um relacionamento cada vez mais profundo, um amor cada vez mais acendrado. Paulo chama os crentes da Galácia de "irmãos" e "filhos" e apresenta-se a eles como uma "mãe". Todo esse parágrafo enfatiza relacionamentos. Nos versículos 13 a 16 Paulo enfatiza a atitude dos gálatas para com ele, e nos versículos 17 a 20 sua própria atitude para com eles. Vamos destacar na passagem em apreço cinco verdades importantes.

O apelo de Paulo (4.12)

Paulo muda o tom de sua voz e a natureza de seu discurso. Três coisas nos chamam a atenção no versículo 12.

Em primeiro lugar, *um pastor que se identifica com as ovelhas*. "Sede qual eu sou; pois também eu sou como vós..." (4.12). Paulo se identificara com os crentes da Galácia e agora queria que eles se identificassem com ele, no mesmo amor e na mesma doutrina. Teologia e vida são os elos que devem mantê-los unidos. Paulo apela aos gálatas para se tornarem como ele, numa referência à liberdade da lei e à liberdade que eles têm como filhos de Deus.[365] Por que Paulo faz isso? Porque, sendo ele judeu de nascimento, escolhera o método da fé. Eles, tendo aceitado a fé cristã uma vez, estavam agora prontos a recusá-la a favor do método da lei, que até o apóstolo rejeitara.[366]

Para John Stott, esse apelo só pode significar uma coisa. Paulo desejava que os gálatas se tornassem iguais a ele na sua vida e fé cristã, que fossem libertados da influência maligna dos falsos mestres e que compartilhassem suas convicções acerca da verdade como encontrada em Jesus, acerca da liberdade com a qual Cristo nos libertou. Em outras palavras, Paulo queria que se tornassem como ele na sua liberdade cristã.[367] Na mesma linha de pensamento, Donald Guthrie argumenta: Paulo tinha sido um judeu acorrentado pela lei, mas se tornara como os judeus na ocasião em que foram convertidos, isto é, libertados dos escrúpulos das observâncias legais. Seu apelo, portanto, é que lhe imitassem, permanecendo livres de tais escrúpulos. A força do apelo está no fato de Paulo saber por experiência própria aquilo que os gálatas não sabem, isto é, a angústia da escravidão do legalismo judaico.[368]

Quando Paulo diz: "pois também eu sou como vós", a referência é provavelmente às suas visitas a eles. Quando Paulo os visitou na Galácia, não manteve distância, nem assumiu ares de dignidade, mas foi igual aos gálatas. Colocou-se no lugar deles e identificou-se com eles. Embora fosse judeu, tornou-se um gentio como eles (1Co 9.20-22).[369] John Stott destaca que Paulo está ensinando aqui um importante princípio e uma grande estratégia para pastores e missionários: quando buscamos ganhar outras pessoas para Cristo, nossa intenção é fazê-las iguais a nós, enquanto o meio para chegar a esse fim é fazer-se igual a elas. Para que elas se tornem iguais a nós em nossa convicção e experiência cristã, temos de primeiramente nos tornar iguais a elas em compaixão cristã.[370]

Em segundo lugar, *um pastor que se humilha diante das ovelhas*. "Irmãos, assim vos suplico..." (4.12b). Paulo tinha autoridade para ordenar, mas como pastor resolve rogar. Como um pastor sábio, Paulo deixa de lado a repreensão e começa a usar súplicas.[371] Entre nada menos de dez palavras diferentes no idioma grego para "pedir", *deomai* encontra-se num nível elevado.[372] É essa palavra que Paulo usa. A humildade não diminui Paulo; antes, o enaltece e pavimenta o caminho para relacionamentos mais profundos com os crentes da Galácia. A humildade não é o despojamento da autoridade, é sua glória mais excelsa.

Em terceiro lugar, *um pastor que anseia por relacionamentos mais profundos com as ovelhas*. "Em nada me ofendestes" (4.12c). Paulo não tem queixas quanto ao tratamento que lhe dispensaram antes. Ao contrário, o comportamento deles então fora exemplar.[373] Paulo evoca o passado para lançar luz no presente e pavimentar o caminho do futuro. Ele quer restabelecer os laços estremecidos. Paulo é um pastor, não um falso mestre. Seu interesse é buscar o bem das ovelhas, não o próprio bem-estar. Ele anseia por relacionamentos profundos, não por recompensas pessoais. Ele busca conhecer as ovelhas, não explorá-las.

A enfermidade de Paulo (4.13,14)

Paulo foi certamente o maior teólogo, o maior evangelista, o maior pastor e o maior plantador de igrejas do cristianismo. Ele plantou igrejas nas províncias da Galácia, Macedônia, Acaia e Ásia Menor. Escreveu a maior parte do Novo Testamento. Enfrentou toda sorte de pressões e privações, foi preso, açoitado, fustigado com varas e apedrejado. Superou naufrágios e terminou várias vezes escorraçado das cidades. Foi não poucas vezes acusado pelos incrédulos e também pelos crentes, perseguido pelos de fora e também pelos de dentro da igreja. Porém, além de todas as circunstâncias adversas, Paulo também lidou com o drama da enfermidade. Ele, que foi instrumento de Deus para curar tantos enfermos em muitos lugares, não alcançou para si mesmo a cura.

Duas verdades merecem destaque na passagem em apreço.

Em primeiro lugar, *doente, porém não inativo*. "E vós sabeis que vos preguei o evangelho a primeira vez por causa de uma enfermidade física" (4.13). A enfermidade de Paulo enfraquecia seu corpo e doía em sua carne, mas não paralisava seus pés nem fechava seus lábios. A doença de Paulo não o tornou inativo; apenas mais quebrantado e dependente da graça. Longe de impedi-lo de ir à Galácia, a enfermidade foi a causa que o levou àquela província. Longe de ser uma porta fechada para o ministério, foi uma porta aberta para a evangelização.

Identificar a doença de Paulo é um assunto ainda em debate. Donald Guthrie diz que não há como saber qual era a enfermidade do apóstolo e conjecturar parece inútil.[374] É provável que essa doença seja o mesmo espinho na carne mencionado em 2Coríntios 12.7. A palavra grega *astheneia* define uma fraqueza ou enfermidade física. Alguns defendem que Paulo foi contaminado por malária nos pântanos infestados de mosquitos do litoral da Panfília (At 13.13), tendo chegado à Galácia sob o poder de uma ardente febre. Outros defendem que sejam os variados sofrimentos e perseguições suportados por Paulo quando passou por essa região (2Tm 3.10,11).

Outros ainda defendem a tese de que a enfermidade de Paulo era um problema de oftalmia, ou seja, um problema de visão. São muitas as razões que nos levam a pensar nessa tese. Quando Paulo se converteu no caminho de Damasco, ficou cego pelo fulgor da revelação de Cristo (At 9.8,9). Três dias depois Ananias orou por ele, quando lhe caíram dos olhos como que umas escamas, e Paulo tornou a ver (At 9.17,18). Logo na sua primeira viagem missionária, somos informados que Paulo foi à Galácia por causa de uma enfermidade física, e os crentes se compadeceram a tal ponto que estavam dispostos a arrancar os próprios olhos para lhe dar (4.15). Quando encerra a Carta aos Gálatas, o apóstolo diz: "Vede com que letras grandes vos escrevi de meu próprio punho" (6.11). Paulo usava um amanuense para escrever suas cartas. Além disso, quando esteve preso em Jerusalém, não conseguiu reconhecer o sumo sacerdote à sua frente (At 23.1-5).

Em segundo lugar, *doente, porém não rejeitado*. "E, posto que a minha enfermidade na carne vos foi uma tentação, contudo, não me revelastes desprezo nem desgosto..." (4.14a). A doença de Paulo não foi um impedimento para o apóstolo nem uma barreira para as igrejas da Galácia, mesmo sendo a enfermidade considerada tanto por judeus e gentios um sinal do desagrado de Deus.[375] Eles não se envergonharam de Paulo por causa de sua enfermidade. Não o trataram com indiferença desdenhosa nem com aversão repulsiva. Não o desprezaram por causa de sua aparência e fragilidade. É muito provável que a doença de Paulo o deixasse com uma aparência desfigurada a ponto de ser uma tentação para os crentes da Galácia. Estes, ao contrário, acolheram-no como um enviado de Deus, como um anjo de Deus, como um embaixador em nome de Cristo, como se fosse o próprio Cristo. Deram-lhe a honra devida, por estar falando em nome de Cristo a palavra de Cristo.

Warren Wiersbe corretamente diz que é maravilhoso quando as pessoas aceitam os servos de Deus não em função de sua aparência exterior, mas sim porque são representantes do Senhor e trazem consigo a mensagem dele.[376]

A acolhida de Paulo (4.14b,15)

Paulo relembra aos crentes da Galácia como fora a sua chegada entre eles antes da maléfica influência dos falsos mestres. Recorda como a atitude deles no passado fora benigna e como agora eles se haviam tornado duros e cáusticos. Há um ditado que diz: "Quando os filhos são pequenos, pisam nos pés da mãe; quando crescem, pisam em seu coração". Duas atitudes marcaram os crentes da Galácia nessa acolhida a Paulo, quando ele lhes pregou o evangelho pela primeira vez.

Em primeiro lugar, *Paulo foi recebido com honra*. "... antes, me recebestes como anjo de Deus, como o próprio Cristo Jesus" (4.14b). Paulo foi recebido como anjo, ou seja, como mensageiro de Deus e como o próprio Cristo. Uma vez que era um apóstolo de Cristo, Paulo falava em nome dele e o representava. Assim, quem recebe o enviado de Cristo recebe o próprio Cristo. Jesus disse: "Quem vos recebe, a mim me recebe; e quem me recebe, recebe aquele que me enviou" (Mt 10.40). Segundo Adolf Pohl os gálatas não veneraram Paulo como figura celestial, uma atitude que o apóstolo com certeza não elogiaria. O episódio estava no nível de 1Tessalonicenses 2.13, não de Atos 14.11-15.[377]

Em segundo lugar, *Paulo foi recebido com empatia*. "Que é feito, pois, da vossa exultação? Pois vos dou testemunho de que, se possível fora, teríeis arrancado os próprios olhos para mos dar" (4.15). Os crentes da Galácia não apenas acolheram Paulo com efusividade, mas também com profunda compaixão. Estavam prontos a arrancar os próprios olhos para dá-los a Paulo. Estavam dispostos a fazer sacrifícios para socorrê-lo. Demonstravam empatia e disposição para o sacrifício.

A rejeição de Paulo (4.16-18)

A influência maligna dos falsos mestres nas igrejas da Galácia levou os crentes a mudarem radicalmente sua postura em relação ao apóstolo. Longe de acolher Paulo; agora, eles o rejeitam veementemente. Dois pontos merecem destaque.

Em primeiro lugar, *Paulo é considerado inimigo por causa da verdade*. "Tornei-me, porventura, vosso inimigo, por vos dizer a verdade?" (4.16). A pregação da verdade passou a ser vista pelos crentes da Galácia como uma afronta. Tornaram-se inimigos de Paulo por este lhes pregar a verdade. Mas qual era a verdade que Paulo estava pregando e que despertou nesses crentes tamanha aversão? Era a verdade de que eles estavam abandonando o evangelho da graça para retrocederem à escravidão da lei. Os crentes da Galácia preferiram ser bajulados pelos falsos mestres judaizantes a serem confrontados pela verdade pelo apóstolo. A verdade, porém, que fere a consciência é o remédio que traz cura, mas o bálsamo da mentira é o veneno que mata. João Calvino diz que a verdade nunca é detestável, exceto em face da perversidade e malícia daqueles que não suportam ouvi-la. O ódio pela verdade transforma amigos em inimigos.[378]

John Stott oportunamente destaca que temos aqui uma importante lição. Quando os gálatas reconheceram a autoridade apostólica de Paulo, eles o trataram como um anjo de Deus, como Cristo Jesus. Porém, quando não gostaram de sua mensagem, tornaram-se inimigos dele. A autoridade de um apóstolo não acaba quando ele começa a ensinar verdades impopulares. Não podemos ser seletivos na leitura da doutrina apostólica do Novo Testamento. Os apóstolos de Jesus Cristo têm autoridade em tudo o que ensinam, quer gostemos, quer não.[379]

Em segundo lugar, *Paulo é abandonado por causa dos falsos mestres*. "Os que vos obsequiam não o fazem sinceramente, mas querem afastar-vos de mim, para que o vosso zelo seja em favor deles. É bom ser sempre zeloso pelo bem e não apenas quando estou convosco" (4.17,18). Os falsos mestres encheram os crentes da Galácia de elogios e bajulações, mas não eram honestos nessa devoção. Seus encômios não eram sinceros. Eram palavras agradáveis, mas hipócritas. O propósito desses falsos mestres era afastar os crentes de Paulo e consequentemente da verdade do evangelho. Eles queriam que os crentes fossem fiéis a eles, e não a Cristo. Calvino diz que esse é o estratagema comum a todos os ministros de Satanás. Ao produzirem nas pessoas um desgosto por seu pastor, esperam, depois, atraí-las para si mesmos. E, deposto o rival, assumem o seu lugar.[380]

Mas o zelo de Paulo por eles não era hipócrita. A verdade era a marca tanto da teologia de Paulo como de seu comportamento. Ele testemunhou o mesmo aos crentes de Corinto: "Porque zelo por vós com zelo de Deus; visto que vos tenho preparado para vos apresentar como virgem pura a um só esposo, que é Cristo. Mas receio que, assim como a serpente enganou a Eva com a sua astúcia, assim também seja corrompida a vossa mente e se aparte da simplicidade e pureza devidas a Cristo" (2Co 11.2,3).

Mais uma vez John Stott é oportuno ao escrever:

> Quando o cristianismo é considerado como liberdade em Cristo (e é o que é), os cristãos não ficam em subserviência para com os

seus mestres humanos, porque sua ambição é alcançar a maturidade em Cristo. Mas quando o cristianismo transforma-se em servidão a regras e regulamentos, suas vítimas ficam inevitavelmente sujeitas, amarradas aos seus mestres, como na Idade Média.[381]

A agonia de Paulo (4.19,20)

Depois de tratar os crentes da Galácia de irmãos e filhos, Paulo se apresenta a eles como uma mãe, que está em agonia de parto para dar à luz. Quatro verdades merecem destaque aqui.

Em primeiro lugar, *um pastor que aprofunda relacionamentos.* "Meus filhos..." (4.19a). Como apóstolo e pai na fé dos crentes da Galácia, Paulo demonstrou várias vezes seu profundo desgosto pela atitude imatura deles ao abandonar tão depressa o evangelho verdadeiro por um falso evangelho (1.6,7). Chamou-os de insensatos (3.1). Chega a dizer que pensou ter trabalhado em vão entre eles (4.11). Agora, porém, Paulo, num tom pastoral, cheio de ternura, os chama de "irmãos" (4.12), "filhos" (4.19) e apresenta-se a eles como uma "mãe" (4.19).

William Barclay diz que ninguém pode deixar de ver o profundo afeto dessas palavras: "Meus filhos". O diminutivo tanto no latim como no grego expressam sempre um profundo afeto. João usa com frequência essa expressão; mas Paulo não a utiliza em nenhuma outra passagem. Aqui seu coração desabrocha. Ele suspira com ternura pelos filhos desviados.[382] Na mesma linha de pensamento, Donald Guthrie mostra que é surpreendente ver que Paulo usa *teknia,* um termo de afeição especial numa epístola que começa sem nenhuma saudação afetuosa.[383]

O amor de Paulo pelos crentes da Galácia levou-o à agonia. A agonia da mãe que está prestes a dar à luz não termina em choro, mas em alegria. Não termina em desespero, mas em vívida esperança.

Em segundo lugar, *um pastor que gera filhos espirituais.* "... por quem, de novo, sofro as dores de parto..." (4.19b). Paulo não era um teólogo de gabinete. Não era apenas um mestre doutrinador, mas, sobretudo, um evangelista, um ganhador de almas. O apóstolo não foi apenas pai espiritual daqueles crentes, mas também uma mãe que os deu à luz e por eles sofreu as dores do parto. Paulo agoniza pelos crentes da Galácia até o fim, comparando seu sofrimento às dores de parto. Ele já estivera em trabalho de parto por eles anteriormente, quando da conversão dos gálatas, quando eles nasceram de novo; agora o afastamento deles provocava outro parto. Mais uma vez, Paulo estava em trabalho de parto. Na primeira vez houvera uma espécie de aborto; dessa vez, ele anseia que Cristo seja verdadeiramente formado neles.[384]

Donald Guthrie diz que em 1Tessalonicenses 2.7, Paulo retrata a si mesmo como uma ama, ao passo que aqui é mais arrojado na sua ilustração, pois usa a metáfora do parto. Pensa na dor e nas dificuldades ligadas ao parto e transfere a figura de linhagem para o próprio relacionamento com suas "criancinhas".[385]

Em terceiro lugar, *um pastor que busca a maturidade dos crentes.* "... até ser Cristo formado em vós" (4.19c). Paulo não se satisfaz em que Cristo habite neles; anseia ver Cristo formado neles e vê-los transformados à imagem de Cristo.[386] A palavra grega *morfothe* deixa claro que a forma significa a forma essencial, e não a aparência exterior. A ideia, portanto, é de caráter realmente semelhante a Cristo.[387]

Os crentes da Galácia que estavam voltando à escravidão do judaísmo, abandonando sua liberdade em Cristo, eram como abortos, filhos que não chegaram a nascer e desenvolver. Paulo, porém, não desistiu deles, mas sofria novamente por eles, como que uma segunda gestação, a fim de que nascessem saudáveis para a maturidade. Não basta nascer, é preciso crescer rumo à maturidade. Portanto, qualquer sistema religioso que não produza o caráter de Cristo na vida de seus adeptos não é totalmente cristão.

Adolf Pohl diz com razão que no meio dos gálatas o evangelho foi mudado (1.6), de modo que faltava agora a "verdade do evangelho" (2.5,14) e, em decorrência, também a "liberdade do evangelho" a que faziam jus (2.4). Eles estavam caindo de volta sob a escravidão dos fracos e precários rudimentos do mundo, entre outras, na forma de observação religiosa do calendário judaico (4.8-11). Tudo isso, porém, atingia o próprio Cristo. Perdeu o sentido para eles a vinda de Cristo dentro das condições da lei (3.25; 4.4,5). Ele tinha "morrido em vão", não produzindo justiça (2.21) para eles. Ele não "servia para nada" (5.2), um Cristo impotente e, sob esse aspecto, sem perfil (5.4).[388]

Nas palavras de Calvino, os gálatas precisavam ser outra vez nutridos no ventre, como se ainda não estivessem plenamente formados. Ser Cristo formado em nós é o mesmo que sermos formados em Cristo. Ele nasce em nós para que vivamos sua vida. Visto que a genuína imagem de Cristo foi deformada por meio das superstições introduzidas pelos falsos apóstolos, Paulo se esforça para restaurá-la em toda a sua perfeição e esplendor. Isto é feito pelos ministros do evangelho, quando eles dão leite às crianças e alimento sólido aos adultos (Hb 5.13,14).[389]

Em quarto lugar, *um pastor que fica perplexo com a imaturidade de seus filhos*. "Pudera eu estar presente, agora, convosco e falar-vos em outro tom de voz; porque me vejo perplexo a vosso respeito" (4.20). Paulo está boquiaberto e perplexo com a inconstância dos gálatas. A palavra grega *aporeomai,* traduzida por "perplexo", significa literalmente estar sem caminho, de maneira que não se sabe ir nem para a frente nem para trás, dependendo, constrangido, de ajuda.[390] Paulo não pode entender como eles saíram da escravidão dos deuses falsos para outra escravidão, a escravidão do legalismo judaico. Não consegue entender como eles deixaram a verdade para abraçar a mentira; como abandonaram seu pastor para dar guarida às bajulações dos falsos mestres.

A despeito de estar perplexo e desnorteado, Paulo lastima ter de usar um tom tão firme e agressivo; ele anseia por vê-los face a face, pois confia em que irão cooperar e, portanto, poderá mudar o tom de voz. Seu forte desejo é mostrar-lhes o calor do seu coração.[391]

Calvino diz que, se os ministros do evangelho querem fazer alguma coisa, devem esforçar-se para formar a Cristo, e não eles próprios, em seus ouvintes.[392] Fazendo uma síntese da passagem em apreço, queremos concluir esta exposição com as palavras de John Stott:

> O que deveria importar ao povo não é a aparência do pastor, mas se Cristo está falando por intermédio dele. E o que deveria importar ao pastor não é a boa vontade das pessoas, mas se Cristo está sendo formado nelas. A igreja precisa de gente que, ouvindo o pastor, ouça a mensagem de Cristo, e de pastores que, trabalhando entre as pessoas, busquem a imagem de Cristo. Apenas quando o pastor e a congregação mantiverem assim os olhos em Cristo, só então o seu relacionamento mútuo vai se manter sadio, proveitoso e agradável ao Deus Todo-poderoso.[393]

NOTAS DO CAPÍTULO 11

[359] GUTHRIE, Donald. *Gálatas: introdução e comentário*, p. 150.
[360] HENDRIKSEN, Guillermo. *Gálatas*, p. 177.
[361] STOTT, John. *A mensagem de Gálatas*, p. 104.
[362] WIERSBE, Warren W. *Comentário bíblico expositivo*, p. 925.
[363] BARCLAY, William. *Gálatas y Efesios*, p. 48.
[364] HOWARD, R. E. *A Epístola aos Gálatas*, p. 56.
[365] RIENECKER, Fritz; ROGERS, Cleon. *Chave linguística do Novo Testamento grego*, p. 379.
[366] HOWARD, R. E. *A Epístola aos Gálatas*, p. 56.
[367] STOTT, John. *A mensagem de Gálatas*, p. 105.
[368] GUTHRIE, Donald. *Gálatas: introdução e comentário*, p. 150.
[369] STOTT, John. *A mensagem de Gálatas*, p. 105.
[370] STOTT, John. *A mensagem de Gálatas*, p. 105.
[371] CALVINO, João. *Gálatas*, 2007, p. 117.
[372] POHL, Adolf. *Carta aos Gálatas*, 1999, p. 152.
[373] STOTT, John. *A mensagem de Gálatas*, p. 106.
[374] GUTHRIE, Donald. *Gálatas: introdução e comentário*, p. 151.
[375] Jó 4.7; Jo 9.2; At 28.4.
[376] WIERSBE, Warren W. *Comentário bíblico expositivo*, p. 926.
[377] POHL, Adolf. *Carta aos Gálatas*, 1999, p. 153.
[378] CALVINO, João. *Gálatas*, 2007, p. 121.
[379] STOTT, John. *A mensagem de Gálatas*, p. 108.
[380] CALVINO, João. *Gálatas*, 2007, p. 122.
[381] STOTT, John. *A mensagem de Gálatas*, p. 108.
[382] BARCLAY, William. *Gálatas y Efesios*, p. 50.
[383] GUTHRIE, Donald. *Gálatas: introdução e comentário*, p. 154.
[384] STOTT, John. *A mensagem de Gálatas*, p. 109.
[385] GUTHRIE, Donald. *Gálatas: introdução e comentário*, p. 154,155.
[386] STOTT, John. *A mensagem de Gálatas*, p. 109.
[387] RIENECKER, Fritz; ROGERS, Cleon. *Chave linguística do Novo Testamento grego*, p. 379.
[388] POHL, Adolf. *Carta aos Gálatas*, 1999, p. 156.
[389] CALVINO, João. *Gálatas*, 2007, p. 123.
[390] POHL, Adolf. *Carta aos Gálatas*, 1999, p. 153.
[391] GUTHRIE, Donald. *Gálatas: introdução e comentário*, p. 155.
[392] CALVINO, João. *Gálatas*, 2007, p. 123,124.
[393] STOTT, John. *A mensagem de Gálatas*, p. 111.

Capítulo 12

A liberdade da fé ou a escravidão da lei?

(Gl 4.21-31)

O APÓSTOLO PAULO está concluindo a seção doutrinária de sua Carta aos Gálatas. Está usando seu último argumento para provar a justificação pela graça, mediante a fé, no lugar da salvação pelas obras da lei. O contexto ainda mostra que Paulo está refutando os falsos mestres judaizantes que perturbavam a igreja e adulteravam a verdade. À guisa de introdução, dois pontos devem ser destacados.

Em primeiro lugar, *um chamado ao debate*. "Dizei-me vós, os que quereis estar sob a lei..." (4.21a). Paulo está chamando para o debate aqueles que se opunham a seu ensino e queriam estar sob a lei, rejeitando o evangelho da graça. Paulo não se esconde nem se intimida. Ele entra na arena do confronto, aceita o debate e como apologeta afiado se levanta em defesa da verdade.

Adolf Pohl diz que, diante da pressão dos judaístas (6.12,13), os crentes da Galácia já haviam concordado em se deixar circuncidar (5.2). O argumento de Paulo é que quem queria a circuncisão na prática queria a lei (5.3) e queria estar sob a lei (4.21).[394]

"Dizei-me vós, os que quereis estar sob a lei..." (4.21a). Essas palavras de Paulo são endereçadas às pessoas cuja religião é legalista, que imaginam que o caminho a Deus é por meio da observância de certas regras. São indivíduos que transformam o evangelho em lei e supõem que o seu relacionamento com Deus depende de uma obediência restrita a regulamentos, tradições e cerimônias. São até crentes professos, mas que vivem escravizados por esses preceitos.[395]

Em segundo lugar, *um alerta aos debatedores*. "... acaso, não ouvis a lei?" (4.21b). Paulo vai ao terreno de seus opositores e os chama para o confronto em seu próprio território, capturando-os com o laço de sua própria lógica. Paulo diz aos seus opositores que estar sob a lei é o caminho da servidão, pois a verdade dos fatos é que aqueles que estão sob a lei estão debaixo de escravidão. Isso porque a própria lei da qual querem ser servos se levantará como seu juiz para condená-los. A lei foi dada não para salvar, mas para mostrar a necessidade do Salvador. O propósito da lei é revelar o pecado, tomar o pecador pela mão e levá-lo ao Salvador. A lei não é um fim, mas um meio. Seu papel não é abrir as portas da prisão, mas encerrar o pecador na prisão, a fim de que ele se desespere de si mesmo e busque o libertador.

John Stott diz que são três os estágios no argumento desse parágrafo: o primeiro é histórico, o segundo é alegórico, e o terceiro, pessoal. Nos versículos históricos (4.22,23), Paulo lembra a seus leitores que Abraão teve dois filhos: Ismael, filho de uma escrava, e Isaque, filho de uma mulher livre. Nos versículos alegóricos (4.24-27), ele argumenta que esses dois filhos e suas mães representam duas religiões: uma religião de servidão, que é o judaísmo, e uma religião de liberdade, que é o cristianismo. Nos versículos pessoais (4.28-31), ele aplica a sua alegoria a nós. Se somos cristãos, não somos como Ismael (escravos), mas como Isaque (livres). Finalmente, o apóstolo demonstra o que devemos esperar se nos parecemos com Isaque.[396]

O método alegórico era bem conhecido dos rabinos. Foi adotado pela escola de Alexandria e seguido por Orígenes e outros Pais da igreja. De acordo com William Barclay, para os rabinos judeus toda passagem da Escritura possuía quatro significados: 1) *Peshat*: o significado simples e literal; 2) *Remaz*: o significado sugerido; 3) *Derush*: o significado implícito, que se deduzia por investigação; 4) *Sod*: o sentido alegórico. As primeiras letras dessas quatro palavras – PRDS – são as consoantes da palavra "paraíso" (*paradise* em inglês), e segundo os rabinos, quando alguém conseguia penetrar esses quatro significados diferentes, alcançava a glória do paraíso.[397]

O que é uma alegoria? Roy Zuck esclarece que alegorizar é procurar um sentido oculto ou obscuro que se acha por trás do significado mais evidente do texto, mas lhe está distante e na verdade dissociado. Em outras palavras, o sentido literal é uma espécie de código que precisa ser decifrado para revelar o sentido mais importante e oculto. Segundo esse método, o literal é superficial, e o alegórico é o que apresenta o verdadeiro significado.[398]

João Calvino tem o cuidado de explicar que o texto em tela não endossa o método alegórico como a maneira normativa de interpretarmos as Escrituras. O verdadeiro significado da Escritura é o natural e o óbvio. Certamente Paulo não quis dizer que Moisés escreveu a história para que ela fosse transformada em uma alegoria.[399] R. E. Howard está certo quando diz que Paulo usou métodos rabínicos em virtude do seu desejo de enfrentar seus oponentes no nível deles e por ter sido essa sua formação educacional.[400] Dessa forma, nesse caso, a alegoria foi uma ilustração confirmatória da verdade que, por argumentação, Paulo já havia provado convincentemente.[401]

Vamos agora examinar essa passagem e observar suas implicações espirituais.

Os dois filhos de Abraão – duas realidades espirituais (4.22-27)

Os judeus gloriavam-se no fato de serem descendentes de Abraão. Viam nesse parentesco um refúgio seguro de sua salvação. Julgavam-se filhos de Abraão e por isso livres (Jo 8.31-44). Porém, os verdadeiros filhos de Abraão não são seus descentes físicos, mas seus descendentes espirituais. Ser filho de Abraão não é ter o sangue de Abraão correndo em suas veias, mas ter a fé de Abraão em seu coração (3.29; Rm 4.16).

Paulo confronta aqueles que cultivavam uma falsa esperança no seu parentesco com Abraão para dizer que o patriarca tinha dois filhos, porém de mães diferentes e de naturezas diferentes. Ismael era filho de Hagar, uma mulher escrava, e nasceu segundo a carne. Isaque era filho de Sara, a mulher livre, e nasceu segundo a promessa.

John Stott argumenta que Isaque não nasceu segundo a natureza, mas, antes, contra a natureza. Seu pai tinha 100 anos de idade e sua mãe, que fora estéril, tinha mais de 90 anos. Hebreus 11.11 diz o seguinte: "Pela fé, também, a própria Sara recebeu poder para ser mãe, não obstante o avançado de sua idade, pois teve por fiel aquele que lhe havia feito a promessa". Ismael nasceu segundo a natureza, mas Isaque contra a natureza, sobrenaturalmente, por meio de uma promessa excepcional de Deus.[402]

Ismael é símbolo da lei, e Isaque é símbolo da graça. Um nasceu segundo a carne, e o outro segundo a promessa. Essas duas diferenças entre os filhos de Abraão, Ismael tendo nascido escravo segundo a natureza, e Isaque tendo nascido livre segundo a promessa, Paulo considera "alegóricas". Todos são escravos por natureza, até que no cumprimento da promessa de Deus sejam libertados. Portanto, todos são Ismaéis ou Isaques, sejam escravos por natureza ou livres pela graça de Deus.[403]

Vamos examinar mais detidamente esses dois filhos.

Em primeiro lugar, *Ismael, símbolo da escravidão.* Ismael é filho de Abraão e Hagar. Nasceu da mulher escrava, não por promessa de Deus, mas por precipitação humana. Nasceu como fruto da incredulidade de Abraão e Sara, que por um momento duvidaram da promessa. Quatro verdades podem ser ditas acerca de Ismael como símbolo da escravidão daqueles que vivem sob a lei.

Primeiro, *Ismael é filho da escrava.* "Pois está escrito que Abraão teve dois filhos, um da mulher escrava..." (4.22a). Ismael era filho de Abraão, mas não filho da promessa. Era filho de Abraão, mas não filho da mulher livre. Era filho de Abraão, mas não o prometido por Deus. Era filho de Abraão, mas não o herdeiro de Abraão. De acordo com o direito antigo, uma escrava sempre dava à luz para a escravidão, mesmo quando o pai da criança era um homem livre. Não bastava ser filho de Abraão. Era preciso ser filho de Abraão como Isaque, o filho livre e herdeiro, não como Ismael.[404]

Segundo, *Ismael nasceu segundo a carne*. "Mas o da escrava nasceu segundo a carne..." (4.23a). Ismael nasceu de forma natural. Não houve nenhum milagre em sua concepção. Não foi prometido nem houve nenhuma intervenção sobrenatural de Deus em seu nascimento. Seu nascimento foi uma escolha puramente humana, um esforço da carne.

Donald Guthrie tem razão em dizer que Ismael foi o resultado da confiança de Abraão no planejamento humano em vez da confiança na promessa de Deus.[405] William Hendriksen diz que, quando Paulo afirma que Ismael "nasceu segundo a carne", ele tem duas coisas em mente: que Ismael nasceu segundo um propósito carnal (Gn 16.2) e em virtude da capacidade física que Abraão e Hagar tinham (Gn 16.4).[406] Adolf Pohl complementa que Abraão e Sara tentaram empurrar a aliança para a linhagem de Ismael e é nesse sentido que agem "segundo a carne", a saber, distantes de Deus.[407]

Terceiro, *Ismael nasceu para a escravidão*. "Estas coisas são alegóricas; porque estas mulheres são duas alianças; uma, na verdade, se refere ao monte Sinai, que gera para escravidão; esta é Hagar" (4.24). Hagar, mãe de Ismael é o símbolo da antiga aliança. Na antiga aliança tudo depende do homem. Essa é a lei. Ela ordena ao homem: "Faça, e você viverá". A lei exige tudo. Exige perfeição. Àqueles que não cumprem seus preceitos, lavra-lhes a sentença de morte, pois maldito é aquele que não permanecer em toda a obra da lei para cumpri-la (3.13). A lei não liberta, mas escraviza. A lei não salva, mas condena. Os que vivem sob a lei são filhos da escrava e nascem para a escravidão.

Quarto, *Ismael persegue o filho da livre.* "Como, porém, outrora, o que nascera segundo a carne perseguia ao que nasceu segundo o Espírito, assim também agora" (4.29). Possivelmente Isaque foi desmamado aos 3 anos de idade, segundo a tradição dos hebreus. Nesse tempo, Ismael já era um adolescente de 17 anos. Foi exatamente na festa de Isaque que Ismael caçoou do irmão e o desprezou. Paulo viu nessa atitude um ato de perseguição que perdurou entre os povos procedentes de Ismael e o povo procedente de Isaque; também viu uma perseguição que avançou pelos séculos sem conta da parte daqueles que querem ser salvos pela lei aos que recebem a salvação pela fé em Cristo Jesus.

Em segundo lugar, *Isaque é símbolo da liberdade.* Isaque é filho de Abraão e Sara. É filho da promessa e herdeiro das bênçãos. Warren Wiersbe diz que Isaque ilustra o cristão em vários aspectos: ele nasceu pelo poder de Deus, trouxe alegria, cresceu e foi desmamado, e acabou perseguido.[408] Quatro verdades são destacadas por Paulo acerca de Isaque.

Primeiro, *Isaque nasceu como filho da mulher livre.* "... e outro da livre" (4.22b). Sara, mãe de Isaque, era a legítima mulher de Abraão. Era mulher livre, e não uma escrava. Isaque nasceu da livre, e não da escrava. Nasceu para a liberdade, e não para a escravidão.

Segundo, *Isaque nasceu mediante a promessa.* "... o da livre, mediante a promessa" (4.23b). Se Ismael nasceu de uma conjunção puramente carnal entre Abraão e Hagar, Isaque nasceu por intervenção sobrenatural de Deus. E isso por duas razões. Primeiro, porque tanto Abraão como Sara já estavam avançados em idade e não poderiam mais gerar naturalmente. Isaque é fruto de um milagre de ressurreição (Rm 4.17-25). Segundo, porque Sara era estéril, e seu ventre estéril não poderia conceber. Por isso, Isaque é filho da promessa e nasceu no tempo de Deus, da maneira sobrenatural de Deus.

Terceiro, *Isaque nasceu segundo o Espírito*. "Como, porém, outrora, o que nascera segundo a carne perseguia ao que nasceu segundo o Espírito, assim também agora" (4.29). Isaque nasceu por intervenção direta de Deus. Ele não nasceu apenas por uma conjunção carnal entre Abraão e Sara, mas mediante uma ação milagrosa do próprio Espírito Santo. Assim também são os crentes em Cristo. Eles nascem não segundo a carne nem segundo a vontade do homem, mas de cima, do alto, do Espírito.

Quarto, *Isaque nasceu para ser o herdeiro de tudo*. "Contudo, que diz a Escritura? Lança fora a escrava e seu filho, porque de modo algum o filho da escrava será herdeiro com o filho da livre" (4.30). Ismael, o filho da escrava não herdou com Isaque, o filho da mulher livre. Isaque é o herdeiro de tudo. As bênçãos espirituais são dádivas da graça, e não resultado do esforço humano. As riquezas eternas são confiadas aos filhos, ou seja, aqueles que recebem a Cristo como Salvador, e não aos escravos que vivem sob a tirania da lei (Rm 8.17).

As duas mulheres – duas alianças (4.22-27)

Tendo apresentado Ismael e Isaque como dois filhos de Abraão, representando aqueles que vivem na escravidão sob a lei e aqueles que vivem na liberdade sob a graça, Paulo agora apresenta as duas mulheres de Abraão, bem como as duas Jerusaléns, símbolos da antiga e da nova aliança. Assim, as duas mulheres, Hagar e Sara, bem como as duas Jerusaléns, a terrena e a celestial, representam as duas alianças, a antiga e a nova. John Stott esclarece de forma objetiva essas duas alianças:

> É impossível entender a Bíblia sem entender as duas alianças. Afinal, nossa Bíblia está dividida no meio, em dois Testamentos, o Antigo e o Novo, apresentando as duas "Alianças", a Antiga e a Nova. Uma aliança é um acordo solene entre Deus e os homens, por meio do qual ele os transforma em seu povo e promete ser o seu Deus. Deus estabeleceu a antiga aliança por intermédio de Moisés e a nova por intermédio de Cristo, cujo sangue a ratificou. A antiga aliança (mosaica) fundamentava-se na lei; mas a nova aliança (cristã), figurada em Abraão e profetizada por Jeremias, fundamentava-se em promessas. Na lei Deus colocou responsabilidades sobre as pessoas e disse: "Farás... não farás..."; mas, na promessa, Deus assume ele próprio a responsabilidade, dizendo: "Eu farei...".[409]

Vamos olhar mais detidamente essas mulheres, símbolos da antiga e da nova aliança.

Em primeiro lugar, *Hagar, símbolo da velha aliança.* Hagar é a mulher escrava que gera para a escravidão. Ela é tipificada pelo monte Sinai e pela Jerusalém terrena. Representa aqueles que confiam na lei para a sua salvação. Três fatos nos são apresentados por Paulo.

Primeiro, *Hagar é escrava.* "Mas o da escrava nasceu segundo a carne..." (4.23a). Cinco vezes nesta seção, Hagar é chamada de "escrava" (4.22,23,30,31). Hagar não era mulher de Abraão, mas foi dada a ele como tal, para dessa relação temporária nascer um filho, com a vã expectativa de que fosse o filho da promessa. Mas a precipitação humana não anula o propósito de Deus, nem a escrava substitui a livre, da mesma forma que o filho da escravidão não pode ser o filho da promessa nem o herdeiro das bênçãos.

Segundo, *Hagar é símbolo do monte Sinai e da Jerusalém atual.* "Ora, Hagar é o monte Sinai, na Arábia, e corresponde à Jerusalém atual, que está em escravidão com seus filhos"

(4.25). Paulo diz que Hagar é o monte Sinai e corresponde à Jerusalém atual. Ela e seus filhos estão em escravidão. Esse é o judaísmo. Esse é o legalismo. O Sinai e Jerusalém representam a religião estribada no mérito. É a religião das obras. É a religião da escravidão. Adolf Pohl diz que Hagar é mãe do escravagismo, e, conforme Gálatas 3.22–4.3, a lei é uma prisão, um vigilante ou tutor. Quem tem a lei como mãe, a ponto de não ter nada além do que a lei lhe dá, permanece perpetuamente escravo.[410]

Warren Wiersbe alerta para o fato de o legalismo ser um dos maiores problemas entre os cristãos ainda hoje. O legalismo não significa determinar padrões espirituais; significa idolatrar esses padrões e pensar que somos espirituais porque lhes obedecemos. Também significa julgar outros cristãos com base nisso. Alguém pode deixar de fumar, beber e frequentar casas de espetáculos, por exemplo, e ainda assim não ser espiritual. Os fariseus viviam de acordo com padrões elevados, e ainda assim crucificaram a Jesus.[411] R. E. Howard conclui esse ponto, dizendo que a comunidade judaica (que vive pela lei) é filha da Jerusalém na Palestina, mas a comunidade cristã (que vive pela fé) é filha da Jerusalém eterna.[412]

Terceiro, *Hagar gera para a escravidão*. "... uma, na verdade, se refere ao monte Sinai, que gera para a escravidão; esta é Hagar" (4.24b). Hagar é a mãe daqueles que confiam na lei para a sua salvação. Mas a religião do legalismo só pode gerar para a escravidão. Os filhos dessa religião são escravos. Eles não podem atingir as exigências da lei. Consequentemente, são escravos.

Adolf Pohl é oportuno quando destaca o fato de que Hagar corresponde não só ao monte Sinai, mas também à Jerusalém atual, que está em escravidão com seus filhos. Jerusalém era naquele tempo a sede e a retaguarda dos legalistas.

Os judeus disseram para Jesus: "Somos descendência de Abraão e jamais fomos escravos de alguém" (Jo 8.33). Quem se volta para a lei, pode até morar exteriormente em Jerusalém, mas espiritualmente emigrou da terra da promissão e habita entre os ismaelitas. Visto sob esse ângulo, Ismael não somente é o ancestral dos árabes, mas alegoricamente de todas as pessoas legalistas, sejam árabes, judeus ou gentios. Ao tornar-se reduto da lei, Jerusalém deixa de ser a cidade santa.[413]

Warren Wiersbe tem razão quando diz que Hagar tentava fazer o que só Sara poderia realizar, e por isso fracassou. A lei não pode dar vida (3.21), nem justiça (2.21), nem o dom do Espírito (3.2), nem uma herança espiritual (3.18). Isaque era o herdeiro de Abraão, mas Ismael não participou dessa herança (Gn 21.10). Os judaizantes tentavam transformar Hagar em mãe outra vez, enquanto Paulo sentia dores de parto por seus convertidos para que se tornassem semelhantes a Cristo. Não há religião nem legislação que possa dar vida ao pecador. Somente Cristo pode fazer isso por meio do evangelho.[414]

Em segundo lugar, *Sara, símbolo da nova aliança.* Hagar, a escrava, é o monte Sinai e a Jerusalém atual. Ela é o símbolo da antiga aliança, na qual o homem está debaixo da lei e é escravo dela. No entanto, Sara, a mulher livre, é símbolo da Jerusalém lá do alto. É a mãe de todos os filhos da promessa, aqueles que nasceram do Espírito. Quatro verdades nos são apresentadas sobre Sara.

Primeiro, *Sara é a mulher livre.* "... o da livre, mediante a promessa" (4.23). Sara é a esposa legítima de Abraão, a mulher livre, a mãe do filho da promessa, a que gerou de forma milagrosa aquele que deveria ser o herdeiro de todas as bênçãos.

Segundo, *Sara é a Jerusalém lá de cima.* "Mas a Jerusalém lá de cima é livre, a qual é nossa mãe" (4.26). Sara é o símbolo daqueles que nasceram do alto, de cima, do Espírito. Os filhos de Sara têm o céu como origem e destino. Eles nasceram do céu, são cidadãos do céu, estão-se preparando para o céu e irão para o céu. Sara representa todos aqueles que foram salvos pela fé em Cristo, independentemente das obras da lei.

João Calvino está coberto de razão ao declarar que a Jerusalém "lá de cima", ou celestial, não está contida no céu, nem devemos procurá-la fora deste mundo; pois a igreja está espalhada por todo o mundo, sendo peregrina e estrangeira na terra (Hb 11.13). Então, por que Paulo diz que ela é do céu? Porque tem sua origem na graça celestial; pois os filhos de Deus "...não nasceram do sangue, nem da vontade da carne, nem da vontade do homem" (Jo 1.13), mas pelo poder do Espírito de Deus. A Jerusalém celestial, que deriva sua origem do céu e pela fé habita em cima, é a mãe dos crentes.[415]

William Hendriksen diz ainda que o céu é a mãe da igreja porque foi o céu que deu a luz seus filhos. O céu é a nossa pátria (Fp 3.20). Nossa vida é governada pelo céu. É no céu que estão assegurados nossos direitos e são promovidos nossos interesses. É para o céu que sobem nossas orações. É no céu que está a nossa esperança. O nosso Salvador vive no céu. Alguns de nossos amigos já estão no céu. E em breve nós também estaremos no céu, onde receberemos a herança, da qual já temos o penhor.[416]

Terceiro, *Sara é mãe dos crentes.* "... a qual é nossa mãe" (4.26). Aqueles que creem e são salvos pela graça são filhos de Sara. Esses são os que nascem do Espírito e são livres. Se Hagar gera para a escravidão; Sara gera para a liberdade e para a vida. Paulo diz que Sara corresponde à Jerusalém de cima. Ela é a mãe dos cristãos, isto é, eles são nascidos e vivem a partir da esfera do Deus revelado, do Cristo exaltado e do Espírito Santo, sendo como tais livres da lei, filhos nascidos em liberdade.[417]

Calvino diz que a igreja é mãe dos crentes e aqueles que se recusam ser filhos da igreja em vão desejam ter a Deus como seu Pai; pois é somente pelo ministério da igreja que somos nascidos de Deus (1Jo 3.9), conduzindo por meio dos vários estágios da infância e da juventude, até que cheguemos à maturidade.[418]

Quarto, *Sara é mãe de numerosos filhos*. "Porque está escrito: Alegra-te, ó estéril, que não dás à luz, exulta e clama, tu que não estás de parto; porque são mais numerosos os filhos da abandonada que os da que tem marido" (4.27). Sara era estéril, mas seus filhos se multiplicaram como as estrelas do céu e as areias da terra. Seus filhos são todos aqueles, judeus e gentios, que creram em Cristo e foram salvos dentre todos os povos, raças, tribos e nações. Com esse argumento Paulo está dizendo que não basta reivindicar a Abraão por nosso pai. O importante é considerar quem é nossa mãe.

Concordo com John Stott que não podemos aplicar o texto de Isaías 54.1, citado aqui pelo apóstolo como uma referência a Hagar e Sara. O profeta está-se dirigindo aos exilados no cativeiro da Babilônia. Ele compara a sua condição no exílio, sob o juízo divino, à de uma mulher estéril finalmente abandonada por seu marido, e o seu estado futuro depois da restauração à de uma mulher fértil com mais filhos do que as outras. Em outras palavras, Deus promete que, depois do retorno, o seu povo será mais numeroso do que antes. Essa promessa recebeu cumprimento literal, ainda que parcial, na restauração dos judeus na terra prometida. Mas o seu cumprimento espiritual, verdadeiro, diz Paulo, está no crescimento da igreja, uma vez que o povo cristão constitui a descendência de Abraão.[419]

A lei não pode dar vida nem fertilidade; o legalismo é estéril. Se as igrejas tivessem capitulado ao legalismo, teriam ficado estéreis, mas, porque permaneceram firmes na graça, mostraram-se prolíficas e se propagaram por todo o mundo.[420]

As aplicações pessoais (4.28-31)

Paulo passa da alegoria às aplicações pessoais. Ele evoca os eventos históricos, explica-os e agora faz as devidas aplicações. Chamamos a atenção para quatro verdades.

Em primeiro lugar, *uma declaração categórica*. "Vós, porém, irmãos, sois filhos da promessa, como Isaque" (4.28). Paulo chama os crentes da Galácia de irmãos e diz a eles que, embora pressionados e seduzidos pelos falsos mestres, eles eram filhos da promessa como Isaque, e não filhos da escravidão como Ismael. Eles haviam nascido do Espírito, e não da carne. Eram filhos de Abraão espiritualmente, e não fisicamente. Eram filhos não por natureza, mas sobrenaturalmente. Eram membros da família de Deus, e não apenas adeptos de uma religião legalista.

Em segundo lugar, *uma certeza esclarecedora*. "Como, porém, outrora, o que nascera segundo a carne perseguia ao que nasceu segundo o Espírito, assim também agora" (4.29). Na cerimônia em que Isaque foi desmamado, Ismael caçoou e zombou de seu irmão. Assim como no passado Ismael ridicularizara Isaque, também seus descendentes espirituais, aqueles que confiam na carne e são escravos da lei, perseguem os filhos livres, os filhos da promessa, aqueles que nascem do Espírito. Os legalistas sempre se levantaram, se levantam e se levantarão para perseguir a igreja de Deus. Essa tensão jamais deixou de existir. É uma guerra sem trégua.

João Calvino diz que devemos encher-nos de horror não somente diante das perseguições externas, quando os inimigos do cristianismo nos destroem com fogo e espada; quando nos aprisionam, torturam, açoitam; mas também quando tentam, com blasfêmias, subverter a nossa confiança que descansa nas promessas de Deus; quando ridicularizam nossa salvação, quando lançam cinicamente escárnio contra todo o evangelho.[421]

John Stott tem razão quando afirma que a perseguição da verdadeira igreja, a descendência espiritual de Abraão, nem sempre vem do mundo, mas dos religiosos, ou seja, da igreja nominal, os filhos de Ismael. O Senhor Jesus foi cruelmente perseguido, rejeitado, zombado e condenado por sua própria nação. Os oponentes mais impetuosos do apóstolo Paulo foram os membros da igreja oficial, os judeus. A estrutura monolítica do papado medieval perseguiu todas as minorias protestantes com crueldade e ferocidade ininterrupta.[422] Os crentes devem esperar um destino duplo: a dor da perseguição e o privilégio da herança. Ao mesmo tempo em que somos rejeitados pelos homens, somos amados por Deus como filhos e herdeiros.

Em terceiro lugar, *uma ordem expressa*. "Contudo, que diz a Escritura? Lança fora a escrava e seu filho, porque de modo algum o filho da escrava será herdeiro com o filho da livre" (4.30). Assim como Sara deu ordem a Abraão para lançar fora de casa Hagar e Ismael, também devemos lançar fora da nossa vida espiritual toda espécie de legalismo carnal. Donald Guthrie diz que os gálatas precisavam de uma ação igualmente firme para impedir que a liberdade cedesse lugar à escravidão. O legalismo não pode existir lado a lado com a promessa.[423]

Não há aliança entre a confiança nos méritos de Cristo e a confiança na carne. Não existe harmonia entre a fé em Cristo e a confiança nas obras. Precisamos romper com o legalismo. Precisamos mandar embora todo sistema religioso que escravize as pessoas.

R. E. Howard corretamente diz que não pode haver divisão de herança. Paulo está fazendo uma ilustração dramática do conflito irreconciliável entre a salvação pelas obras e a salvação pela fé. Os que são os verdadeiros filhos – pela fé – são os herdeiros de tudo.[424]

Warren Wiersbe acertadamente escreve:

> É impossível a lei e a graça, a carne e o Espírito entrarem em acordo e conviverem. Deus não pediu a Hagar e a Ismael que voltassem de vez em quando para fazer uma visita; foi um rompimento permanente. Os judaizantes do tempo de Paulo – e de nossos dias – tentam conciliar Sara com Hagar e Isaque com Ismael, uma conciliação contrária à Palavra de Deus. É impossível misturar a lei com a graça, a fé com as obras e a justificação que Deus concede com a tentativa humana de merecer a justificação.[425]

Os verdadeiros herdeiros da promessa de Deus a Abraão não são os filhos da descendência física, os judeus, mas os filhos por descendência espiritual, os crentes, judeus e gentios. A rejeição aqui não é aos judeus, mas aos judeus incrédulos. Todos aqueles que creem em Cristo, quer judeus, quer gentios, são herdeiros de Abraão.

Em quarto lugar, *uma constatação inequívoca*. "E, assim, irmãos, somos filhos não da escrava, e sim da livre" (4.31).

Paulo conclui seu argumento demolidor dizendo para os crentes da Galácia que somos filhos da graça, e não da lei; de Sara, e não de Hagar; da livre, e não da escrava. Consequentemente, nossa conduta deve expressar nossa fé. Se somos filhos da livre, devemos tomar posse da nossa liberdade em vez de viver como escravos, pois apenas em Cristo podemos herdar as promessas, receber a graça e desfrutar da liberdade de Deus.[426] Nas palavras de Merrill Tenney, "abraçar o legalismo, portanto, não seria um passo à frente, mas a reversão ao paganismo, com suas cerimônias fúteis e tentativas inúteis".[427]

Notas do capítulo 12

[394] POHL, Adolf. *Carta aos Gálatas*, 1999, p. 158,159.
[395] STOTT, John. *A mensagem de Gálatas*, p. 112,113.
[396] STOTT, John. *A mensagem de Gálatas*, p. 113.
[397] BARCLAY, William. *Gálatas y Efesios*, p. 51.
[398] ZUCK, Roy B. *A interpretação bíblica.* São Paulo: Vida Nova, 1994, p. 34.
[399] CALVINO, João. *Gálatas*, 2007, p. 126.
[400] HOWARD, R. E. *A Epístola aos Gálatas*, p. 58.
[401] HOWARD, R. E. *A Epístola aos Gálatas*, p. 60.

[402] STOTT, John. *A mensagem de Gálatas*, p. 114.
[403] STOTT, John. *A mensagem de Gálatas*, p. 114.
[404] POHL, Adolf. *Carta aos Gálatas*, 1999, p. 159.
[405] GUTHRIE, Donald. *Gálatas: introdução e comentário*, p. 157.
[406] HENDRIKSEN, Guillermo. *Gálatas*, p. 189.
[407] POHL, Adolf. *Carta aos Gálatas*, 1999, p. 160.
[408] WIERSBE, Warren W. *Comentário bíblico expositivo*, p. 928.
[409] STOTT, John. *A mensagem de Gálatas*, p. 115.
[410] POHL, Adolf. *Carta aos Gálatas*, 1999, p. 160.
[411] WIERSBE, Warren W. *Comentário bíblico expositivo*, p. 931.
[412] HOWARD, R. E. *A Epístola aos Gálatas*, p. 59.
[413] POHL, Adolf. *Carta aos Gálatas*, 1999, p. 161.
[414] WIERSBE, Warren W. *Comentário bíblico expositivo*, p. 929.
[415] CALVINO, João. *Gálatas*, 2007, p. 129,130.
[416] HENDRIKSEN, Guillermo. *Gálatas*, p. 192.
[417] POHL, Adolf. *Carta aos Gálatas*, 1999, p. 161.
[418] CALVINO, João. *Gálatas*, 2007, p. 130.
[419] STOTT, John. *A mensagem de Gálatas*, p. 116.
[420] WIERSBE, Warren W. *Comentário bíblico expositivo*, p. 931.
[421] CALVINO, João. *Gálatas*, 2007, p. 132.
[422] STOTT, John. *A mensagem de Gálatas*, p. 117.
[423] GUTHRIE, Donald. *Gálatas: introdução e comentário*, p. 162.
[424] HOWARD, R. E. *A Epístola aos Gálatas*, p. 60.
[425] WIERSBE, Warren W. *Comentário bíblico expositivo*, p. 930.
[426] STOTT, John. *A mensagem de Gálatas*, p. 119.
[427] TENNEY, Merrill C. *Gálatas*, 1978, p. 163.

Capítulo 13

Liberdade ameaçada

(Gl 5.1-12)

Essa é a última seção dessa carta. Paulo passa da argumentação para a exortação. Até aqui argumentou que somos livres em Cristo, filhos da mulher livre, e não da escrava; agora, nos exorta a mantermos firme essa liberdade. A verdade estabelecida e vigorosamente defendida nos capítulos precedentes é agora aplicada à vida nos capítulos 5 e 6.[428]

Os falsos mestres acusavam Paulo de ensinar um evangelho permissivo que desembocava em anarquia religiosa. Paulo refuta seus opositores, mostrando que não tem vida desregrada aquele que depende da graça de Deus, sujeita-se ao Espírito de Deus, vive na prática das boas obras e procura glorificar a Deus.

Consequentemente, o perigo não está no evangelho, mas no legalismo.

O texto em tela fala de duas religiões: a religião humanista e a religião cristocêntrica; a religião da graça e a religião das obras; a religião verdadeira e a religião falsa. Paulo faz dois contrastes. O primeiro entre os que praticam essas religiões (5.1-6), e o segundo entre os que pregam essas religiões (5.7-12).[429] Destacamos quatro pontos importantes na exposição do texto em apreço: 1) escravidão (5.1); 2) legalismo (5.2-4); 3) fé (5.5,6); e 4) obediência (5.7-12).

Escravidão – vivendo fora da esfera da liberdade (5.1)

O apóstolo acabara de argumentar com os crentes da Galácia que eles eram filhos de Abraão, não da mulher escrava, mas sim da livre. Eram filhos de Sara, e não de Hagar. Eram filhos da promessa, e não escravos da lei. Destacamos quatro pontos na análise do versículo 1.

Em primeiro lugar, *éramos escravos antes de Cristo*. "Para a liberdade foi que Cristo nos libertou..." (5.1). Antes de Cristo nos libertar, éramos escravos do diabo, da carne e do mundo. Vivíamos escravizados na coleira do pecado. Estávamos na potestade de Satanás, na casa do valente, no reino das trevas, andando segundo o curso deste mundo, segundo o príncipe da potestade do ar, do espírito que agora atua nos filhos da desobediência. Éramos filhos da ira (Ef 2.2,3).

Em segundo lugar, *fomos libertados por Cristo*. "Para a liberdade foi que Cristo nos libertou..." (5.1). Não alcançamos nossa liberdade por nós mesmos. Não fomos libertados por causa de nossa obediência à lei. Nossa liberdade foi uma obra de resgate realizada por Cristo. Foi ele quem nos arrancou do império das trevas. Foi ele quem quebrou nossos grilhões e despedaçou nossas cadeias. Foi ele quem nos libertou do pecado, da morte e do inferno. Em Cristo somos livres, verdadeiramente livres; livres não para pecar, mas para cumprir a vontade de Deus.

Adolf Pohl evoca a transação de escravos na antiguidade para elucidar esse magno assunto. Um escravo podia ser comprado no mercado de escravos unicamente para continuar seu serviço sob o novo proprietário, ou seja, não era resgatado para a verdadeira liberdade.[430] Assim também pensavam alguns escribas: que Deus havia resgatado os israelitas do Egito não para serem seus filhos, mas seus escravos. Não era essa a interpretação do apóstolo Paulo. Deus nos libertou para a verdadeira liberdade. De fato somos livres em Cristo Jesus.

John Stott tem razão quando vê Jesus Cristo como o libertador, a conversão como o ato de emancipação, e a vida cristã como a vida de liberdade.[431] Essa liberdade cristã é a liberdade de consciência, liberdade da tirania da lei, da luta terrível para guardar a lei com a intenção de ganhar o favor de Deus. É a liberdade da aceitação divina e do acesso a Deus por intermédio de Cristo.[432] Calvino argumenta acertadamente que somos livres porque "Cristo nos resgatou da maldição da lei, fazendo--se ele próprio maldição em nosso lugar" (3.13); porque Cristo anulou o poder da lei, até onde ela nos mantinha sujeitos ao juízo de Deus, sob pena de morte eterna; e também porque Cristo nos resgatou da tirania do pecado, de Satanás e da morte.[433]

Em terceiro lugar, *precisamos manter nossa liberdade em Cristo*. "Permanecei, pois, firmes..." (5.1). Nossa liberdade é sempre espreitada. Muitos inimigos tentam convencer-nos de que ainda somos escravos. Os crentes da Galácia haviam sido libertados da escravidão do paganismo (4.8) e dos rudimentos do mundo (4.3), mas agora estavam tornando-se novamente escravos do legalismo (4.9-11). Precisamos vigiar para que nossa liberdade não seja arrancada de nós. Não podemos colocar nosso pescoço na coleira do legalismo religioso como queriam os judaizantes. Não podemos viver como escravos na casa do pai, como propôs o filho pródigo. Somos livres! Calvino observa que, se permitirmos que os homens escravizem nossa consciência, seremos despojados de uma bênção inestimável e, ao mesmo tempo, insultaremos a Cristo, o autor da liberdade.[434]

Concordo com Adolf Pohl quando diz que o carvalho não se prende com as raízes ao chão somente para resistir contra a tempestade, mas também para extrair alimento do solo. Para se defender contra tentativas de subjugação, é necessária a incessante prática da liberdade a partir de Deus.[435] William Hendriksen exemplifica que a melhor ideia dessa ordenança, "permanecei firmes", é a de um soldado no meio do campo de batalha, que, em vez de fugir, oferece forte resistência ao inimigo e o vence.[436]

É triste constatar, porém, que alguns cristãos se assustam com a liberdade que possuem na graça de Deus; por isso, procuram uma comunhão legalista e ditatorial, na qual deixam outros tomar as decisões por eles. São como adultos voltando ao berço.[437]

Em quarto lugar, *não podemos sujeitar-nos outra vez à escravidão*. "... e não vos submetais, de novo, a jugo de escravidão" (5.1). Cristo não nos libertou a fim de que nos tornássemos novamente escravos.[438] Os crentes da Galácia estavam sendo persuadidos pelos falsos mestres a voltar da graça para a lei; do evangelho para o legalismo; da liberdade para a escravidão; da cruz de Cristo para os ritos judaicos.

Eles, que já haviam saído da escravidão da idolatria, estavam agora voltando à escravidão do legalismo. O apóstolo Pedro disse no Concílio de Jerusalém que esse jugo era insuportável (At 15.10). Donald Guthrie entende que a figura do jugo é uma metáfora apropriada para a servidão, porque um animal com o jugo não tem alternativa senão se submeter à vontade de seu dono.[439]

Legalismo – vivendo fora da esfera da graça (5.2-4)

O apóstolo Paulo refuta com veemência a ideia de uma salvação realizada em parte por Cristo e em parte pelos esforços humanos. William Hendriksen diz que um Cristo suplementado é um Cristo suplantado.[440] A obra de Cristo na cruz foi completa, cabal e suficiente. Acrescentar o esforço humano ao sacrifício de Cristo como base para a nossa salvação é uma afronta à graça de Deus. Paulo usa três frases para descrever as perdas que o cristão sofre quando deixa a graça e se volta para a lei: 1) "Cristo de nada vos aproveitará" (5.2); 2) "Está obrigado a guardar toda a lei" (Gl 5.3); 3) "De Cristo vos desligastes" (5.4). Isso nos leva à triste conclusão: "Da graça decaístes" (5.4).

Chamamos a atenção para esses três pontos destacados por Paulo.

Em primeiro lugar, *a salvação pela lei anula o sacrifício de Cristo*. "Eu, Paulo, vos digo que, se vos deixardes circuncidar, Cristo de nada vos aproveitará" (5.2). De acordo com Donald Guthrie, Paulo quer dizer aqui que, se a circuncisão for uma necessidade para a salvação, a obra de Cristo seria insuficiente; e, assim, não teria então proveito para aqueles que confiam na circuncisão. Colocando a questão em outros termos, os gentios que se submetem à circuncisão estão realmente se submetendo a um sistema legal do qual Cristo os libertou. Desfazem a sua obra e de fato anulam a mensagem essencial do evangelho.[441]

William MacDonald, ao citar Jack Hunter, é assaz esclarecedor neste ponto:

> No contexto da Carta aos Gálatas, a circuncisão para o apóstolo Paulo não era uma operação cirúrgica nem meramente uma observância religiosa. Representava um sistema de salvação pelas boas obras. Declarava um evangelho do esforço humano à parte da graça divina. A circuncisão era a lei suplantando a graça; Moisés suplantando Cristo. Isso porque acrescentar alguma coisa a Cristo é anulá-lo. Um Cristo suplementado é um Cristo suplantado. Cristo é o único Salvador – solitário e exclusivo. Nesse contexto circuncisão é o mesmo que apartar-se de Cristo.[442]

Conforme os falsos mestres insistiam, a circuncisão não era simplesmente uma operação física, nem um rito cerimonial, mas um símbolo teológico. Representava um tipo especial de religião, isto é, a salvação por meio das boas obras em obediência à lei. O lema dos falsos mestres era: "Se não vos circuncidardes segundo o costume de Moisés, não podeis ser salvos" (At 15.1,5). Eles estavam declarando que a fé em Cristo era insuficiente para a salvação. Moisés precisava concluir o que Cristo havia começado.[443]

A salvação pela lei anula completamente a graça de Deus. Se a justiça é mediante a lei, Cristo morreu em vão (2.21). São as feridas de Cristo que nos trazem vida, e não a remoção do prepúcio. É a morte de Cristo na cruz que nos salva, e não uma cirurgia em nossa carne. Os crentes da Galácia estavam sendo constrangidos pelos falsos mestres a se circuncidarem (6.12). Ceder a essa pressão, entretanto, era apartar-se de Cristo e viver completamente sem os benefícios da cruz.

Calvino tem razão quando diz que os falsos apóstolos não negavam a Cristo, nem desejavam que ele fosse totalmente colocado de lado; mas eles faziam tal distinção entre a graça de Cristo e as obras da lei, que não restava mais do que uma meia salvação por meio de Cristo. O apóstolo Paulo argumenta que Cristo não pode ser dividido desse modo e que ele "de nada... aproveitará", a menos que seja aceito em sua totalidade.[444]

Em segundo lugar, *a salvação pela lei exige obediência total à lei.* "De novo, testifico a todo homem que se deixa circuncidar que está obrigado a guardar toda a lei" (5.3). Paulo não só se dirige às igrejas como a "uma massa" ou às congregações da Galácia uma por uma, mas a cada membro individual e pessoalmente.[445] Abandonar o caminho da graça para seguir o caminho da lei é entrar por uma estrada cujo destino final é a condenação. Não porque a lei seja má, mas porque o homem é pecador. Não é possível ser salvo parcialmente pela graça e parcialmente pela lei. Escolhemos um caminho ou outro. Pelo caminho da graça, somos salvos pela fé em Cristo independentemente das obras; pelo caminho da lei, precisaríamos ser absolutamente perfeitos para entrarmos no céu. Como não há justo nenhum sequer, como todos pecam por palavras, obras, omissões e pensamentos, o caminho da lei é de condenação, e não de salvação.

Conforme dissemos anteriormente, os falsos mestres haviam transformado a circuncisão num símbolo teológico. Para eles, esse rito passou a ser uma obra meritória e uma confissão de obediência à lei. Warren Wiersbe, porém, alerta para o fato de que não podemos aproximar-nos da lei como se estivéssemos num bufê espiritual, em que escolhemos apenas o que nos agrada. Quem se propõe a viver sob a lei deve guardar toda a lei (3.10; Tg 2.9-11). Imagine um motorista que passou deliberadamente um sinal vermelho. A seguir, ele é parado por um guarda de trânsito que pede sua carteira de habilitação. No mesmo instante, o motorista começa a se defender: "Pois é, seu guarda. Sei que passei por um farol vermelho, mas nunca assaltei ninguém, nunca cometi adultério, nem soneguei impostos". O policial sorri enquanto preenche a multa, pois sabe que a obediência do motorista a todas as outras leis não compensa sua desobediência à lei de trânsito. É uma única e mesma lei que protege o obediente e castiga o transgressor. O que se orgulha em guardar uma parte da lei e, ao mesmo tempo, transgride outra, confessa que merece ser castigado.[446]

Em terceiro lugar, *a salvação pela lei desemboca em tragédia irremediável.* "De Cristo vos desligastes, vós que procurais justificar-vos na lei; da graça decaístes" (5.4). Pode parecer que o que Paulo afirma aqui está em contradição com a doutrina da perseverança dos santos, uma doutrina não só bíblica, mas também mui prezada por Paulo.[447] Na verdade, não existe nenhum conflito. Paulo está falando sob a perspectiva da responsabilidade humana.[448] Viver sob a égide da lei é viver fora da esfera da graça. Buscar a salvação pelos ritos da lei é desligar-se de Cristo e decair da graça. Não há salvação fora de Cristo, nem à parte da graça. Logo, não há salvação para aqueles que tentam alcançar o favor de Deus por meio dos rituais da lei.

John Stott pondera que é preciso escolher entre a religião da lei e a religião da graça, entre Cristo e a circuncisão. Não podemos acrescentar a circuncisão (ou qualquer coisa) a Cristo como coisa necessária à salvação, pois Cristo é suficiente em si mesmo. Se acrescentarmos alguma coisa a Cristo, nós o perdemos. A salvação está em Cristo somente pela graça, somente pela fé.[449] Nessa mesma linha, Adolf Pohl diz que não se pode estar ao mesmo tempo em dois andares de um prédio. Quem escolhe o recinto da lei e da justiça pela lei retira-se de sua posição na graça (Rm 5.2; 2Pe 3.17,18). Que terrível autoexclusão de Cristo![450]

Fé – vivendo na esfera do Espírito (5.5,6)

Paulo faz um contraste entre o *vós* (5.1-4) e o *nós* (5.5); entre a lei e a fé; entre a carne e o Espírito; entre os crentes que estavam sendo arrastados pela sedução dos falsos mestres à escravidão da lei e os crentes que se mantinham firmes na liberdade em Cristo Jesus. Destacamos aqui dois pontos importantes.

Em primeiro lugar, *quando olhamos para a frente, vemos um futuro de glória.* "Porque nós, pelo Espírito, aguardamos a esperança da justiça que provém da fé" (5.5). O crente não confia em si mesmo, nas suas obras ou na sua observância da lei para a sua salvação. Pelo Espírito Santo, aguarda a esperança da justiça que provém da fé. Não trabalhamos para a nossa salvação. Aguardamos a esperança da justiça, ou seja, aguardamos a glória por vir, que nos é oferecida pela fé. Não é o que fazemos para Deus que nos garante o céu; mas é o que Deus fez por nós em Cristo Jesus. O céu não é um prêmio que merecemos, mas uma oferta que recebemos. Não é uma conquista das obras, mas um presente da graça. O crente vive neste mundo com os olhos no céu. Vive um presente de dor, mas aguardando um futuro de glória. A esperança da justiça que aguardamos é a bem-aventurança eterna, o céu de glória, a herança imaculada.

Em segundo lugar, *quando olhamos para o presente, vemos um compromisso de amor.* "Porque, em Cristo Jesus, nem a circuncisão, nem a incircuncisão têm valor algum, mas a fé que atua pelo amor" (5.6). A circuncisão em si mesma não tem valor algum. Não nos tornamos mais aceitáveis a Deus por nos submetermos a ela, nem somos rejeitados por Deus por não a recebermos. Calvino assevera que, no Reino de Cristo ou na igreja, a circuncisão, com seus apêndices, está abolida.[451] James Hastings chama atenção para o fato de que a verdadeira religião não consiste em coisas externas como nomes e formas, comida e bebida, ritos e cerimônias.[452] Por isso, a luta de Paulo não era pelo rito em si, mas pela conotação teológica que os judaizantes estavam dando à circuncisão. Esses falsos mestres queriam complementar a obra perfeita de Cristo pela circuncisão, elegendo esse rito como condição indispensável para a salvação.

O apóstolo destaca que o que importa não é o rito da circuncisão, mas a fé que atua pelo amor. Com isso, Paulo está dizendo que as obras são importantes não como causa, mas como resultado da salvação. William Hendriksen diz que as obras são os frutos, e não a raiz.[453] Não somos salvos *pelas* obras, mas *para* as obras. Somos salvos só pela fé, mas a fé que salva não vem só; sempre vem acompanhada de boas obras. A fé que recebemos não é uma fé morta, mas operosa. Ela atua pelo amor. Adolf Pohl ressalta que o verbo "atuar" consta no grego como uma forma de *energeo.* O substantivo *energeia,* que reencontramos na nossa palavra "energia", significa "força eficaz". Assim, de certo modo, o crente é um "feixe de energia", pois está cheio de energia que ama e tenta expandir-se.[454]

Obediência – vivendo na esfera da verdade (5.7-12)

Na parte final desse parágrafo, Paulo foca sua atenção na influência perniciosa dos falsos mestres e volta suas baterias contra eles de forma contundente. Agora o contraste é entre *ele,* o falso mestre "que vos perturba" (5.10b), e *eu,* o apóstolo Paulo que lhes ensina a verdade de Deus.[455] Segundo John Stott, Paulo traça aqui todo o curso da falsa doutrina: sua origem (5.8), seu efeito (5.7,10,12) e seu fim (5.10b).[456] Ao mesmo tempo, Paulo se dirige aos crentes, convocando-os à obediência.

Cinco pontos devem ser aqui observados.

Em primeiro lugar, *obedeça à verdade porque a vida é uma corrida.* "Vós corríeis bem; quem vos impediu de continuardes a obedecer à verdade?" (5.7). Paulo relembra aos crentes o começo da caminhada espiritual deles. Eles receberam Paulo como um anjo de Deus (4.14). Começaram correndo bem a carreira cristã. Mas os falsos mestres entraram na pista de corrida para tirá-los da pista onde estavam correndo, e os gálatas perderam o rumo. Fritz Rienecker e Cleon Rogers dizem que o quadro é o de um corredor que deixou seu progresso ser bloqueado, ou que ainda está correndo, mas no curso errado.[457] Os judaizantes lhes obstruíram a corrida. Os crentes foram impedidos de prosseguir nessa pista de corrida e perderam a direção. Um corredor precisa correr segundo as regras. Não pode mudar de pista. Não pode distrair-se nem olhar para trás.

Vale destacar que em momento algum Paulo usa a imagem da corrida para dizer às pessoas como ser salvas. Antes, refere-se sempre aos cristãos em sua vida com o Senhor. Somente "os cidadãos gregos com plenos direitos poderiam participar das competições esportivas". Tornamo-nos cidadãos do céu pela fé em Cristo; então, o Senhor nos coloca em nosso percurso e corremos para ganhar o prêmio. Não corremos para ser salvos, mas sim porque já somos salvos e desejamos realizar a vontade de Deus em nossa vida.[458]

Em segundo lugar, *obedeça à verdade porque o falso ensino não procede de Deus*. "Esta persuasão não vem daquele que vos chama" (5.8). Paulo diz que essa influência para desviar-se da pista de corrida e perder o rumo na corrida, esse desvio do caminho da graça para entrar nos labirintos da confiança na lei, não é uma persuasão feita por Deus. Essa sedução vem dos arautos do engano, dos pregoeiros da mentira, dos profetas da conveniência. Deus é consistente com sua Palavra. Aquilo que não está fundamentado nas Escrituras não procede de Deus. Precisamos passar todo ensino e prática que acontece na igreja pelo filtro da Escritura. Desviar-nos do evangelho da graça é aceitar persuasão de homens, e não de Deus.

Em terceiro lugar, *obedeça à verdade porque um pouco de heresia é suficiente para fazer um grande estrago*. "Um pouco de fermento leveda toda a massa" (5.9). Paulo deixa de lado a figura esportiva para usar a linguagem da culinária. Deixa o estádio de corrida para entrar na cozinha. O fermento é símbolo da hipocrisia (Mt 16.6-12), do pecado (1Co 5.6) e da falsa doutrina (5.9). O fermento, por menor que seja em quantidade, transmite sua acidez a toda a massa. Devemos ser muito cautelosos, não permitindo que uma imitação substitua a sã doutrina do evangelho.[459] Uma heresia não é algo inofensivo. É como um pouco de fermento que leveda a massa toda. Não podemos ser tolerantes com a falsa doutrina. Não podemos transigir com a verdade. Não podemos fazer vistas grossas a esse fermento que, muitas vezes, de forma sutil e quase invisível penetra na igreja para destruí-la.

Em quarto lugar, *obedeça à verdade por causa da confiança que os outros têm em você*. "Confio de vós, no Senhor, que não alimentareis nenhum outro sentimento..." (5.10a).

Paulo confia não no homem, mas em Cristo, por meio do qual os crentes da Galácia vão romper com os falsos ensinos e voltar à sensatez da verdade, usufruindo a liberdade que já têm em Cristo Jesus. As pessoas nos observam e esperam que continuemos firmes na corrida da carreira cristã sem nos desviarmos para a direita ou para a esquerda.

Em quinto lugar, *obedeça à verdade porque os falsos mestres serão julgados por Deus.* "... mas aquele que vos perturba, seja ele quem for, sofrerá a condenação. Eu, porém, irmãos, se ainda prego a circuncisão, por que continuo sendo perseguido? Logo, está desfeito o escândalo da cruz. Tomara até se mutilassem os que vos incitam à rebeldia" (5.10b-12). Os falsos mestres não ficarão impunes. Serão julgados não apenas por um concílio eclesiástico, mas, sobretudo, pelo próprio Deus. Destacamos aqui quatro pontos.

Os falsos mestres serão julgados porque perturbam a igreja de Deus. Paulo diz que os falsos mestres perturbam a igreja (5.10b). Eles pervertem o evangelho, transtornam a igreja e incitam os crentes à rebeldia. Espreitam a liberdade dos crentes e colocam novamente um jugo de escravidão sobre aqueles que já haviam alcançado a verdadeira liberdade. Os falsos mestres perturbam os que são livres e acomodam os que são escravos. Eles dizem: "Paz, paz" aos que estão em perigo e garantem aos que estão seguros em Cristo que sua fé no Salvador não é suficiente.

Os falsos mestres serão julgados porque espalham boataria sobre os ministros de Cristo (5.11). Paulo não pregava que o ritual da circuncisão fosse necessário para a salvação, mas os falsos mestres diziam que ele anunciava isso. Ao contrário, o fato de Paulo não pregar circuncisão foi a principal razão pela qual os judeus o perseguiram com tanta virulência. De forma sarcástica, Paulo pergunta a eles: "Se eu ainda prego a circuncisão, [como vocês dizem] por que continuo sendo perseguido?" Esses falsos mestres atacaram Paulo com o propósito de desacreditá-lo. Esqueceram, entretanto, que uma coisa que Deus não tolera é o ataque contra seus ungidos.

Os falsos mestres serão julgados porque se sentiram ofendidos pela cruz. "Logo, está desfeito o escândalo da cruz" (5.11b). Paulo pregou a cruz, anunciando que uma pessoa é justificada e aceita por Deus somente pela cruz de Cristo. Os falsos mestres ficaram ofendidos com essa pregação. Eles sustentavam que a morte de Cristo não era suficiente para tornar uma pessoa aceitável a Deus. Diziam que a cruz não era o bastante; era preciso algo mais. O argumento de Paulo, porém, é que a salvação pelas obras da lei é falsa. A salvação não é resultado do que fazemos para Deus, mas do que Cristo fez por nós na cruz.

Paulo se coloca em completo contraste com os falsos mestres. Eles pregavam a circuncisão; ele pregava a Cristo e a cruz. Pregar a circuncisão é dizer aos pecadores que eles podem salvar-se por meio de suas próprias boas obras; pregar a Cristo crucificado é dizer-lhes que eles não podem salvar-se e só Cristo pode salvá-los por meio da cruz. A mensagem da circuncisão é totalmente inofensiva e popular, porque é lisonjeira; a mensagem de Cristo crucificado, entretanto, é ofensiva ao orgulho humano e impopular. Assim, pregar a circuncisão é fugir da perseguição; pregar a Cristo crucificado é buscá-la. As pessoas detestam ouvir que só podem ser salvas ao pé da cruz e opõem-se ao pregador que lhes diz isso.[460]

Nesta sociedade em que a tolerância a qualquer preço é aplaudida com entusiasmo, precisamos reafirmar que o cristianismo não é amorfo nem aceita ficar assentado na zona de conforto da neutralidade. Não podemos ser como os judaizantes que queriam abraçar a Cristo e a circuncisão ao mesmo tempo, acrescendo a circuncisão a Cristo de modo a ficar com os dois. Precisamos optar. A "circuncisão" e Cristo são mutuamente exclusivos. Não podemos ao mesmo tempo abraçar a religião da graça e a religião das obras.

Os falsos mestres serão julgados porque merecem condenação (5.12). Já que os judaizantes lutavam tanto pela circuncisão, Paulo deseja que eles apliquem a si mesmos uma circuncisão radical a ponto de serem castrados e não mais gerarem "filhos da escravidão". Paulo deseja que os falsos mestres virem suas facas contra si mesmos.[461] O apóstolo expressa o desejo de que seus oponentes não parem apenas na circuncisão, mas cheguem à própria emasculação.

Talvez haja uma referência aqui às práticas do antigo culto a Cibele.[462] William Barclay observa que a Galácia era vizinha da Frígia. E a grande devoção dessa parte do mundo era o culto a Cibele. A prática dos sacerdotes e adoradores de Cibele consistia em mutilar-se, castrando-se. Os sacerdotes de Cibele eram eunucos. É como se Paulo dissesse para os falsos mestres: "Já que vocês seguem por esse caminho do qual a circuncisão é o começo, vocês deveriam ir até o fim, castrando-se como os sacerdotes pagãos".[463]

Adolf Pohl pensa que não deve ser essa a interpretação, pois a castração de um ser humano é condenada no Antigo Testamento como algo gentílico (Dt 23.1).[464] Entendo, porém, que o que Paulo diz é que os falsos mestres deveriam dirigir o seu zelo contra si próprios a fim de praticarem em si mesmos a intervenção da circuncisão até o exagero.

Calvino lembra que a indignação de Paulo aumenta, levando-o a rogar que a destruição sobrevenha aos impostores que haviam enganado aos gálatas.[465] Essa mesma atitude teve o Senhor Jesus, quando disse: "Aquele que fizer tropeçar a um desses pequeninos que creem em mim, melhor lhe fora dependurar uma pedra de moinho no pescoço e lançar-se ao mar" (Mt 18.6). No contexto da carta, Paulo chega aqui ao ataque mais furioso contra as pessoas da circuncisão (além de Gálatas 1.8,9; 4.17,30; 6.12,13).[466]

John Stott diz que aos nossos ouvidos o sentimento de Paulo parece grosseiro e malicioso. Mas podemos ter certeza de que não era a expressão de um espírito descontrolado, nem de sede de vingança, mas do seu profundo amor pelo povo e pelo evangelho de Deus.[467] Atrevo-me a dizer que, se nos preocupássemos com a igreja e com a Palavra de Deus como Paulo se preocupava, também desejaríamos que os falsos mestres deixassem de existir.

Nessa mesma linha de pensamento, Calvino conclui: "Sinceramente não desejo a ninguém a perdição, porém o amor pela igreja me leva quase ao êxtase, de modo que não consigo pensar em mais nada. Quem não sabe nada desse amor zeloso não é um verdadeiro pastor".[468]

Notas do capítulo 13

[428] HENDRIKSEN, Guillermo. *Gálatas*, p. 199.
[429] STOTT, John. *A mensagem de Gálatas*, p. 120.
[430] POHL, Adolf. *Carta aos Gálatas*, 1999, p. 166.
[431] STOTT, John. *A mensagem de Gálatas*, p. 121.
[432] STOTT, John. *A mensagem de Gálatas*, p. 121.
[433] CALVINO, João. *Gálatas*, 2007, p. 136.
[434] CALVINO, João. *Gálatas*, 2007, p. 136.
[435] POHL, Adolf. *Carta aos Gálatas*, 1999, p. 167.
[436] HENDRIKSEN, Guillermo. *Gálatas*, p. 201.
[437] WIERSBE, Warren W. *Comentário bíblico expositivo*, p. 933.
[438] GUTHRIE, Donald. *Gálatas: introdução e comentário*, p. 163.
[439] GUTHRIE, Donald. *Gálatas: introdução e comentário*, p. 163.
[440] HENDRIKSEN, Guillermo. *Gálatas*, p. 203,204.
[441] GUTHRIE, Donald. *Gálatas: introdução e comentário*, p. 164.
[442] MacDONALD, William. *Believer's Bible commentary*, p. 1.890.
[443] STOTT, John. *A mensagem de Gálatas*, p. 122.
[444] CALVINO, João. *Gálatas*, 2007, p. 137.
[445] HENDRIKSEN, Guillermo. *Gálatas*, p. 204.
[446] WIERSBE, Warren W. *Comentário bíblico expositivo*, p. 934.
[447] Romanos 8.29-39; Efésios 1.13,14; Filipenses 1.6.
[448] HENDRIKSEN, Guillermo. *Gálatas*, p. 204.
[449] STOTT, John. *A mensagem de Gálatas*, p. 122.
[450] POHL, Adolf. *Carta aos Gálatas*, 1999, p. 168.
[451] CALVINO, João. *Gálatas*, 2007, p. 140.
[452] HASTINGS, James. *The great texts of the Bible*. Vol. XVI. s/d, p. 387.
[453] HENDRIKSEN, Guillermo. *Gálatas*, p. 206.
[454] POHL, Adolf. *Carta aos Gálatas*, 1999, p. 169.
[455] STOTT, John. *A mensagem de Gálatas*, p. 123.
[456] STOTT, John. *A mensagem de Gálatas*, p. 124.
[457] RIENECKER, Fritz; ROGERS, Cleon. *Chave linguística do Novo Testamento grego*, p. 381.
[458] WIERSBE, Warren W. *Comentário bíblico expositivo*, p. 935.
[459] CALVINO, João. *Gálatas*, 2007, p. 143.
[460] STOTT, John. *A mensagem de Gálatas*, p. 125.
[461] GUTHRIE, Donald. *Gálatas: introdução e comentário*, p. 170.
[462] RIENECKER, Fritz; ROGERS, Cleon. *Chave linguística do Novo Testamento grego*, p. 382.

[463] BARCLAY, William. *Gálatas y Efesios*, p. 54.
[464] POHL, Adolf. *Carta aos Gálatas*, 1999, p. 173.
[465] CALVINO, João. *Gálatas*, 2007, p. 145.
[466] POHL, Adolf. *Carta aos Gálatas*, 1999, p. 170.
[467] STOTT, John. *A mensagem de Gálatas*, p 125.
[468] CALVINO, João. *Gálatas*, 2007, p. 145.

Capítulo 14

A capacitação do Espírito para uma vida santa

(Gl 5.13-26)

PAULO TRANSMITIU A BASE DOUTRINÁRIA para as igrejas da Galácia; agora, está aplicando a doutrina. A teologia desemboca na ética; o conhecimento produz vida. A influência perniciosa dos falsos mestres entre as igrejas gentílicas trouxe grande confusão acerca dos limites da liberdade cristã. Mais tarde Paulo tratou desse mesmo tema em sua Primeira Carta aos Coríntios (6.12; 8.9,13; 9.12,19,22; 10.23,24; 11.1).

Paulo, no texto em tela, esclarece a igreja sobre esse momentoso tema.

Compreendendo a liberdade cristã (5.13-15)

Há dois extremos perigosos com

respeito à liberdade cristã: o legalismo de um lado e a licenciosidade de outro. Há aqueles que querem regular a liberdade apenas por regras exteriores. Esses caem na armadilha do legalismo e privam as pessoas da verdadeira liberdade em Cristo. Porém, há aqueles que, em nome da liberdade, sacodem de si todo o jugo da lei e querem viver sem nenhum preceito ou limite. Esses confundem liberdade com licenciosidade e caem na prática de pecados escandalosos.

William Hendriksen ilustra esse fato dizendo que a vida cristã é semelhante a atravessar uma pinguela que cruza sobre um lugar onde se encontram dois rios contaminados: um é o legalismo e o outro é a libertinagem. O crente não deve perder o equilíbrio para não cair dentro das faltas refinadas do judaísmo nem nos grosseiros vícios do paganismo.[469] Concordo com John Stott quando diz que o cristianismo não é escravidão, mas um chamamento da graça para a liberdade.[470] A liberdade cristã, porém, não é liberdade para pecar, mas liberdade de consciência, liberdade para obedecer. O cristão salvo pelo sangue de Cristo é livre para viver em santidade.

Destacamos aqui quatro verdades importantes.

Em primeiro lugar, *a liberdade cristã não é uma licença para pecar*. "Porque vós, irmãos, fostes chamados à liberdade; porém não useis da liberdade para dar ocasião à carne..." (5.13a). No versículo 13 temos um chamado, uma advertência e um mandamento. Veremos neste ponto o chamado e a advertência e, no próximo ponto, analisaremos o mandamento. Fomos chamados para a liberdade, e não para a escravidão do pecado. Calvino destaca que, após exortar os gálatas a não permitirem nenhum impedimento de sua liberdade (5.1), Paulo agora lhes recomenda que sejam moderados em usá-la (5.13).[471]

Fomos chamados para uma vida nova e não para viver com o pescoço na coleira do pecado. A liberdade cristã não é uma licença para pecar, mas o poder para viver em novidade de vida. A liberdade cristã não é licenciosidade, mas deleite na santidade. A liberdade cristã é a liberdade *do* pecado, não a liberdade *para* pecar. É uma liberdade irrestrita para aproximar-se de Deus como seus filhos, não uma liberdade irrestrita para chafurdar em nosso egoísmo. A licenciosidade desenfreada não é liberdade alguma; é outra forma mais terrível de servidão, uma escravidão aos desejos de nossa natureza caída.[472]

Jesus disse que aquele que pratica o pecado é escravo do pecado (Jo 8.34). Paulo disse que o homem antes da sua conversão é escravo de toda a sorte de paixões e prazeres (Tt 3.3). A palavra "liberdade" está profundamente desgastada. Muitos defendem a liberdade do amor livre, a prática irrestrita do aborto, o uso indiscriminado das drogas e o homossexualismo. Isso, porém, não é liberdade; é escravidão.

A palavra grega *aphorme,* traduzida por "*ocasião* à carne", era usada no contexto militar em referência a um lugar do qual se faz um ataque, se lança uma ofensiva. Portanto, significa um lugar vantajoso e também uma oportunidade ou pretexto. Assim, a nossa liberdade em Cristo não deve ser usada como um pretexto para a autoindulgência.[473] Nessa mesma linha, Donald Guthrie explica que a palavra *aphorme* é um vocábulo militar para "base de operações". Dessa forma, a carne é representada como um oportunista, sempre pronto a aproveitar-se de qualquer oportunidade.[474]

Em segundo lugar, *a liberdade cristã não é uma permissão para explorar o próximo.* "... sede, antes, servos uns dos outros, pelo amor" (5.13b). Calvino declara que o método para impedir a liberdade de irromper em abuso imoderado e licencioso é regulá-la pelo *amor*.[475] Quem ama não explora, mas serve o próximo. Somos livres para amar e servir, e não para explorar nosso próximo. O amor não pratica o mal contra o próximo. Como na parábola do bom samaritano, o cristão não agride o próximo nem passa de largo para não se envolver com os feridos, caídos à margem da estrada; mas vê, aproxima-se e cuida do próximo, ainda que seja seu inimigo. Concordo com John Stott quando diz: "Somos livres em nosso relacionamento com Deus, mas escravos em nosso relacionamento com os outros".[476]

Não podemos usar o próximo como se fosse uma *coisa* para nos servir; temos de respeitá-lo como *pessoa* e nos dedicar a servi-lo. Pelo amor temos de nos tornar *douleuete*, "escravos" uns dos outros, não um senhor com uma porção de escravos, mas um pobre escravo com uma porção de senhores, sacrificando o nosso bem pelo bem dos outros, e não o bem deles pelo nosso. A liberdade cristã é serviço, não egoísmo.[477]

Em terceiro lugar, *a liberdade cristã não é uma autorização para ignorar a lei*. "Porque toda a lei se cumpre em um só preceito, a saber: Amarás o teu próximo como a ti mesmo" (5.14). Somos libertos da condenação da lei, mas não dos seus preceitos. Não nos aproximamos mais da lei com o propósito de sermos aceitos por Deus; mas porque já fomos aceitos em Cristo, aproximamo-nos da lei para obedecer a Deus.

John Stott destaca com razão que, embora não possamos ser aceitos por Deus por guardarmos a lei, depois que somos aceitos continuamos guardando a lei por causa do amor que temos a Deus, que nos aceitou e nos deu o seu Espírito para nos capacitar a guardá-la.[478] William

Hendriksen complementa a ideia dizendo que a *motivação* do crente para obedecer a esse mandamento é a gratidão pela redenção consumada por Cristo; o *poder* para realizá-la é proporcionado pelo Espírito de Cristo (5.1,13,25).[479]

A síntese da lei é o amor, o amor a Deus e ao próximo. Aqui Paulo usa uma figura de linguagem, na qual ele toma uma parte como o todo. É que podemos ver a face de Deus no próximo e, quando amamos o próximo, estamos amando a Deus quem o criou. Calvino diz que Deus resolve provar o nosso amor para com ele por meio do amor ao nosso irmão. É por isso que o amor é chamado de "...o cumprimento da lei" (Rm 13.8,10). Não porque o amor ao próximo seja superior à adoração a Deus, mas porque é a prova dessa adoração. Deus é invisível, mas se representa nos irmãos. O amor para com os homens flui do amor a Deus.[480]

Em quarto lugar, *a liberdade cristã não é uma chancela para destruir o próximo*. "Se vós, porém, vos mordeis e devorais uns aos outros, vede que não sejais mutuamente destruídos" (5.15). Somos livres para amar e servir uns aos outros, e não para devorar e destruir uns aos outros. Nas igrejas da Galácia, os dois extremos – os legalistas e os libertinos – destruíram a comunhão.[481] Os dois verbos gregos *dakno,* "morder", e *katesthio*, "devorar", sugerem animais selvagens engajados em uma luta mortal. Desse modo, a força da alma e a saúde do corpo, o caráter e os recursos, são consumidos por lutas e intrigas.[482]

Devemos agir como irmãos, e não como feras ou como cães e gatos sempre envolvidos em conflitos. É o Espírito da vida que habita em nós, e não o instinto da morte. Morder e devorar são atos destrutivos, uma conduta mais apropriada a animais selvagens do que a irmãos em Cristo.[483] Donald

Guthrie diz que o apóstolo pensa numa alcateia de animais selvagens precipitando-se cada um contra a garganta do outro. É uma representação viva não só da desordem total, como também da mútua destruição.[484]

Compreendendo o conflito cristão (5.16-18)

O apóstolo Paulo identificou dois grandes perigos que atacavam as igrejas da Galácia. O primeiro é passar da liberdade para a escravidão (5.1), e o segundo implica transformar a liberdade em licenciosidade. Nos versículos 13 a 15, Paulo enfatizou que a verdadeira liberdade cristã se expressa no autocontrole, no serviço de amor ao próximo e na obediência à lei de Deus. A questão agora é: Como essas coisas são possíveis? E a resposta é: Pelo Espírito Santo. Só ele pode manter-nos verdadeiramente livres.[485] Encontramos em Gálatas cerca de quatorze referências ao Espírito Santo. Quando cremos em Cristo, o Espírito passa a habitar dentro de nós (3.2). Somos "nascidos segundo o Espírito", como Isaque (4.29). É o Espírito no coração que nos dá a certeza da salvação (4.6); e é o Espírito que nos capacita a viver para Cristo e a glorificá-lo (5.16,18,25).

A vida cristã é um campo de batalha. Trava-se nesse campo uma guerra sem trégua entre a carne e o Espírito. O Espírito e a carne têm desejos diferentes, e é isso o que gera os conflitos.

Destacamos aqui três pontos importantes.

Em primeiro lugar, *como vencer a batalha interior*. "Digo, porém: andai no Espírito e jamais satisfareis à concupiscência da carne" (5.16). A "carne" representa o que somos por nascimento natural, e o "Espírito", o que nos tornamos pelo novo nascimento, o nascimento do Espírito.[486] A carne tem desejos ardentes que nos arrastam para longe de Deus, pois os impulsos da carne são inimizade contra Deus. Os desejos da carne levam à morte. A palavra grega *epithumia*, traduzida por "concupiscência", é geralmente usada no sentido de ansiar por coisas proibidas.[487] A única maneira de triunfar sobre esses apetites é andar no Espírito. Se alimentarmos a carne, fazendo provisão para ela, fracassaremos irremediavelmente. Porém, se andarmos no Espírito, jamais satisfaremos esses apetites desenfreados da carne.

Adolf Pohl diz que todos os povos conhecem bem a ideia de que a vida é como um caminho que precisa ser trilhado. O movimento básico da vida humana, portanto, é o passo da caminhada. Trata-se de mais do que um mecânico "esquerda-direita, esquerda-direita". Todo caminho inclui um "de onde" e um "para onde". Podemos desviar-nos do caminho. Assim o "andar" constitui um movimento com sentido, direção e, por conseguinte, qualidade. Da parte da carne surgem pressões transversais. Contra elas Paulo faz valer agora forças pneumáticas. Andem *no Espírito*.[488]

A carne tem uma inclusão para aquilo que é sujo. Somente pelo Espírito de Deus podemos caminhar em santidade. Warren Wiersbe ilustra isso da seguinte maneira:

> A ovelha é um animal limpo, que evita a sujeira, enquanto o porco é um animal imundo, que gosta de se revolver na lama (2Pe 2.19-22). Depois que a chuva cessou e que a arca se encontrava em terra firme, Noé soltou um corvo, mas a ave não voltou (Gn 8.6,7). O corvo é uma ave carniceira, portanto deve ter encontrado alimento de sobra. Mas, quando Noé soltou uma pomba (uma ave limpa), ela voltou (Gn 8.8-12). Quando soltou a pomba pela última vez e ela não voltou, Noé soube, ao certo, que ela havia encontrado um lugar limpo para pousar e que, portanto, as águas haviam baixado. A velha natureza é como o porco e o corvo, sempre procurando algo imundo

> para se alimentar. Nossa nova natureza é como a ovelha e a pomba, ansiando por aquilo que é limpo e santo.[489]

Em segundo lugar, *como entender a natureza dessa batalha interior*. "Porque a carne milita contra o Espírito, e o Espírito, contra a carne, porque são opostos entre si; para que não façais o que, porventura, seja do vosso querer" (5.17). Fomos salvos da condenação e do poder do pecado, mas não ainda da presença do pecado. No campo do nosso coração ainda se trava uma guerra sem pausa, o conflito permanente entre a carne e o Espírito. Eles são opostos entre si. Alimentar, portanto, a carne é ultrajar, entristecer e apagar o Espírito. Precisamos sujeitar nossa vontade ao Espírito em vez de entregar o comando da nossa vida à carne.

William Hendriksen fala sobre essa batalha para três grupos diferentes de pessoas: 1) o libertino não tem esse conflito porque segue suas inclinações naturais; 2) o legalista que confia em si mesmo não consegue vitória nesse conflito; 3) o crente experimenta um conflito agonizante, mas alcança a vitória, pois o Espírito que nele habita o capacita a triunfar.[490]

Em terceiro lugar, *como viver livre da condenação do preceito exterior*. "Mas, se sois guiados pelo Espírito, não estais sob a lei" (5.18). Estar sob a lei significa derrota, escravidão, maldição e impotência espiritual, porque a lei não pode salvar (3.11-13,21-23,25; 4.3,24,25; 5.1). É o Espírito que nos põe em liberdade (4.29; 5.1,5).[491] A lei exige de nós perfeição e por isso mesmo nos condena, pois não somos perfeitos. Estar sob a lei é estar sob maldição, pois maldito é aquele que não persevera em toda a obra da lei para cumpri-la. Porém, quando somos guiados pelo

Espírito, já não estamos debaixo da tutela da lei e, por isso, somos livres.

O Espírito não é apenas um vendedor de mapas para o destino da liberdade; é o próprio guia que nos toma pela mão, nos guia pelo caminho até a glória final. O Espírito é visto como um guia, a quem se espera que o cristão siga.

Compreendendo as obras da carne (5.19-21)

Depois de falar do conflito entre a carne e o Espírito na vida do salvo, o apóstolo passa a falar sobre as obras da carne na vida daqueles que não herdarão o Reino de Deus. Há outras listas de pecados semelhantes a essa nos escritos de Paulo (Rm 1.18-32; 1Co 5.9-11; 6.9; 2Co 12.20,21; Ef 4.19; 5.3-5; Cl 3.5-9; 1Ts 2.3; 4.3-7; 1Tm 1.9,10; 6.4,5; 2Tm 3.2-5; Tt 3.3,9,10). Essa lista, embora extensa, não é exaustiva, pois não esgota todas as obras da carne, uma vez que Paulo conclui dizendo: "... e coisas semelhantes a estas" (5.21). Vamos classificar essas obras da carne em cinco grupos.

Em primeiro lugar, os *pecados sexuais*. "Ora, as obras da carne são conhecidas e são: prostituição, impureza, lascívia" (5.19). John Stott diz que a nossa velha natureza é secreta e invisível; mas as suas obras, as palavras e atos pelos quais ela se manifesta são públicos e evidentes.[492] A palavra grega *faneros,* traduzida por "conhecidas", significa claro e manifesto. Os primeiros três pecados da lista são pecados da área sexual. Essas três palavras são suficientes para mostrar que todas as ofensas sexuais, sejam elas públicas ou particulares, "naturais" ou "anormais", entre pessoas casadas ou solteiras, devem ser classificadas como obras da carne.[493]

Essas palavras revelam uma progressão na transgressão. *Prostituição* indica pecado em área específica da vida: a área das relações sexuais; *impureza* indica profanação geral da personalidade, manchando toda esfera da vida; *lascívia* indica amor ao pecado tão despreocupado e tão audacioso que a pessoa deixa de se preocupar com o que Deus ou os homens pensam de suas ações.[494]

- *Prostituição.* A palavra grega *porneia,* traduzida por "prostituição", refere-se a toda sorte de pecado sexual, seja adultério, fornicação, masturbação, incesto ou homossexualismo. Trata-se de um termo amplo que descreve toda sorte de relacionamentos sexuais ilícitos e imorais.[495] Quando Paulo escreveu essa carta, no século 1, a imoralidade sexual era uma prática comum no mundo gentílico. William Barclay diz que *porneia* é a prostituição, e *porne* é uma prostituta. Há probabilidade de que todas essas palavras tenham ligação com o verbo *pernumi,* que significa "vender". Essencialmente, *porneia* é o amor que é comprado ou vendido – o que não é amor de modo algum.[496] Na Grécia o relacionamento sexual antes e fora do casamento era praticado sem nenhuma vergonha. Os gregos tinham amantes para o prazer, concubinas para as necessidades diárias do corpo e esposas para gerar filhos. Quase todos os grandes pensadores gregos tinham suas amantes. Alexandre Magno tinha sua Taís; Aristóteles tinha sua Herpília; Platão sua Arquenessa; Péricles sua Aspásia; Sófocles sua Arquipe. Roma aprendeu a pecar com a Grécia. Quando a frouxidão moral grega invadiu Roma, tornou-se tristemente mais grosseira. A classe alta da sociedade romana tornou-se obscenamente promíscua. O palácio transformou-se em um antro de prostituição. A sociedade desde o mais alto escalão até o mais simples era cheia de homossexualidade.[497] É com esse pano de fundo que Paulo escreve sobre as obras da carne.

- *Impureza.* A palavra grega *akatharsia,* traduzida por "impureza", é um termo mais geral, o qual, embora às vezes possa denotar impureza ritual, refere-se aqui à impureza moral. Essa impureza inclui a impureza dos atos, palavras, pensamentos e intenções do coração.[498] William Barclay diz que o termo era usado para descrever o pus de uma ferida não desinfetada.[499]
- *Lascívia.* A palavra grega *aselgeia,* traduzida por "lascívia", significa literalmente a libertinagem de modo geral, mas sem dúvida é usada aqui para a lascívia nas relações sexuais.[500] *Aselgeia* refere-se à devassidão, um apetite libertino e desavergonhado.[501] Trata-se daqueles atos indecentes que chocam o público.[502] Um homem entregue à lascívia não conhece freio algum, só pensa no seu prazer e já não se importa com o que pensam as pessoas.[503]

Em segundo lugar, os *pecados religiosos.* "... idolatria, feitiçarias..." (5.20a). Esses dois pecados falam de ofensa a Deus, pois são uma perversão do culto a Deus. Lightfoot diz que, se *eidololatria,* "idolatria", é o impudente culto prestado a outros deuses, "feitiçarias" é o intercâmbio secreto com os poderes do mal.[504]

- *Idolatria.* A palavra grega *eidolatria,* traduzida por "idolatria", refere-se à adoração de deuses feitos pela mão do homem. É o pecado no qual as coisas materiais chegam a ocupar o lugar de Deus.[505] Idolatria é colocar qualquer coisa antes de Deus e das pessoas. Devemos adorar a Deus, amar as pessoas e usar as coisas.[506]

- *Feitiçarias.* A palavra grega *pharmakeia,* traduzida por "feitiçarias", significa uso de remédios ou drogas. O termo significa também o uso de drogas com propósitos mágicos. A linha divisória entre a medicina e a magia não era muito nítida naqueles dias, como continua ocorrendo em muitas culturas tribais hoje em dia.[507]

Em terceiro lugar, os *pecados sociais.* "... inimizades, porfias, ciúmes, iras, discórdias, dissensões, facções, invejas..." (5.20b,21a). Esses oito pecados envolvem transgressões ligadas aos relacionamentos. *Inimizade* é uma atitude mental que provoca e afronta outras pessoas. *Porfias* e *ciúmes* referem-se a rivalidades. As *iras* são acessos de raiva, e as *discórdias* dizem respeito às ambições interesseiras e egoístas que criam divisões na igreja. *Dissensões* e *facções* são termos análogos; o primeiro sugere divisão, e o segundo, rompimentos causados por um espírito partidário. As *invejas* indicam rancores e o desejo profundo de ter aquilo que os outros têm.[508] Vamos detalhar um pouco mais esses termos.

- *Inimizades.* A palavra grega *exthrai,* traduzida por "inimizades", significa hostilidade, animosidade. Trata-se daquele sentimento hostil nutrido por longo tempo, que se enraíza no coração. A ideia é a de um homem que se caracteriza pela hostilidade para com seu semelhante. É o oposto do amor.
- *Porfias.* A palavra grega *eris,* traduzida por "porfias", significa lutas, discórdias, contendas, querelas. Traz a ideia de alguém que luta contra a pessoa com a finalidade de conseguir alguma coisa, como posição, promoção, bens, honra, reconhecimento. É a rivalidade por recompensa.

- *Ciúmes.* A palavra grega *zelos,* traduzida por "ciúmes", significa querer e desejar possuir aquilo que o outro tem. Podem ser tanto coisas materiais quanto reconhecimento, honra ou posição social. Implica entristecer-se não apenas porque não se tem algo, mas porque outra pessoa o tem.
- *Iras.* A palavra grega *thumoi,* traduzida por "iras", significa arder em ira ou ter indignação. Trata-se de um temperamento violento e explosivo, presente em pessoas que estouram por qualquer motivo e manifestam destempero emocional. A palavra *thumoi* não é tanto um ódio que perdura quanto uma cólera que se inflama e se apaga no momento.[509]
- *Discórdias.* A palavra grega *eritheiai,* traduzida por "discórdias", significa conflitos, lutas, contendas. Trata-se de um espírito partidário e tendencioso. Descreve a pessoa que busca um cargo ou posição não para servir ao próximo, mas para auferir proveito próprio.[510]
- *Dissensões.* A palavra grega *dichostasiai,* traduzida por "dissensões", significa sedição, rebelião, e também posicionar-se uns contra os outros. Trata-se daquele sentimento que só pensa no que é seu, e não também no que é dos outros.
- *Facções.* A palavra grega *aireseis,* traduzida por "facções", significa heresias, a rejeição das crenças fundamentais em Deus, Cristo, as Escrituras e a igreja. Envolve abraçar crenças sem o respaldo da verdade. É muito provável que Paulo tenha usado o termo com referência aos elementos divisores na igreja que desembocaram em grupos ou seitas. Tais grupos exclusivos (ou panelinhas) fragmentaram a igreja. É

mais que natural que esses grupos se considerassem certos e todos os outros errados. Paulo condenou semelhante sectarismo, tachando-o de "obras da carne".[511]

- *Invejas.* A palavra grega *fthonoi,* traduzida por "invejas", vai além dos ciúmes. É o espírito que deseja não somente as coisas que pertencem aos outros, mas se entristece pelo fato de outras pessoas possuírem essas coisas. Os invejosos não apenas desejam o que pertence aos outros, mas anseiam que os outros sofram por perder essas coisas. Trata-se das pessoas que se alegram com a tristeza dos outros. Não é tanto o desejo de ter as coisas, mas o desejo de que os outros as percam. É entristecer-se por algum bem alheio. Eurípedes chamou a inveja de "a maior enfermidade entre os homens".[512]

Em quarto lugar, os *pecados pessoais.* "... bebedices, glutonarias e coisas semelhantes a estas..." (5.21b). Esses dois últimos pecados têm a ver com a intemperança ou o abuso e a falta de domínio próprio na área de comida e bebida.

- *Bebedices.* A palavra grega *methai,* "bebedices", refere-se à pessoa que se embriaga na busca de sensualidade ou prazer. No mundo antigo tratava-se de um vício comum. Os gregos bebiam mais vinho do que leite. Até as crianças bebiam vinho.[513] A embriaguez, contudo, transforma homens em feras.
- *Glutonarias.* A palavra grega *komoi,* "glutonarias", refere-se a uma busca desenfreada pelo prazer, seja em relação à comida ou a qualquer prazer. A palavra pode ser traduzida também por "orgias". O termo tem uma história interessante. *Komos* era um grupo

de amigos que acompanhavam o vencedor nos jogos depois de sua vitória. Dançavam, riam e cantavam suas canções. Também descreve os grupos de devotos de Baco, o deus do vinho. O termo significa rebeldia não refreada e desgovernada. É diversão que se degenera em licenciosidade.[514]

Em quinto lugar, *o julgamento para os que vivem na carne*. "... a respeito das quais eu vos declaro, como já, outrora, vos preveni, que não herdarão o reino de Deus os que tais coisas praticam" (5.21c). Paulo não está falando de um ato pecaminoso, mas sim do hábito de pecar. Aqueles que praticam o pecado não herdarão o Reino de Deus. Aqueles que vivem na prática do pecado e não se deleitam na santidade nem mesmo encontrariam ambiente no céu.

Compreendendo o fruto do Espírito (5.22-26)

O apóstolo Paulo faz um contraste entre as obras da carne e o fruto do Espírito. Se as obras falam de esforço, o fruto é algo natural. Donald Guthrie diz que a mudança das "obras" para "fruto" é importante porque remove a ênfase do esforço humano.[515] As obras da carne são resultado do nosso labor; o fruto do Espírito é realização do Espírito em nós. Concordo com R. E. Howard quando escreve: "Uma obra é algo que o homem produz por si mesmo; um fruto é algo que é produzido por um poder que não é dele mesmo".[516] O fruto do Espírito tem origem sobrenatural, crescimento natural e maturidade gradual.

James Hastings aborda três verdades importantes sobre o fruto do Espírito: 1) a natureza do fruto; 2) sua variedade; e 3) seu cultivo. O fruto de que Paulo está tratando é a criação do Espírito Santo. Ele não brota da nossa natureza, nem é produto da educação mais refinada. Esse fruto é variado, uma vez que Paulo menciona nove virtudes morais que são produzidas pelo próprio Espírito. Finalmente, esse fruto precisa ser cultivado de forma espontânea para que se torne proveitoso e assaz saboroso.[517]

Quatro verdades devem ser aqui observadas.

Em primeiro lugar, *o Espírito produz em nós o seu próprio fruto*. "... o fruto do Espírito é: amor, alegria, paz, longanimidade, benignidade, bondade, fidelidade, mansidão, domínio próprio. Contra estas coisas não há lei" (5.22,23). Segundo Juarez Marcondes Filho, o fruto do Espírito não pode ser criado artificialmente nem pode ser simulado. Ninguém frutificará alheio à operação do Espírito Santo.[518] Vale ressaltar que Paulo não fala de frutos, mas do fruto. Essas nove virtudes são como que gomos de um mesmo fruto. Não podemos ter um fruto e ser desprovidos de outros. As nove virtudes produzidas em nós pelo Espírito podem ser classificadas em três áreas: 1) a atitude do cristão para com Deus; 2) a atitude do cristão para com outras pessoas; e 3) a atitude do cristão para com ele mesmo.

Virtudes ligadas ao nosso relacionamento com Deus. "Mas o fruto do Espírito é: amor, alegria, paz..." (5.22a). Essa tríade tem a ver com nossa relação com Deus, pois o primeiro amor do cristão é o seu amor a Deus, sua principal alegria é a sua alegria em Deus e a sua paz mais profunda é a sua paz com Deus.[519] Vamos destacar aqui essas palavras.

- *Amor*. A palavra grega *agape*, traduzida por "amor", inclui tanto amor a Deus como o amor ao próximo. Bem sabemos que na língua grega há quatro termos para amor: 1) *Eros* é o amor de um homem por uma mulher; é o amor imbuído de paixão. 2) *Filia* é o amor caloroso para os nossos achegados e familiares. É um sentimento profundo do coração. 3_ *Storge* aplica-se particularmente ao amor dos pais pelos filhos. 4) *Agape* é o termo cristão e significa benevolência invencível.[520]

- *Alegria.* A palavra grega *chara,* traduzida por "alegria", é a alegria fundamentada num relacionamento consistente com Deus. Não é a alegria que provém das coisas terrenas ou triunfos passageiros, nem mesmo é a alegria de triunfar sobre um rival; antes, é o gozo que tem Deus como seu fundamento.[521]
- *Paz.* A palavra grega *eirene,* traduzida por "paz", refere-se fundamentalmente à paz com Deus. Era usada para descrever a tranquilidade e a serenidade que goza um país sob um governo justo. Significa não apenas ausência de problemas, mas, sobretudo, a consciência de que nossa vida está nas mãos de Deus.

Virtudes ligadas ao nosso relacionamento com o próximo. "... longanimidade, benignidade, bondade..." (5.22b). Essas três virtudes estão conectadas com a nossa relação com o próximo: *longanimidade* é paciência para com aqueles que nos irritam ou perseguem, *benignidade* é uma questão de disposição, e *bondade* refere-se a palavras e atos.[522] Vamos examinar mais detidamente essas palavras.

- *Longanimidade.* A palavra grega *makrothumia,* traduzida por "longanimidade", significa ânimo espichado ao máximo. É a pessoa tardia em irar-se. Trata-se de paciência para suportar injúrias de outras pessoas. Descreve o homem que, tendo condições de vingar-se, não o faz.
- *Benignidade.* A palavra grega *crestotes,* traduzida por "benignidade", significa gentileza. Refere-se a uma disposição gentil e bondosa para com os outros. O

jugo de Cristo é *crestos* (Mt 11.30). Trata-se de uma amável bondade.

- *Bondade.* A palavra grega *agathosyne,* traduzida por "bondade", refere-se à bondade ativa como um princípio energizante. A bondade pode reprovar, corrigir e disciplinar; mas a benignidade só pode ajudar. Trench diz que Jesus mostrou *agathosyne* quando purificou o templo e expulsou os que o transformaram em um mercado, mas manifestou *crestotes* quando foi amável com a mulher pecadora que lhe ungiu os pés.[523]

Virtudes ligadas ao nosso relacionamento com nós mesmos. "... fidelidade, mansidão, domínio próprio. Contra estas coisas não há lei" (5.22c,23). A última tríade de virtudes tem a ver com nossa relação com nós mesmos. Vejamos:

- *Fidelidade.* A palavra grega *pistis,* traduzida por "fidelidade", significa fé, lealdade. Descreve a pessoa que é digna de confiança.
- *Mansidão.* A palavra grega *prautes,* traduzida por "mansidão", significa dócil submissão. É poder sob controle. A palavra era usada para um animal que foi domesticado e criado sob controle.
- *Domínio próprio.* A palavra grega *egkrateia,* traduzida por "domínio próprio", significa autocontrole, domínio dos próprios desejos e apetites. Aplicava-se à disciplina que os atletas exerciam sobre o próprio corpo (1Co 9.25) e o domínio cristão do sexo (1Co 7.9).

Em segundo lugar, *os salvos crucificaram a carne.* "E os que são de Cristo Jesus crucificaram a carne, com as suas paixões e concupiscências" (5.24). O verbo grego *estaurosan,* "crucificados", no aoristo, indica uma ação completa no passado e pode naturalmente referir-se à conversão.[524] Estamos ligados a Cristo na sua crucificação, morte, sepultamento, ressurreição e ascensão. Estamos assentados com Cristo nas regiões celestiais, acima de todo principado e potestade. Devemos assumir essa posição e andar com a carteira de óbito do velho homem no bolso (2.20; 5.24; Rm 6.6). John Stott diz que nós é que agimos aqui. Não se trata de "morrer", o que já experimentamos por meio de nossa união com Cristo; é, antes, um deliberado "matar" (Mc 8.34).[525] Essa rejeição que o cristão faz de sua velha natureza tem de ser impiedosa, dolorosa e decisiva. Crucificamos a carne; não vamos jamais arrancar os pregos.[526] Warren Wiersbe enfatiza que a crucificação é um tipo de morte que ninguém pode aplicar sobre si mesmo. Por isso, Paulo afirma que a carne já foi crucificada. É nossa responsabilidade *crer* nisso e *agir* de acordo.[527]

Em terceiro lugar, *os salvos vivem de forma coerente em relação a Deus*. "Se vivemos no Espírito, andemos também no Espírito" (5.25). Se o Espírito habita em nós e em nós produz seus frutos, precisamos agora andar no Espírito. Não pode existir inconsistência em nossa vida. O verbo grego *stoichomen,* "andemos", significa ficar numa fila, caminhar em linha reta, comportar-se adequadamente. A palavra era usada para o movimento numa linha definida, como numa formação militar ou numa dança. O tempo presente aponta para a ação habitual contínua.[528]

Paulo fala de duas experiências distintas: "...andar no Espírito" (5.16,25) e "...ser guiado pelo Espírito" (5.18). Há uma diferença clara entre "ser guiado pelo Espírito" e "andar pelo Espírito", pois a primeira expressão está na voz passiva, e a segunda, na ativa. É o Espírito quem guia, mas quem anda somos nós.[529]

Em quarto lugar, *os salvos vivem de forma coerente em relação aos irmãos*. "Não nos deixemos possuir de vanglória, provocando uns aos outros, tendo inveja uns dos outros" (5.26). O orgulho e a inveja são obras da carne e não fruto do Espírito. Esses pecados são, portanto, incompatíveis na vida do salvo.

Dos muitos males existentes em nossa sociedade e, particularmente, na igreja, a ambição é a mãe de todos eles. Por isso, Paulo exorta a nos precavermos desse erro, pois a *kenodoxia,* "vanglória", nada mais é do que a ambição ou o anelo por honras, por meio dos quais cada pessoa deseja exceder as demais. A palavra refere-se a uma pessoa que sabe como tentar conseguir um respeito ao qual não faz jus, e demonstra, por suas ações, conversa fiada, vanglória e ambição.[530] Entre os crentes, aquele que deseja glória humana se aparta da verdadeira glória. Não é lícito nos gloriarmos, exceto em Deus. Qualquer tipo de glória é pura vaidade. Provocar uns aos outros e ter inveja uns dos outros são atitudes filhas da ambição.[531]

NOTAS DO CAPÍTULO 14

[469] HENDRIKSEN, Guillermo. *Gálatas*, p. 217.
[470] STOTT, John. *A mensagem de Gálatas*, p. 128.
[471] CALVINO, João. *Gálatas*, 2007, p. 146.
[472] STOTT, John. *A mensagem de Gálatas*, p. 128,129.
[473] STOTT, John. *A mensagem de Gálatas*, p. 128.
[474] GUTHRIE, Donald. *Gálatas: introdução e comentário*, p. 171.
[475] CALVINO, João. *Gálatas*, 2007, p. 146.
[476] STOTT, John. *A mensagem de Gálatas*, p. 130.
[477] STOTT, John. *A mensagem de Gálatas*, p. 129.
[478] STOTT, John. *A mensagem de Gálatas*, p. 131.
[479] HENDRIKSEN, Guillermo. *Gálatas*, p. 220.
[480] CALVINO, João. *Gálatas*, 2007, p. 147,148.
[481] WIERSBE, Warren W. *Comentário bíblico expositivo*, p. 938.
[482] RIENECKER, Fritz; ROGERS, Cleon. *Chave linguística do Novo Testamento grego*, p. 382.
[483] STOTT, John. *A mensagem de Gálatas*, p. 130.
[484] GUTHRIE, Donald. *Gálatas: introdução e comentário*, p. 172.
[485] STOTT, John. *A mensagem de Gálatas*, p. 132.
[486] STOTT, John. *A mensagem de Gálatas*, p. 133.
[487] GUTHRIE, Donald. *Gálatas: introdução e comentário*, p. 173.
[488] POHL, Adolf. *Carta aos Gálatas*, 1999, p. 182,183.
[489] WIERSBE, Warren W. *Comentário bíblico expositivo*, p. 938,939.
[490] HENDRIKSEN, William. *Gálatas*, p. 222,223.
[491] HENDRIKSEN, William.*Gálatas*, p. 224.
[492] STOTT, John. *A mensagem de Gálatas*, p. 134.
[493] STOTT, John. *A mensagem de Gálatas*, p. 134.
[494] HOWARD, R. E. *A Epístola aos Gálatas*, p. 70.
[495] BARCLAY, William. *As obras da carne e o fruto do Espírito*. São Paulo: Vida Nova, 1985, p. 25.
[496] BARCLAY, William. *As obras da carne e o fruto do Espírito*, p. 25,26.
[497] BARCLAY, William. *As obras da carne e o fruto do Espírito*, p. 25-27.
[498] HENDRIKSEN, William. *Gálatas*, p. 227.
[499] BARCLAY, William. *Gálatas y Efesios*, p. 57.
[500] GUTHRIE, Donald. *Gálatas: introdução e comentário*, p. 175,176.
[501] WIERSBE, Warren W. *Comentário bíblico expositivo*, p. 939.
[502] RIENECKER, Fritz; ROGERS, Cleon. *Chave linguística do Novo Testamento grego*, p. 382.
[503] BARCLAY, William. *Gálatas y Efesios*, p. 57.

[504] LIGHTFOOT, J. B. *Commentary on the Epistle to the Galatians.* Grand Rapids, MI: Zondervan, 1957, p. 311.
[505] BARCLAY, William. *Gálatas y Efesios*, p. 57.
[506] WIERSBE, Warren W. *Comentário bíblico expositivo*, p. 939.
[507] GUTHRIE, Donald. *Gálatas: introdução e comentário*, p. 176.
[508] WIERSBE, Warren W. *Comentário bíblico expositivo*, p. 939,940.
[509] BARCLAY, William. *Gálatas y Efesios*, p. 58.
[510] BARCLAY, William. *Gálatas y Efesios*, p. 58.
[511] HOWARD, R. E. *A Epístola aos Gálatas*, p. 72.
[512] BARCLAY, William. *Gálatas y Efesios*, p. 58.
[513] BARCLAY, William. *Gálatas y Efesios*, p. 58,59.
[514] BARCLAY, William. *Gálatas y Efesios*, p. 59.
[515] GUTHRIE, Donald. *Gálatas: introdução e comentário*, p. 178.
[516] HOWARD, R. E. *A Epístola de Gálatas,* p. 73.
[517] HASTINGS, James. *The great texts of the Bible*, p. 397-410.
[518] MARCONDES FILHO, Juarez. *Vivendo a excelência.* Londrina: Descoberta, 2007, p. 20-22.
[519] STOTT, John. *A mensagem de Gálatas*, p. 135.
[520] BARCLAY, William. *Gálatas y Efesios*, p. 59.
[521] BARCLAY, William. *Gálatas y Efesios*, p. 60.
[522] STOTT, John. *A mensagem de Gálatas*, p. 135.
[523] BARCLAY, William. *Gálatas y Efesios*, p. 61.
[524] RIENECKER, Fritz; ROGERS, Cleon. *Chave linguística do Novo Testamento grego*, p. 383.
[525] STOTT, John. *A mensagem de Gálatas*, p. 137.
[526] STOTT, John. *A mensagem de Gálatas*, p. 137-139.
[527] WIERSBE, Warren W. *Comentário bíblico expositivo*, p. 940.
[528] RIENECKER, Fritz; ROGERS, Cleon. *Chave linguística do Novo Testamento grego*, p. 383.
[529] STOTT, John. *A mensagem de Gálatas*, p. 139.
[530] RIENECKER, Fritz; ROGERS, Cleon. *Chave linguística do Novo Testamento grego*, p. 383.
[531] CALVINO, João. *Gálatas*, 2007, p. 156.

Capítulo 15

Igreja, a comunidade do amor

(Gl 6.1-10)

No capítulo 5, Paulo tratou da vida no Espírito, agora ele passa a falar sobre a ética do Espírito. Paulo aplica princípios práticos de como essa vida no Espírito funciona. A lei de Cristo se cumpre no amor, e a igreja é a comunidade do amor. Destacamos dois pontos importantes sobre a igreja como uma comunidade de ajuda e socorro: a igreja é uma comunidade terapêutica e uma comunidade diaconal, ou seja, de serviço.

Igreja, uma comunidade terapêutica (6.1-5)

A igreja de Cristo recebeu o Espírito (3.2), nasceu segundo o Espírito (4.29), anda no Espírito (5.16), é guiada pelo Espírito (5.18), produz o fruto do Espírito (5.22,23) e vive no Espírito (5.25). Mas ainda não está no céu. Ainda há a terrível possibilidade de quedas e fracassos. Fomos libertados da condenação do pecado e do poder do pecado, mas não ainda da presença do pecado. Estamos sujeitos a fraquezas e quedas. É nesse contexto que a igreja é também uma comunidade terapêutica. À luz do texto em tela, destacamos seis pontos importantes.

Em primeiro lugar, *uma queda repentina*. "Irmãos, se alguém for surpreendido nalguma falta..." (6.1a). O termo *surpreendido* indica que não se trata de um caso de desobediência deliberada.[532] Não houve um propósito maldoso antes da ação.[533] A palavra grega *paraptoma*, "falta", significa literalmente "pisar fora do caminho",[534] dar um passo em falso ou resvalar os pés num caminho perigoso.[535] Por que Paulo levanta esse caso hipotético? Porque nada revela mais claramente a perversidade do legalismo do que a maneira como os legalistas tratam aqueles que pecaram.[536]

Paulo alerta também que o pecado é como um laço, uma armadilha posta em nosso caminho. O pecado pode surpreender-nos. Todos nós precisamos estar atentos. A expressão de Paulo "se alguém" inclui a todos, sem exceção. Aquele que pensa que está em pé, veja que não caia. Há terrenos escorregadios diante dos nossos pés. Não podemos andar despercebidamente. Precisamos viver com discernimento e prudência e fugir até da aparência do mal.

Em segundo lugar, *um confronto amoroso*. "... vós, que sois espirituais, corrigi-o com espírito de brandura; e guarda-te para que não sejas também tentado" (6.1b). Calvino enfatiza que muitos lançam mão dos erros dos irmãos, usando-os como ocasião para insultá-los e atingi-los com linguagem rude e censuradora.[537] Precisamos destacar alguns pontos na passagem em apreço.

Quem deve lidar com aqueles que caem? Paulo diz que os crentes espirituais são aqueles que andam no Espírito, produzem o fruto do Espírito e são guiados pelo Espírito. Esses é que devem tomar a iniciativa de cuidar daqueles que são surpreendidos pelo pecado. Obviamente os crentes espirituais não devem ser entendidos como uma elite espiritual dentro da igreja. Todos os crentes devem e podem ser espirituais. O contexto mostra que Paulo está mais preocupado com aqueles que vão lidar com o caído do que com a própria pessoa que resvalou os pés. Lidar com a disciplina na igreja sem total dependência do Espírito pode produzir mais doença do que cura. Nessa mesma trilha de pensamento, Adolf Pohl observa que é notável que Paulo dedique ao caso do pecado somente o primeiro terço do versículo 1, e os dois terços seguintes e os quatro versículos restantes aos que o corrigem. O apóstolo parece preocupar--se mais com os exortadores do que com os pegos em falha. São os primeiros que podem tornar o caso realmente problemático, bem pior do que a falta propriamente dita.[538]

O que deve ser feito com aqueles que caem? A única maneira de levantar aqueles que caíram em pecado é a confrontação. Paulo diz: "... corrigi-o". O termo grego *katartizo* significa "pôr em ordem" e "restaurar à condição anterior". Como o verbo no grego está no presente, destaca uma ação contínua. A correção é para a restauração, não se constituindo geralmente num único ato, mas em um procedimento persistente.[539] A palavra *katartizo* era usada no grego secular como um termo médico, referindo-se a encanar um osso fraturado ou deslocado. Em Marcos 1.19, o termo foi aplicado aos apóstolos que estavam "remendando suas redes".[540] O fiel que caiu em pecado é como um osso fraturado no corpo que precisa ser restaurado.[541] Essa palavra aponta também para a motivação daquele que corrige. Seu intento não é tripudiar sobre o faltoso, mas ajudá-lo a colocar-se em pé. William Barclay diz que toda a atmosfera do termo usado por Paulo põe a ênfase não no castigo do faltoso, mas na sua cura; a correção não é uma pena, mas uma restauração.[542]

Essa correção é um confronto necessário. A igreja é uma comunidade de confrontação. Preferimos a dor do confronto ao falso consolo da conivência. Não confrontar aqueles que caem nas teias do pecado é uma atitude indigna da igreja de Deus. É claro que corrigir não significa expor o faltoso ao ridículo, humilhá-lo ou execrá-lo. Não temos o direito de esmagar a cana quebrada nem de apagar a torcida que fumega. Devemos ser intolerantes com o pecado, mas compassivos com o pecador. John Stott cita as palavras de Lutero quanto a este mandamento: "Vá até ele, estenda-lhe a mão, levante-o novamente, console-o com palavras brandas e abrace-o com braços de mãe".[543]

Como confrontar aqueles que caem? A confrontação precisa ser feita com absoluto espírito de amor. O confronto precisa ser com "espírito de *brandura*". A mesma palavra grega "brandura" (*praotes*), aparece em 5.23 como parte do fruto do Espírito, pois a mansidão é uma característica da verdadeira espiritualidade. Apenas os espirituais são mansos.[544] A dureza, a insensibilidade e a hipocrisia não podem estar presentes no processo da confrontação. Precisamos ter a ternura de Cristo e a doçura do Espírito de Deus a fim de que a pessoa ferida pelo pecado possa ser curada e restaurada. Nesse contexto é apropriado citar 2Tessalonicenses 3.15: "Todavia, não o considereis por inimigo, mas adverti-o como irmão". Calvino tem razão em dizer que nenhum homem está preparado para repreender um irmão, se ainda não foi bem-sucedido em obter um espírito gentil.[545]

A igreja não é uma comunidade geradora de traumas e doenças, mas um lugar de cura e restauração. Não somos um exército que executa seus soldados feridos; somos uma clínica que cuida com amor daqueles que foram surpreendidos e caíram nas malhas insidiosas do pecado. Se a palavra "corrigir" era usada na medicina para restaurar um osso quebrado, significa que a pessoa que cai nessa armadilha fica machucada. Precisamos tratá-la com tato e com brandura, a fim de não a deixarmos ainda mais traumatizada e doente.

Entretanto, quando o mal é premeditado, e permanece renitente e inflexível no meio da igreja, quando ademais pleiteia publicamente por seguidores e os seduz, quando portanto há o perigo do efeito fermento (5.8,9), o amor traça divisórias claras e não permite que o mal encontre almofadas em vez de oposição. "O amor não se alegra com a injustiça" (1Co 13.6) O amor não sorri impassível diante de tudo, mas deixa notar claramente para o que diz não. Isso pode chegar a ponto da separação: "Lançai fora o velho fermento" (1Co 5.7). No entanto, mesmo no momento em que um "mau elemento" é lançado fora, ele continua sendo objeto de preocupação e esperança (1Co 5.5b).[546]

Que precauções deve ser tomadas ao confrontar aqueles que caem? A confrontação precisa ser feita com cautela e humildade. Paulo acrescenta: "e guarda-te para que não sejas também tentado". Calvino observa que não é sem razão que o apóstolo muda do plural para o singular. Ele dá vigor à sua exortação quando se dirige individualmente a cada crente, instando a que cuide de si mesmo.[547] Concordo com Donald Guthrie no sentido de que o autoexame só pode ser individual. O verbo grego usado, *skopeo,* significa uma consideração firme, como contemplar o alvo antes de dar um tiro.[548]

Quem corrige não pode jactar-se, julgando-se melhor do que o indivíduo corrigido. Todos temos a mesma estrutura: somos pó. Se nos apartarmos um minuto apenas da graça de Deus, podemos também tropeçar e cair. Somos todos vulneráveis e dependentes da misericórdia de Deus. Portanto, precisamos vigiar para não condenar nos outros aquilo que nós mesmos praticamos, ou para não cair em práticas semelhantes àquelas que reprovamos na vida dos nossos irmãos. Por mais perspicazes que sejamos em detectar os erros alheios, não conseguimos ver, como disse alguém, "a mochila pendurada às nossas costas".[549]

Em terceiro lugar, *uma ordem necessária.* "Levai as cargas uns dos outros e, assim, cumprireis a lei de Cristo" (6.2). A confrontação não é apenas verbal; implica também ajuda prática. O apóstolo Paulo nos exorta a "levar as cargas uns dos outros". A dor dos nossos irmãos deve doer também em nós. O fardo dos nossos irmãos deve pesar também sobre nós. Cada um deve pôr seu ombro debaixo das cargas daquele irmão que está gemendo. Essas cargas precisam ser carregadas coletivamente.[550] Corrige com eficácia aquele que, além de falar a verdade em amor com os que tropeçam, também alivia o peso que os esmaga. Amor apenas de palavras é hipocrisia. Ação é o que a Palavra de Deus nos recomenda se queremos ver levantar aqueles que caíram. A ajuda prática aos feridos é a forma mais eficaz de a igreja se apresentar como uma comunidade terapêutica.

É quando levamos as cargas uns dos outros que cumprimos a lei de Cristo. John Stott diz que a "lei de

Cristo" é amar aos outros como ele nos ama; este foi o novo mandamento que ele nos deu (Jo 13.34,35). Assim, como Paulo já havia declarado em Gálatas 5.14, amar o próximo é cumprir a lei. É impressionante que "amar ao próximo", "levar os fardos uns dos outros" e "cumprir a lei" sejam expressões equivalentes.[551] Concordo com William Hendriksen quando diz que Cristo não apenas promulgou essa lei, mas também a exemplificou. Note a ternura que Jesus tratou a mulher pecadora (Lc 7.36-50), o ladrão penitente (Lc 23.43), Simão Pedro (Lc 22.61; Jo 21.15-17), o paralítico de Jerusalém (Jo 5.14) e a mulher que foi apanhada em adultério (Jo 8.11).[552]

É muito provável que Paulo esteja condenando aqui a atitude dos legalistas. Eles não estavam interessados em carregar fardos, mas em colocá-los nos ombros das pessoas (At 15.10). Os fariseus eram especialistas em atar fardos difíceis de carregar nos ombros dos homens (Mt 23.4). O legalista é sempre mais severo com outras pessoas do que consigo mesmo.

Em quarto lugar, *um julgamento equivocado*. "Porque, se alguém julga ser alguma coisa, não sendo nada, a si mesmo se engana" (6.3). Um autoexame falso leva ao autoengano. Donald Guthrie diz que o verbo enganar, que não ocorre em nenhum outro lugar no Novo Testamento, significa iludir a própria mente. O apóstolo dá a entender que qualquer crente que alega ser "alguma coisa" está enchendo sua mente de fantasia.[553] Por isso, um dos grandes perigos do confronto aos que tropeçam é dirigir-nos a eles com um ar de arrogância, arrotando nossa pretensa santidade. Nada é mais contrário à santidade do que o orgulho. O legalista tende a denegrir a imagem dos outros só para melhorar a própria imagem. Segundo Adolf Pohl, entra em cartaz aqui o grotesco teatro de alguém que se debruça sobre o cisco no olho de seu irmão, dizendo: "Sossega, tenho de ajudar-te", enquanto no próprio olho uma trave balança para lá e para cá. Esta seria uma caricatura da disciplina eclesiástica.[554]

Jesus condenou o fariseu que se julgou melhor do que os demais homens. Jesus desmascarou os fariseus que queriam apedrejar a mulher apanhada em flagrante adultério, sendo eles também culpados. A igreja de Laodiceia foi reprovada ao dar nota máxima a si mesma, estando em precária situação diante de Deus. Concordo com William Hendriksen quando ele escreve: "O que nos faz ternos e generosos, humildes e mansos, compassivos e prestativos para com os demais é o fato de dar-nos conta do pouco que nós somos".[555]

Em quinto lugar, *uma atitude sensata.* "Mas prove cada um o seu labor e, então, terá motivo de gloriar-se unicamente em si e não em outro" (6.4). Aquele que mira a si mesmo no espelho da conduta de outra pessoa se contempla favoravelmente. Em vez de fazer isso, deveria contemplar-se no espelho da lei de Deus e do exemplo de Cristo.[556] Não é correto comparar-nos com aqueles que caem; devemos antes olhar para Cristo, a fim de sermos transformados de glória em glória na sua imagem. Não devemos comparar-nos com os que tropeçam e caem, mas devemos lutar para atingir a plenitude da estatura de Cristo. A palavra grega *dokimazeto,* "prove", usada pelo apóstolo Paulo, significa aprovar depois de um teste ou exame. Era usada para testar se os metais eram puros.[557]

Em sexto lugar, *uma responsabilidade pessoal.* "Porque cada um levará o seu próprio fardo" (6.5). Uma leitura superficial pode sugerir contradição entre o versículo 2, "Levai as cargas uns dos outros", e o versículo 5, "...cada um levará o seu próprio fardo". Não há nenhuma contradição, porém. É que Paulo está usando termos diferentes. A palavra grega *baros*, "carga" (6.2), significa uma carga pesada ou peso esmagador; já a palavra grega *phortion*, "fardo" (6.5), é um termo comum para o pacote[558] ou a mochila de um soldado.

R. E. Howard diz que Paulo passa das obrigações sociais do cristão (6.2) para a responsabilidade que cada pessoa tem por sua alma. Na comunhão cristã, as cargas são compartilhadas uns com os outros em amor, mas há certa carga que é peculiar ao próprio indivíduo.[559] Warren Wiersbe alerta que devemos ajudar uns aos outros a carregar os grandes pesos da vida, mas há certas responsabilidades pessoais que cada pessoa deve carregar sozinha. "Cada soldado deve levar a própria mochila." O vizinho pode dar carona a meus filhos até a escola quando meu carro está na oficina, mas não pode assumir as responsabilidades que me dizem respeito como pai.[560]

Nessa mesma linha de pensamento, John Stott diz que devemos carregar os fardos que são pesados demais para uma pessoa carregar sozinha. Há, porém, um fardo que não podemos partilhar, e esse é a nossa responsabilidade diante de Deus no dia do juízo. Naquele dia você não poderá carregar o meu pacote, nem eu poderei carregar o seu. "Cada um levará o próprio fardo."[561]

Igreja, uma comunidade diaconal (6.6-10)

Paulo faz uma transição da disciplina eclesiástica para a ajuda aos irmãos. A igreja é uma comunidade que compartilha as bênçãos. Paulo nos dá um preceito (6.6), instando-nos a compartilhar uns com os outros. Oferece-nos um princípio (6.7,8), ou seja, o princípio da semeadura e da colheita. E, finalmente, aponta-nos uma promessa: "... porque a seu tempo ceifaremos" (6.9). No entanto, por trás dessa promessa, esconde-se um perigo: cansar-se da obra do Senhor e acabar desfalecendo.[562]

John Stott diz que há três esferas da experiência cristã nas quais Paulo vê o princípio da semeadura e da colheita operando: 1) o ministério cristão (6.6); 2) a santidade cristã (6.8); 3) a prática do bem do cristão (6.9,10). Quanto ao primeiro ponto, o trabalhador é digno de seu trabalho. Há, porém, dois perigos: o abuso por parte do ministro e o abuso por parte da igreja. Quanto ao segundo ponto, precisamos entender que, se no capítulo 5, a vida cristã é comparada a um campo de batalha, e a carne e o Espírito são dois combatentes em guerra um contra o outro, no capítulo 6, a vida cristã é comparada a uma propriedade rural, e a carne e o Espírito são dois campos que nós semeamos. Quanto ao terceiro ponto, nos versículos 9 e 10 o serviço cristão é um trabalho cansativo e exigente. Somos tentados a desanimar, a relaxar e até mesmo a desistir. Na primeira, a semente é a Palavra de Deus, semeada pelos mestres na mente e no coração da congregação. Na segunda, a semente são nossos pensamentos e atos, semeados no campo da carne ou do Espírito. Na terceira, a semente são as boas obras, semeadas na vida de outras pessoas na comunidade.[563]

Três verdades são aqui destacadas.

Em primeiro lugar, *como devemos ser uma comunidade diaconal.* "Mas aquele que está sendo instruído na palavra faça participante de todas as coisas boas aquele que o instrui" (6.6). Quem recebe bens espirituais deve compartilhar e repartir bens materiais. Esse princípio está meridianamente claro nas Escrituras. Atentemos para as palavras de Paulo:

> Porque aprouve à Macedônia e à Acaia levantar uma coleta em benefício dos pobres dentre os santos que vivem em Jerusalém. Isto lhes pareceu bem, e mesmo lhes são devedores; porque, se os gentios têm sido participantes dos valores espirituais dos judeus, devem também servi-los com bens materiais (Rm 15.26,27).

O apóstolo Paulo pergunta: "Se nós vos semeamos as coisas espirituais, será muito recolhermos de vós bens materiais?" (1Co 9.11). Os mestres fiéis que repartem com seus alunos a Palavra de Deus devem receber deles recompensas materiais. Calvino diz que é desditoso defraudar dos meios de sobrevivência aqueles por cuja instrumentalidade nossa alma é alimentada; e recusar uma recompensa terrena àqueles de quem recebemos bênçãos celestiais.[564] O mesmo autor ainda salienta: "Um dos artifícios de Satanás é privar de sustento os ministros piedosos, de modo que a igreja fique destituída desse tipo de ministro".[565] O apóstolo Paulo é enfático: "Agora, vos rogamos, irmãos, que acateis com apreço os que trabalham entre vós e os que vos presidem no Senhor e vos admoestam; e que os tenhais com amor em máxima consideração, por causa do trabalho que realizam" (1Ts 5.12,13). E Paulo ainda exorta: "Devem ser considerados merecedores de dobrados honorários os presbíteros que presidem bem, com especialidade os que se afadigam na palavra e no ensino" (1Tm 5.17).

Quanto a essa matéria do sustento daqueles que ensinam a Palavra, dois extremos devem ser evitados: a ganância por parte do obreiro e a usura por parte da igreja. Há obreiros que fazem do ministério do ensino da Palavra um meio de enriquecimento. O propósito principal deles não é cuidar das ovelhas de Cristo, mas apascentar a si mesmos. Paulo diz à igreja de Corinto: "... não vou atrás dos vossos bens, mas procuro a vós outros" (2Co 12.14). Diz ainda aos presbíteros de Éfeso: "De ninguém cobicei prata, nem ouro, nem vestes" (At 20.33). Entretanto, há igrejas que sonegam a seus ministros o sustento devido. A igreja de Corinto, por exemplo, que era generosa com os falsos obreiros (2Co 11.20), sonegou a Paulo o seu sustento (2Co 11.8,9). Nesse quesito, a igreja de Corinto acabou tornando-se inferior às demais igrejas (2Co 12.13).

Em segundo lugar, *por que devemos ser uma comunidade diaconal* (6.7-9). Algumas lições devem ser aqui notadas.

Semeadura e colheita são princípios universais. "Não vos enganeis: de Deus não se zomba; pois aquilo que o homem semear, isso também ceifará" (6.7). Tudo o que plantamos, nós colhemos. O homem é livre para escolher, mas não é livre para escolher as consequências do que escolhe.[566] Esta é a lei da causa e efeito. Colhemos exatamente a mesma natureza daquilo que semeamos. Uma árvore má não dá bons frutos. Em termos de quantidade, colhemos mais do que semeamos. Há uma multiplicação na colheita. Quem semeia ventos, colhe tempestades. Querer subverter esse princípio é tentar zombar de Deus.

O contexto mostra que Paulo ainda está tratando do sustento dos ministros fiéis da Palavra. Deixar de investir no sustento daqueles que se afadigam na Palavra é sonegar a semente da vida a esse solo que produz bênçãos espirituais. De acordo com Calvino, essa passagem contém evidência de que o costume de menosprezar os ministros fiéis não surgiu em nossos dias. Mas esse menosprezo não ficará impune.[567]

Há dois tipos de semeadura e dois tipos de colheita. "Porque o que semeia para a sua própria carne da carne colherá corrupção; mas o que semeia para o Espírito do Espírito colherá vida eterna" (6.8). No que concerne às coisas espirituais, só há duas semeaduras: semeamos para a carne ou para o Espírito; e apenas duas colheitas: colhemos corrupção ou vida eterna. Quem semeia para a própria carne não pode colher vida eterna; quem semeia para o Espírito não pode colher corrupção. A raiz determina o fruto, e não o fruto a raiz. Semear para a própria carne significa buscar a satisfação das necessidades desta vida, sem nenhuma consideração pela vida futura, mas semear no Espírito significa buscar os valores da vida que permanece.

Nessa mesma linha de pensamento, William Hendriksen diz que semear para a carne significa deixar que a velha natureza se expresse livremente, enquanto semear no Espírito significa deixar que o Espírito se expresse como ele quer. Já os termos "corrupção" e "vida eterna" devem ser entendidos em um sentido duplo: qualitativo e quantitativo. Do ponto de vista quantitativo, os dois são parecidos: ambos durarão para sempre. A "corrupção", por exemplo, longe de indicar uma aniquilação, assinala uma "destruição eterna" (2Ts 1.9). A vida eterna tem de igual forma uma duração eterna (Mt 25.46). Qualitativamente, e isso tanto a respeito da alma como do corpo, as duas expressões compõem um forte contraste. Os que semeiam para a carne serão levantados para a vergonha e a condenação eterna (Dn 12.2). Sua morada será nas trevas exteriores (Mt 8.11.12). Entretanto, aqueles que semearam para o Espírito resplandecerão como a luz do firmamento e como as estrelas eternamente (Dn 12.3).[568]

É possível cansar-se na obra e da obra. "E não nos cansemos de fazer o bem..." (6.9a). Não é apenas o pecado que cansa; fazer o bem também pode produzir cansaço. Nem sempre praticar o bem traz recompensas imediatas. Nem sempre quem recebe o bem reconhece e agradece a seu benfeitor. Por isso, muitos estão cansados na obra e da obra. Neste mundo há os que fazem o mal, os que pagam o bem com o mal, e os que pagam o bem com o bem e o mal com o mal. Mas nós devemos fazer o bem, pagar o mal com o bem e jamais nos cansarmos de fazer o bem. Paulo nos instrui a não nos cansarmos de ajudar ao nosso próximo, de praticar boas ações e de exercer generosidade, pois o vasto número de necessitados nos sucumbe; e os pedidos que se acumulam sobre nós, vindos de todos os lados, exaurem a nossa paciência. Nosso fervor é abrandado pela frieza de outras pessoas.[569]

A recompensa pode demorar, mas ela é certa. "... porque a seu tempo ceifaremos, se não desfalecermos" (6.9b). A semeadura muitas vezes é feita com lágrimas, mas a colheita é certa, segura e jubilosa (Sl 126.5,6). Ela pode demorar, mas não falhará. A recompensa da semeadura é prometida pelo próprio Deus.

Em terceiro lugar, *quando devemos ser uma comunidade diaconal.* "Por isso, enquanto tivermos oportunidade, façamos o bem a todos, mas principalmente aos da família da fé" (6.10). Com respeito à prática do bem, devemos observar aqui três coisas.

O tempo. Calvino diz que nem toda estação é própria para lavrar e semear. Os agricultores ativos e prudentes observarão o tempo apropriado e não permitirão indolentemente que esse tempo se torne inútil.[570] Devemos fazer o bem sempre que tivermos oportunidade. Não podemos ser omissos como o sacerdote e o levita que passaram de largo diante do drama de um homem caído à beira do caminho. A necessidade do próximo é a oportunidade escancarada diante dos nossos olhos.

O alcance. Devemos fazer o bem a todos, e não apenas a um grupo seleto. Não deve existir barreira étnica, cultural nem religiosa para a prática do bem. Nosso amor deve estender-se a todos.

A prioridade. Devemos fazer o bem a todos, mas a prioridade é assistir os da família da fé. A nossa maior prioridade é nossa família, pois aquele que não cuida da sua família é pior do que os incrédulos (1Tm 5.8). Depois devemos cuidar dos domésticos da fé (6.10), do nosso próximo de forma geral (6.2) e até mesmo dos nossos inimigos (Rm 12.20).

NOTAS DO CAPÍTULO 15

[532] WIERSBE, Warren W. *Comentário bíblico expositivo*, p. 943.
[533] POHL, Adolf. *Carta aos Gálatas*, 1999, p. 192.
[534] GUTHRIE, Donald. *Gálatas: introdução e comentário*, p. 183.
[535] BARCLAY, William. *Gálatas y Efesios*, p. 62.
[536] WIERSBE, Warren W. *Comentário bíblico expositivo*, p. 943.
[537] CALVINO, João. *Gálatas*, 2007, p. 157.
[538] POHL, Adolf. *Carta aos Gálatas*, 1999, p. 192.
[539] GUTHRIE, Donald. *Gálatas: introdução e comentário*, p. 183.
[540] STOTT, John. *A mensagem de Gálatas*, p. 147.

[541] WIERSBE, Warren W. *Comentário bíblico expositivo*, p. 943.
[542] BARCLAY, William. *Gálatas y Efesios*, p. 63.
[543] STOTT, John. *A mensagem de Gálatas*, p. 147.
[544] STOTT, John. *A mensagem de Gálatas*, p. 148.
[545] CALVINO, João. *Gálatas*, 2007, p. 158.
[546] POHL, Adolf. *Carta aos Gálatas*, 1999, p. 193.
[547] CALVINO, João. *Gálatas*, 2007, p. 159.
[548] GUTHRIE, Donald. *Gálatas: introdução e comentário*, p. 184.
[549] CALVINO, João. *Gálatas*, 2007, p. 159.
[550] HENDRIKSEN, Guillermo. *Gálatas*, p. 240.
[551] STOTT, John. *A mensagem de Gálatas*, p. 145.
[552] HENDRIKSEN, Guillermo. *Gálatas*, p. 241.
[553] GUTHRIE, Donald. *Gálatas: introdução e comentário*, p. 185.
[554] POHL, Adolf. *Carta aos Gálatas*, 1999, p. 195.
[555] HENDRIKSEN, Guillermo. *Gálatas*, p. 241.
[556] HENDRIKSEN, Guillermo. *Gálatas*, p. 242.
[557] RIENECKER, Fritz; ROGERS, Cleon. *Chave linguística do Novo Testamento grego*, p. 384.
[558] STOTT, John. *A mensagem de Gálatas*, p. 146.
[559] HOWARD, R. E. *A Epístola aos Gálatas*, p. 81.
[560] WIERSBE, Warren W. *Comentário bíblico expositivo*, p. 945.
[561] STOTT, John. *A mensagem de Gálatas*, p. 146.
[562] WIERSBE, Warren W. *Comentário bíblico expositivo*, p. 945,946.
[563] STOTT, John. *A mensagem de Gálatas*, p. 152-157.
[564] CALVINO, João. *Gálatas*, 2007, p. 163.
[565] CALVINO, João. *Gálatas*, 2007, p. 163.
[566] HOWARD, R. E. *A Epístola aos Gálatas*, p. 82.
[567] CALVINO, João. *Gálatas*, 2007, p. 164.
[568] HENDRIKSEN, Guillermo. *Gálatas*, p. 245.
[569] CALVINO, João. *Gálatas*, 2007, p. 166.
[570] CALVINO, João. *Gálatas*, 2007, p. 166.

Capítulo 16

A religião falsa e a religião verdadeira

(Gl 6.11-18)

PAULO ESTÁ CONCLUINDO sua Carta aos Gálatas. O mesmo embate que se travou desde o início da carta ainda está em andamento. Agora, porém, Paulo desmascara os falsos mestres e mostra sua real motivação. A questão não era tanto zelo religioso, mas conveniência. Eles queriam escapar da perseguição por causa da cruz de Cristo. Os judaizantes não estavam preparados para suportar o opróbrio que cai sobre os seguidores daquele que morreu sob a maldição da lei. Por esta razão, entregaram-se a uma busca desenfreada de glória para si mesmos, ao fazer discípulos de sua causa hipócrita.

Merrill Tenney afirma que essa porção da epístola tem a intenção de servir de sumário do significado do livro inteiro. Paulo aplicou o golpe inicial e o testemunho final, que tirou seu ensino do terreno do argumento abstrato para o terreno da realidade pessoal concreta.[571]

Nas últimas palavras da epístola, Paulo faz um contraste entre a falsa e a verdadeira religião; entre os falsos ministros e os ministros verdadeiros. Ele já havia deixado claro que era necessário escolher entre a escravidão e a liberdade (5.1-12), entre a carne e o Espírito (5.13-26), entre o viver para si mesmos e viver para os outros (6.1-10). Agora, apresenta um quarto contraste: viver em função do louvor dos homens ou viver para a glória de Deus (6.11-18). Com isso, o apóstolo trata da questão da *motivação*.[572]

Destacamos alguns pontos para a nossa reflexão.

Paulo revela suas motivações (6.11)

Paulo fundou as igrejas da Galácia. Gerou aqueles crentes em Cristo (4.19) e chamou-os de filhos (4.19) e "irmãos" (3.15). Eram preciosos para ele e, por isso, o apóstolo tinha zelo por eles. Agora pede a atenção deles, começando com ímpeto: "Vede com que letras grandes vos escrevi de meu próprio punho" (6.11).

É sabido que Paulo usava um amanuense ou secretário para escrever suas cartas. Ele as ditava, e o escrevente anotava fielmente o que Paulo dizia. Ao final da missiva, Paulo coloca o seu próprio nome. Porém, Paulo diz aqui que escreveu com grandes letras e de próprio punho. Isso pode significar duas coisas: 1) Paulo escreveu toda a carta; 2) Paulo tomou a pena do secretário e antes de colocar sua assinatura escreveu essas últimas palavras. Geralmente Paulo fazia isso apenas para colocar a sua assinatura como garantia contra falsificações (2Ts 3.17). Às vezes, incluía uma exortação final ou a bênção apostólica. Nessa ocasião, porém, ele escreve algumas sentenças finais de próprio punho.[573]

O que Paulo quis dizer com a expressão: "Vede com que letras grandes vos escrevi"?

Em primeiro lugar, *Paulo está demonstrando sua ênfase.* Paulo dá redobrada ênfase ao que está escrevendo na conclusão dessa carta. Ele chama a atenção para esse conteúdo. É como se Paulo estivesse usando letras garrafais e acendendo as luzes sobre o conteúdo escrito. O que ele está escrevendo não pode passar despercebido. É matéria de valor capital. É mensagem vital para a igreja.

John Stott, em sintonia com a maioria dos comentaristas, é de opinião que Paulo usou letras grandes deliberadamente, ou porque estivesse tratando os seus leitores como crianças (repreendendo sua imaturidade espiritual e, portanto, escrevendo com letras para crianças), ou simplesmente por questão de ênfase, para chamar a atenção e despertar a mente, como se, hoje em dia, usasse letras maiúsculas ou sublinhasse as palavras.[574] Adolf Pohl reforça que na Antiguidade uma letra grande tinha a mesma intenção do sublinhado em nossas cartas, ou do tipo itálico e negrito em nossa técnica de impressão.[575]

Em segundo lugar, *Paulo está demonstrando sua deficiência física.* Alguns intérpretes bíblicos opinam que Paulo está revelando aqui a razão pela qual usava um secretário. Segundo esses eruditos, Paulo tinha uma grave deficiência visual (4.13-15) e por isso não podia escrever senão usando letras grandes. Não podemos confirmar essa tese categoricamente, mas ela não está de todo desprovida de fundamento. Warren Wiersbe diz que, se o apóstolo sofria mesmo de algum problema de visão, esse parágrafo de encerramento certamente tocou ainda mais fundo no coração de seus leitores.[576]

Paulo desmascara os falsos mestres (6.12,13)

Paulo passa de suas verdadeiras motivações em escrever essa carta para as falsas motivações dos legalistas que constrangiam os crentes gentios a se circuncidarem. Com isso, Paulo evidencia que o cristianismo não é fundamentalmente uma religião de cerimônias externas, mas algo interior e espiritual, algo do coração.[577]

Quais eram as reais motivações desses falsos mestres?

Em primeiro lugar, *os falsos mestres buscavam a aprovação dos homens para escaparem da perseguição.* "Todos os que querem ostentar-se na carne, esses vos constrangem a vos circuncidardes, somente para não serem perseguidos por causa da cruz de Cristo" (6.12). Calvino conjectura que esses homens não se importavam com a edificação dos crentes; eram guiados por desejos ambiciosos de conquistar o aplauso popular.[578]

Os judaizantes eram arrogantes por um lado e persuasivos por outro. Ostentavam-se na carne e constrangiam os crentes gentios a se circuncidarem. O grito de guerra deles era: "Se não vos circuncidardes [...] não podeis ser salvos" (At 15.1); assim negavam que a salvação fosse exclusivamente pela fé em Cristo. A circuncisão havia sido dada por Deus a Abraão como um sinal de sua aliança (Gn 17.9,10). Mas em si mesma ela não era nada. Os judaizantes, porém, elevaram a circuncisão a uma ordenança de importância central, sem a qual ninguém poderia ser salvo.[579]

Esses judaizantes andavam de peito estufado, gloriando-se na carne; eram bons marqueteiros e sabiam "vender o seu peixe", pois constrangiam os crentes da Galácia a se circuncidarem. A empáfia desses judaizantes, porém, com sua balofa ostentação carnal, tinha como finalidade fazer proselitismo dentro da igreja para escapar da perseguição.

William Barclay assegura que os romanos respeitavam a religião judaica. Sua prática era permitida oficialmente. A circuncisão constituía a marca indiscutível do judeu, de modo que eles viam na circuncisão o salvo-conduto que lhes daria segurança no caso de se instalar uma perseguição. A circuncisão os preservava tanto do ódio dos judeus como da lei romana.[580] Nessa mesma direção, Adolf Pohl afirma que o temor desses falsos mestres estava ligado ao judaísmo farisaico com seu centro em Jerusalém. Isso porque o judaísmo representava uma religião estabelecida e "lícita" perante o Estado romano, com privilégios nada insignificantes. Diante da desconfiada Roma, seguramente seria bom poderem permanecer à sombra do judaísmo. Sabedores de que a exigência mínima para ser considerado judeu era precisamente a circuncisão, fizeram disso sua bandeira para se livrarem do sofrimento.[581] Já que a circuncisão era o emblema do judaísmo, ostentar essa marca na carne era livrar-se da perseguição que vinha tanto de fora, por parte dos romanos, como de dentro, por parte dos judeus.

Calvino diz que esses homens bajulavam os judeus, mas perturbavam a igreja toda em favor de seu próprio ensino e não sentiam nenhum escrúpulo em colocar um jugo tirânico sobre a consciência das pessoas, para que ficassem livres de inquietações físicas. O medo da cruz os levou a corromperem a genuína pregação da cruz.[582] Concordo com Donald Guthrie quando escreve:

> Os judaizantes estão lutando para alcançar um meio-termo entre a posição judaico não-cristã do judaísmo ortodoxo e a posição cristã

> não judaica de Paulo. Temiam a perseguição do partido ortodoxo, e, ao mesmo tempo, sua política os colocava em oposição direta a Paulo.[583]

Paulo, por sua vez, era perseguido porque pregava a graça de Deus e a salvação sem as obras da lei (5.11). Os judaizantes se faziam passar por cristãos aos membros da igreja e por seguidores da lei mosaica aos que observavam a lei. Assim, evitavam ser perseguidos pelos legalistas por causa de sua identificação com a cruz de Cristo e de seu efeito devastador sobre a lei.[584]

A cruz de Cristo era tanto uma pedra de tropeço como um escândalo naquela época (1Co 1.18-31). Para um cidadão do século 1, a cruz não era um adorno, mas o tipo mais desprezível de morte. A cruz representava rejeição e vergonha. Envolver-se com um Messias que havia sido morto na cruz era colocar os pés numa estrada crivada de espinhos e expor-se a grande perseguição. Esses mestres queriam circuncidar os crentes da Galácia para livrar a própria pele. Os legalistas, que enfatizavam a circuncisão em lugar da crucificação, granjearam muitos adeptos. Sua religião era bem aceita, pois evitava a vergonha da cruz.[585]

Por que a cruz de Cristo provoca perseguições e enraivece tanto o mundo? É porque a cruz diz algumas verdades muito desagradáveis acerca de nós mesmos, isto é, nós somos pecadores, estamos sob a maldição da lei de Deus e não podemos salvar a nós mesmos. Cristo assumiu o nosso pecado e a maldição exatamente porque não havia outra forma de nos vermos livres deles.[586] A cruz nos reduz a nada. Ela fura o balão da nossa vaidade. Fere mortalmente o nosso orgulho e a nossa soberba. É ao pé da cruz que voltamos ao nosso tamanho normal, diz John Stott.[587]

Em segundo lugar, *os falsos mestres revelam sua hipocrisia ao ostentar os números estatísticos*. "Pois nem mesmo aqueles que se deixam circuncidar guardam a lei; antes, querem que vos circuncideis, para se gloriarem na vossa carne" (6.13). Os judaizantes não eram apenas arrogantes e persuasivos, mas também hipócritas. Exigiam dos outros aquilo que não praticavam. Falavam uma coisa e faziam outra. Pertenciam ao mesmo grupo dos fariseus, sobre os quais Jesus disse: "...porque dizem e não fazem" (Mt 23.3). Jesus chamou esse grupo de hipócritas (Mt 23.13-15,23,25,27,29) e raça de víboras (Mt 23.33). Paulo desmascara esses hipócritas, mostrando que sua reverência à lei era apenas uma máscara para encobrir seu verdadeiro objetivo: ganhar mais convertidos para a sua causa. Tudo o que eles desejavam era ter estatísticas para relatar e receber mais glórias para si mesmos.[588] John Stott declara que os judaizantes eram obcecados por estatísticas eclesiásticas. Eles idolatravam os números. Caíram na rede da numerolatria. Quando se gabavam de tantas circuncisões em determinado ano, eram exatamente como muitos ministros que ainda hoje se gabam de ter feito tantos batismos no ano.[589] O que importa não é se uma pessoa foi circundada ou batizada, mas se ela nasceu de novo e é nova criatura. O que importa não é o externo, mas o interno; não é o símbolo, mas o simbolizado; não é o batismo com água, mas o batismo do Espírito.

Sujeitar-se à circuncisão era escolher o caminho da lei com o propósito de ser aceito por Deus. Era abraçar as obras e repudiar a fé. Deixar-se circuncidar era, consequentemente, anular toda a obra de Cristo (2.21; 5.2). Os falsos mestres judaizantes, porém, exigiam dos gentios algo que eles mesmos não cumpriam. Estavam sendo hipócritas, pois requeriam dos gentios o cumprimento da lei, mas eles mesmos não a observavam. O que de fato queriam era ostentar o número de adeptos que estavam conseguindo dentro da igreja. Eram proselitistas, e não evangelistas. Eram pescadores de aquário, e não pescadores de homens. Viam o seu sucesso em seus números estatísticos, e não em sua fidelidade à verdade.

Warren Wiersbe afirma que o principal objetivo desses falsos mestres não era ganhar almas para Cristo nem ajudar os cristãos a crescerem na graça. Seu propósito era ganhar mais convertidos para então se gabar. Eles desejavam causar excelente impressão exterior. Não realizavam a obra para o bem da igreja nem para a glória de Deus, mas somente para a própria glória.[590]

John Stott pressupõe que, ao se concentrarem na circuncisão, os judaizantes cometeram outro erro, pois a circuncisão não era apenas um ritual exterior e físico; era também uma obra humana, realizada por um ser humano em outro ser humano. Mais do que isso: como símbolo religioso, a circuncisão obrigava as pessoas a guardarem a lei (At 15.5). A religião humana começava com uma obra humana (circuncisão) e continuava com mais obras humanas (obediência à lei).[591]

Paulo se gloria na cruz de Cristo (6.14-18)

Paulo faz um contraste entre os falsos mestres que se gloriavam na carne, e ele, ministro verdadeiro, que se gloriava exclusivamente na cruz de Cristo. Paulo conhecia a Pessoa da cruz; Jesus é mencionado pelo menos 45 vezes nessa carta. Paulo conhecia o poder da cruz; a cruz deixou de ser uma pedra de tropeço para ele e se tornou a pedra fundamental de sua mensagem. Paulo conhecia o propósito da cruz; esse propósito era mostrar ao mundo o Israel de Deus, formado de judeus e gentios.[592]

Destacamos aqui alguns pontos importantes.

Em primeiro lugar, *a cruz de Cristo é a nossa única fonte de exultação*. "Mas longe esteja de mim gloriar-me, senão na cruz de nosso Senhor Jesus Cristo..." (6.14a). A cruz não era uma coisa da qual Paulo procurava fugir; antes, era o motivo de seu orgulho. Enquanto os falsos mestres se gloriavam na carne, Paulo se gloriava na cruz. Não podemos gloriar-nos em nós mesmos e na cruz ao mesmo tempo. Temos de escolher. Só quando nos humilharmos e nos reconhecermos como pecadores que merecem o inferno, deixaremos de nos gloriar em nós mesmos, buscaremos a salvação na cruz e passaremos o restante de nossos dias gloriando-nos na cruz.[593]

A cruz de Cristo foi o lugar onde o amor de Deus pelos pecadores refulgiu com maior esplendor. A cruz de Cristo foi o palco onde se manifestou a mais radiante justiça de Deus. A cruz de Cristo foi onde nossos pecados foram sentenciados. Foi pela cruz que o caminho de volta para Deus se abriu. Foi pela cruz que fomos reconciliados com Deus. A cruz é nossa fonte de vida.

Em segundo lugar, *a cruz de Cristo é o palco onde estamos crucificados para o mundo e o mundo para nós*. "... pela qual o mundo está crucificado para mim, e eu, para o mundo" (6.14b). Nós estávamos no Calvário. Estávamos cravados na cruz do centro. Fomos crucificados com Cristo. E nessa identificação estamos também crucificados para o mundo e o mundo para nós. Morremos para o mundo, e o mundo morreu para nós. Perdemos o encanto pelo mundo, e o mundo perdeu o encanto por nós.

Merrill Tenney afirma que, tão certo como Cristo morreu e dessa maneira cortou a conexão entre ele mesmo e o mundo, o crente é emancipado das cadeias com as quais o mundo o trazia algemado.[594] Porque o mundo está crucificado para nós, o crente jamais precisa seguir pelo caminho do mundo, isto é, pelo caminho do pecado, da corrupção, da morte e do julgamento. Jesus morreu para libertar-nos do mundo. Porque estamos crucificados para o mundo, o crente rejeita as atrações e prazeres do mundo. Por essa causa o crente torna-se uma pessoa não atraente para o mundo.

Adof Pohl lança luz sobre o assunto em tela quando escreve:

> Na Sexta-Feira da Paixão Deus inverteu a situação de tal maneira que para Paulo o mundo aparece como acusado, refutado, condenado e executado. Com isso, também, caducaram os direitos do mundo sobre ele. O mundo não tem mais nada a comandá-lo, e Paulo não está mais comprometido com nenhum de seus conceitos, critérios, normas e demandas. Paulo foi desconectado do mundo por meio da cruz de Cristo. No contrafluxo, o mundo declarou Paulo deserdado.[595]

Em terceiro lugar, *a cruz de Cristo cria um novo homem.* "Pois nem a circuncisão é coisa alguma, nem a incircuncisão, mas o ser nova criatura" (6.15). A circuncisão é uma incisão na carne. É algo externo. Não produz mudança interior. Ostentá-la não nos coloca mais perto de Deus. Não somos aceitos por Deus pela circuncisão nem somos rejeitados pela incircuncisão. O que importa para Deus é ser nova criatura, e essa transformação interior é produzida pelo Espírito. Calvino é enfático quando escreve: "A circuncisão era um disfarce aos olhos dos homens, mas a regeneração é a verdade aos olhos de Deus".[596]

Concordo com John Stott quando diz:

> O que realmente importa não é se uma pessoa foi circuncidada (ou batizada), mas se ela nasceu de novo e se é agora uma nova criatura [...].

A circuncisão e o batismo são coisas da "carne", cerimônias externas e visíveis realizadas por pessoas; a nova criação é um nascimento do Espírito, um milagre interior e invisível realizado por Deus.[597]

Nessa mesma linha de pensamento, Merrill Tenney entende que nem a observância nem a abstinência da circuncisão revestem-se de alguma consequência espiritual; a questão real depende de o indivíduo possuir ou não aquela nova vida que o torna uma nova criatura em Cristo. Se tal pessoa possui essa vida, nada mais tem importância; e, se não a possui, nenhum rito externo poderá proporcioná-la.[598]

John Stott sugere que, no decorrer da história, o povo de Deus tem-se inclinado a repetir esse erro. Os profetas de Israel denunciaram a religiosidade sem vida. Deus por intermédio dos profetas queixou-se: "Este povo se aproxima de mim, e com a sua boca e com os seus lábios me honra, mas o seu coração está longe de mim e o seu temor para comigo consiste só em mandamentos de homens" (Is 29.13). Esse mesmo formalismo religioso marcou a igreja medieval antes da Reforma. O mesmo se deu com o anglicanismo do século 17, até que João Wesley e George Whitefield nos devolveram o evangelho. E muito "igrejismo" contemporâneo faz o mesmo: não passa de exibição seca, enfadonha, lúgubre e morta. Mas a essência é interior; as formas externas de nada valem se falta a realidade interior.[599]

William Hendriksen diz que essa "criação" é nova em contraste com a natureza velha do homem. É infinitamente melhor do que a velha. É obra de Deus. É produto daquele que diz: "Eis que faço novas todas as coisas" (Ap 21.5). É uma criação que sai novinha em folha do coração do Deus Todo-poderoso, e é um penhor seguro das glórias mais maravilhosas que estão por vir como resultado de seu poder transformador.[600]

Em quarto lugar, *a cruz de Cristo traz paz e misericórdia sobre a igreja.* "E, a todos quantos andarem de conformidade com esta regra, paz e misericórdia sejam sobre eles e sobre o Israel de Deus" (6.16). A igreja é o Israel de Deus. A igreja do Antigo e do Novo Testamento é um povo só. Os judeus e gentios que se gloriam na cruz de Cristo, e são novas criaturas, são o Israel de Deus.

John Stott lança luz sobre esse assunto, destacando que nesse versículo Paulo ensina três grandes verdades sobre a igreja.

A igreja é o Israel de Deus. "Todos quantos andarem de conformidade com esta regra" e "o Israel de Deus" não são dois grupos, mas apenas um. A partícula conectiva *kai* deveria ser traduzida por "a saber", e não "e", ou então ser omitida. A igreja desfruta uma continuidade direta com o povo de Deus no Antigo Testamento. Aqueles que estão em Cristo hoje são "...a verdadeira circuncisão" (Fp 3.3), "...descendentes de Abraão" (3.29) e "...o Israel de Deus" (6.16).[601] David Stern discorda dessa posição, considerando-a antissemítica,[602] porém a maioria dos intérpretes a confirma. Embora a frase "Israel de Deus" não ocorra em outra parte do Novo Testamento, o contexto favorece a interpretação de que Paulo está falando sobre toda a igreja, formada de judeus e gentios. R. E. Howard chega a afirmar que há provas de que, na era apostólica, "novo Israel" se tornou nome favorito para referir-se à igreja (3.8; 3.29; Fp 3.3; Rm 2.28,29; 9.6-8).[603]

Nessa mesma linha de pensamento, Adolf Pohl escreve:

> Ao pronunciar o "e" Paulo de forma alguma está pensando num segundo organismo, diferente da igreja de Cristo, quem sabe a

nação de Israel fora de Cristo, que não segue o padrão do versículo 15, para o qual o mundo ainda não foi crucificado por meio de Cristo e para o qual a questão da circuncisão ainda representa tudo. Não, então o "critério" recém-estabelecido já seria de novo inválido. Então realmente haveria "outro evangelho" (Gl 1.6,7), e Paulo teria, nos traços finais, revogado toda a sua carta. Isso não pode ser. Por isso resulta da sequência do pensamento inequivocamente que com "Israel de Deus" ele saúda a igreja de judeus e gentios como um só povo da salvação. Depois que o apóstolo abençoou no começo especialmente os fiéis na Galácia, abalados na fé, ele amplia, por meio desse "e" cumulativo, a bênção para a igreja geral na terra.[604]

A igreja tem uma regra para a sua orientação. A palavra grega para regra é *kanon,* que significa uma vara de medir ou régua. Era a medida padrão do carpinteiro. A igreja tem uma regra pela qual se orientar. É o cânon da Escritura, a doutrina dos apóstolos, a doutrina da cruz de Cristo. Essa é a regra pela qual a igreja deve andar e continuamente julgar-se e reformar-se.[605]

A igreja desfruta paz e misericórdia apenas quando segue essa regra. A igreja só tem paz e só desfruta da misericórdia quando anda em conformidade com a verdade revelada de Deus. Uma igreja apóstata não desfruta da paz de Deus nem de sua misericórdia. A paz é a serenidade de coração, que é a porção de todos aqueles que têm sido justificados pela fé (Rm 5.1). Em meio às tormentas da vida eles estão seguros porque encontraram refúgio na fenda da rocha. No dia da ira, Deus esconde nessa fenda a todos os que se refugiam nele (Sf 1.2; 2.3; 3.12). A paz e a misericórdia são inseparáveis. Se a misericórdia de Deus não fosse manifesta a seu povo, o povo jamais haveria gozado a paz.[606]

Em quinto lugar, *a cruz de Cristo dá propósito às cicatrizes da vida*. "Quanto ao mais, ninguém me moleste; porque eu trago no corpo as marcas de Jesus" (6.17). Paulo não queria ser mais molestado pelos falsos mestres judaizantes. Ele deu tudo de si. Se apesar disso alguém rejeitar suas palavras e continuar atiçando a briga, Paulo com essa declaração sacode a poeira dos pés (Mt 10.14).[607]

As insígnias de seu apostolado eram suas prisões, cadeias, açoites, apedrejamentos e muitos tipos de tratamento injurioso que ele sofreu por testemunhar o evangelho.[608] Mesmo tendo sido circuncidado ao oitavo dia (Fp 3.5), Paulo não ostentava sua circuncisão como emblema de suas credenciais apostólicas, mas mostrou as marcas de Jesus, os sinais de sua atroz perseguição.

A palavra grega para "marcas" é *stigmata.* Sem dúvida essas marcas foram os ferimentos que ele recebeu em diversas perseguições por amor a Cristo. Paulo foi apedrejado na cidade de Listra, na província da Galácia (At 14.19). Ele recebeu dos judeus 195 açoites e foi três vezes fustigado com varas pelos romanos (2Co 11.23-25). Paulo foi preso em Filipos, Jerusalém, Cesareia e Roma. Seu sofrimento pelo evangelho e os ferimentos que seus perseguidores lhe infligiram e as cicatrizes que ficaram eram as "marcas de Jesus". Essas eram suas verdadeiras credenciais, e isso bastava. Por essa razão, Adolf Pohl chegou a dizer que em Paulo não somente se podia ouvir, mas ao mesmo tempo se podia ver a mensagem da cruz.[609]

A palavra *stigmata* era usada também no grego secular para referir-se ao ferretear dos escravos como um sinal de posse, à marcação de um escravo como um sinal de seu senhor, ou alguma cicatriz distinguível a fim de demonstrar a quem ele pertencia. Paulo era um escravo de Cristo e havia recebido essa marcação nas diversas perseguições sofridas pelo evangelho. Assim como a cruz deixara cicatrizes em Cristo, semelhantemente os sofrimentos de Paulo por Cristo deixaram-lhe o corpo marcado. Esses memoriais visíveis, de perseguições e conflitos, ele exibia alegremente, até mesmo orgulhosamente.[610]

A palavra *stigmata* era usada ainda em referência a "tatuagens religiosas". Talvez Paulo estivesse declarando que a perseguição, e não a circuncisão, era a autêntica "tatuagem" cristã.[611] Em outras palavras, as marcas de Jesus seriam cicatrizes da perseguição. Concordo com Calvino quando diz: "Aos olhos do mundo, essas marcas eram vergonhosas e infames, mas diante de Deus e dos anjos elas excedem todas as honras do mundo".[612]

Paulo conclui essa carta da liberdade invocando a bênção sobre a igreja: "A graça de nosso Senhor Jesus Cristo seja, irmãos, com o vosso espírito. Amém!" (6.18). Paulo começa a carta com a graça (1.3) e a termina com a graça (6.18). Toda a carta foi dedicada ao tema da graça de Deus, seu favor imerecido a pecadores indignos. Paulo levava as marcas de Jesus em seu corpo e a graça de Jesus em seu espírito.[613] Essa graça só pode ser realmente desfrutada quando atinge o nosso *espírito.* Portanto, devemos pedir a Deus que prepare em nossa alma uma habitação para a sua graça.[614]

A palavra "irmãos" acrescenta calor à saudação final. Não ocorre em nenhuma outra das conclusões epistolares de Paulo. Já a palavra hebraica *Amém,* "assim seja", usada para enfatizar e confirmar uma declaração[615] só fecha essa carta e a Epístola aos Romanos. Não era um hábito formal de Paulo. Na verdade, aqui, ele deseja acrescentar peso à sua conclusão.[616] Como R. E. Howard diz, "com o escritor, todos os que lerem essa carta podem dizer: Amém"![617]

NOTAS DO CAPÍTULO 16

[571] TENNEY, Merrill C. *Gálatas*, 1978, p. 234.
[572] WIERSBE, Warren W. *Comentário bíblico expositivo*, p. 948.
[573] STOTT, John. *A mensagem de Gálatas*, p. 158.
[574] STOTT, John. *A mensagem de Gálatas*, p. 159.
[575] POHL, Adolf. *Carta aos Gálatas*, 1999, p. 204.
[576] WIERSBE, Warren W. *Comentário bíblico expositivo*, p. 948.
[577] STOTT, John. *A mensagem de Gálatas*, p. 159.
[578] CALVINO, João. *Gálatas*, 2007, p. 167.
[579] STOTT, John. *A mensagem de Gálatas*, p. 159.
[580] BARCLAY, William. *Gálatas y Efesios*, p. 66.
[581] POHL, Adolf. *Carta aos Gálatas*, 1999, p. 205.
[582] CALVINO, João. *Gálatas*, 2007, p. 168.
[583] GUTHRIE, Donald. *Gálatas: introdução e comentário*, p. 193.
[584] WIERSBE, Warren W. *Comentário bíblico expositivo*, p. 949.
[585] WIERSBE, Warren W. *Comentário bíblico expositivo*, p. 949.
[586] STOTT, John. *A mensagem de Gálatas*, p. 162.
[587] STOTT, John. *A mensagem de Gálatas*, p. 162.
[588] WIERSBE, Warren W. *Comentário bíblico expositivo*, p. 949.
[589] STOTT, John. *A mensagem de Gálatas*, p. 160.
[590] WIERSBE, Warren W. *Comentário bíblico expositivo*, p. 948.
[591] STOTT, John. *A mensagem de Gálatas*, p. 161.
[592] WIERSBE, Warren W. *Comentário bíblico expositivo*, p. 950.
[593] STOTT, John. *A mensagem de Gálatas*, p. 162.
[594] TENNEY, Merrill C. *Gálatas*, 1978, p. 235.
[595] POHL, Adolf. *Carta aos Gálatas*, 1999, p. 207.
[596] CALVINO, João. *Gálatas*, 2007, p. 172.
[597] STOTT, John. *A mensagem de Gálatas*, p. 160.
[598] TENNEY, Merrill C. *Gálatas*, 1978, p. 236.
[599] STOTT, John. *A mensagem de Gálatas*, p. 161.
[600] HENDRIKSEN, Guillermo. *Gálatas*, p. 254.
[601] STOTT, John. *A mensagem de Gálatas*, p. 163.
[602] STERN, David. *Comentário judaico do Novo Testamento*, p. 617.
[603] HOWARD, R. E. *A Epístola aos Gálatas*, p. 86.
[604] POHL, Adolf. *Carta aos Gálatas*, 1999, p. 207.
[605] STOTT, John. *A mensagem de Gálatas*, p. 163.
[606] HENDRIKSEN, Guillermo. *Gálatas*, p. 254.
[607] POHL, Adolf. *Carta aos Gálatas*, 1999, p. 208.
[608] CALVINO, João. *Gálatas*, 2007, p. 173.

[609] POHL, Adolf. *Carta aos Gálatas*, 1999, p. 208.
[610] TENNEY, Merrill C. *Gálatas*, 1978, p. 236.
[611] STOTT, John. *A mensagem de Gálatas*, p. 165.
[612] CALVINO, João. *Gálatas*, 2007, p. 173.
[613] STOTT, John. *A mensagem de Gálatas*, p. 165.
[614] CALVINO, João. *Gálatas*, 2007, p. 173.
[615] RIENECKER, Fritz; ROGERS, Cleon. *Chave linguística do Novo Testamento grego*, p. 385.
[616] GUTHRIE, Donald. *Gálatas: introdução e comentário*, p. 197.
[617] HOWARD, R. E. *A Epístola aos Gálatas,* p. 87.

Sua opinião é importante para nós.
Por gentileza, envie seus
comentários pelo e-mail
editorial@hagnos.com.br

Visite nosso site:
www.hagnos.com.br

Esta obra foi impressa na
Imprensa da Fé.
São Paulo, Brasil.
Inverno de 2021.